JEANNE

Groupe d'édition la courte échelle inc.
Division À l'étage
4388, rue Saint-Denis, bureau 315
Montréal (Québec) H2J 2L1
aletage.ca

Direction littéraire : Sébastien Dulude
Révision : Luba Markovskaia
Correction : Mélanie Jannard
Direction artistique : Julie Massy
Mise en pages : Catherine Charbonneau
Œuvre en couverture : © Paul Butler, « untitled (What's Within Series) »,
7" x 10", 2011, collage

Dépôt légal, 2017
Bibliothèque nationale du Québec

Le Groupe d'édition la courte échelle reconnaît l'aide financière du gouvernement du
Canada pour ses activités d'édition. Le Groupe d'édition la courte échelle est aussi inscrit
au programme de subvention globale du Conseil des arts du Canada et reçoit l'appui du
gouvernement du Québec par l'intermédiaire de la SODEC.

Le Groupe d'édition la courte échelle bénéficie également du Programme de crédit d'impôt
pour l'édition de livres — Gestion SODEC — du gouvernement du Québec.

**Catalogage avant publication de Bibliothèque et Archives nationales du Québec
et Bibliothèque et Archives Canada**

Bouchard, Sophie, 1980-

    Jeanne

    ISBN 978-2-924568-26-2

    I. Titre.

PS8603.O924J42 2017   C843'.6   C2016-942355-7
PS9603.O924J42 2017

Imprimé au Canada

SOPHIE BOUCHARD

À
L'
É
T
A
G
E

JEANNE

ROMAN

À toi, la devenue grande.
Et l'autre, la trop petite.
Ce livre n'est pas vous, mais vous l'habitez.

JE SUIS NÉ JEAN

La peur ne guérit pas l'égoïsme, elle l'augmente.

Georges Sand

Je suis un homme de parole.

Quand je prête serment, c'est sacré. Je ne promets jamais dans le vide, je fais ce que je dis. Toujours. Sans qu'on me le demande, une chose dite est une chose due. Je passe à l'acte sans branler dans le manche. À quoi bon se perdre à inventer mille excuses alors qu'il est si simple de s'occuper à remplir son mandat ? *Fais ça comme un bon p'tit gars, Jean,* m'ordonne encore ma mère, même si j'ai passé l'âge d'être sous son joug. Je ne botche jamais l'ouvrage. Je préfère me mettre une pression folle sur les épaules que de faire tout croche. Je suis l'homme des services rendus, celui à qui on demande tout, car on est assuré de la qualité du résultat. L'homme des déménagements. L'homme du cordage de bois. L'homme du réparage de chainsaw. L'homme du construisage de cabanon. L'homme du dessouchage d'arbre. L'homme du démontage de moteur, du posage de pneus, du changeage d'huile à la maison. J'offre mon aide pour tout, je suis fait de même. Je donne un coup de main. C'est naturel. Le don de soi est chose facile pour moi. Je ne compte pas. La générosité sur deux pattes. Prêt à tout pour ceux que j'aime, je pose des gestes pour faire plaisir. Je suis un homme de parole souvent déçu, car le retour d'ascenseur arrive rarement.

Exigeant, je ne me laisse pas souvent de chances.

Je ne me donne pas droit à l'erreur. Lorsque je gaffe, j'explose. Je m'en veux. Je me fâche. Je me flagelle. Tant bien que mal, je tente de camoufler l'orage, mais on sent que je ne suis pas content de moi. Je veux réussir du premier coup. Parfaitement. En contrôle. Autour de moi, on se tait et on essaie d'ignorer mon écart de conduite pour ne pas jeter de l'huile sur le feu. Pour faire comme si de rien n'était. Au boulot, à la maison, dans mon couple, avec mes enfants, j'exige la perfection.

Je ne déborde pas de ce que je suis. Je vis dans ma boîte.

J'ai toujours évité les ennuis et surtout l'attention. Assez de gens se jettent sur la scène pour être sous les projecteurs et se prouver qu'ils existent, je leur cède ma place. Je n'aspire pas au titre de l'homme le plus populaire de l'année, celui qui, dès qu'il ouvre la bouche, fait rire tout l'auditoire. Ce n'est pas dans ma nature d'attirer les regards et de désirer qu'on se pende à mes lèvres. Seul plus souvent qu'autrement, je fais mon affaire dans mon coin et je dessine ma vie comme je l'entends, sans exposition.

Je suis un discret, n'entre pas dans mon monde qui veut. Surtout pas par la force.

On me reproche de ne pas me confier lorsque je vis des périodes creuses, on me dit que mon intimité n'est pas accessible. Je la garde, la protège, muet. Même mon entourage immédiat ne connaît pas tout des joies et des malheurs qui m'habitent. Je m'arrange avec mes problèmes. C'est ce qu'on m'a enseigné, petit. Ne pas pleurer. Ne pas me plaindre. Empiler et ravaler mes frustrations toujours plus loin. Cesser de chigner. Fermer ma gueule. Être gentil, petit bibelot dans un coin du salon. Quand je me retrouvais dans le pétrin, ma mère ne manquait pas de se faire un plaisir de me rappeler le gros bon sens. *Tu t'es encore mis é'pieds din'plats, trouve une solution. Organise-toé a'ec tes troub'!* Dans ces mots-là, précisément.

Cette phrase me suit partout, le volume à dix. Sachant que je ne trouverais pas de réconfort dans les jupes de ma mère si j'en avais besoin, j'ai grandi avant mon temps. J'ai conclu que je devrais me construire seul et ne pas faire de vagues. Ne pas attendre après les autres pour devenir quelqu'un. Le pouvoir de la résilience. S'éduquer soi-même.

Petit gars, j'espérais devenir un long fleuve tranquille.

Depuis quelques mois, j'ai l'impression de décompenser. Ma gorge se noue au moindre mot prononcé. Je pense à chaque phrase avant qu'elle ne sorte de ma bouche. Une fois lancé, je me surprends à m'entendre, voix chevrotante et nerveuse, essayer de composer une sorte de quelque chose. Je me sens au bout du rouleau. Devant un mur gigantesque à gravir. Tous les gestes du quotidien me semblent une montagne. Je stresse à l'idée de prendre ma voiture. De faire l'épicerie. De prendre ma douche. De laver mes vêtements. De souper en famille. De visiter la parenté. De recevoir pour une veillée. D'amener les enfants à l'école. Je stresse. Je panique. Je ne suis plus certain de bien faire avec mes garçons. Je doute de mes talents en cuisine. Je suis incapable de choisir entre deux paires de bas. Tout est gros. Immense. Titanesque. Je n'ai pas encore démarré ma journée que je suis vidé. Certains me parlent de grande fatigue, d'autres d'épuisement professionnel. On m'analyse. On me dit que j'ai mauvaise mine. Que je grisonne du visage. Que j'aurais mieux fait de rester couché. Que j'ai pris un coup de vieux. Que mes traits sont tirés. Qu'on m'entend me traîner les pieds dans les corridors. Je ne marche pas, j'erre entre quelque part et ailleurs. On m'accuse de vouloir tout contrôler. Je ne remarque pas ça. Je suis gelé. Comme figé. Si j'avance, j'ai la chienne de ce qui va m'arriver. Si je recule, je vais virer fou. Alors je reste sur place. Je m'étourdis dans le travail et dans l'alcool. Ça panse. Ça guérit. J'ai du mal à me concentrer. Je n'écoute plus personne, toujours la même idée ancrée en tête. Je tremble. Je perds l'appétit, me force à manger pour ne pas inquiéter les enfants. J'ai sommeil et je dormirais tout le jour, mais l'insomnie me gagne chaque nuit. La noirceur, angoisse aux minutes infinies. Quand je manque le travail, je mens pour m'en excuser. Je feins de travailler jusqu'à tard le soir pour ne pas aller dormir en même temps que ma femme. Je faiblis. Je n'assure plus. Je décompense.

J'ai envie d'un grand projet pour me sentir à nouveau dans le vrai monde. Je veux vivre une folie pour ramener ma passion, mettre le feu au train-train quotidien. Le fouet ou la mort. Le coup de pied au cul bien placé ou l'endormitoire pour le reste de ma vie. Qu'est-ce qui me ferait jouir ? Construire de mes mains un voilier en bois de quarante pieds, prendre l'avion pour un tour du monde sans prévoir de fin, gravir le Kilimandjaro, acheter un lot et bûcher, écrire une œuvre de mille six cents pages par instinct de survie pendant neuf ans, reprendre le piano et faire des tournées mondiales, bâtir un chalet perdu près de la mer ? Mais non. Plus je vieillis, plus je deviens un Jean maussade et beige. J'ai l'impression de me détacher de moi. Physiquement, je me sens loin de la tombe, mais psychologiquement, je suis enterré dans un trou, la tête en bas et les pieds au ras des fleurs de plastique. Il faut bouger. Me dégourdir. Dégeler. Risquer de crasher, mais poser un geste. Je ressens maintenant une soif aigüe de me retrouver dans mes souliers. En réalité, ma décision est prise.

Je n'ai pas l'intention de demeurer une minute de plus dans une vie aussi morne. Manifestement, elle appartient à quelqu'un d'autre. Trop de temps passé à m'aveugler. Je dois passer à l'acte pour retrouver un semblant de calme.

Assis dehors, je boucane de froid et j'analyse le rythme de ma respiration. Si je ne ralentis pas la cadence, je claque. Les mains crispées par le stress, le cœur en plein solo de death metal, les dents usées à force de grincer, la crise de panique fonce tout droit sur moi tirée par mille chevaux-vapeur. Pour retrouver une sorte de sérénité, j'essaie de trouver des jeux bidon. Je déchiffre les nuages d'hiver. En une minute, je compte le plus d'abris Tempo sur la rue. Je fais un vœu à chaque voiture rouge. Je cherche des silhouettes dans les branches des arbres. Je tente de voir l'aura des passants. Je m'imagine en position du lotus, tout nu dans le banc de neige à vérifier si je ne ressentirais pas un petit quelque chose à l'intérieur, dans mon lointain, si je le faisais pour vrai, mais je suis trop chicken.

Après quelque temps de repos mental, j'ai enfin réussi à laisser mes angoisses de côté, prétextant un égarement passager. J'ai cessé de sombrer d'une déprime à l'autre. J'ai fait le point. Je me félicite d'avoir encore une fois évité le grand chambardement. J'aurais tout foutu en l'air. J'aurais quitté ma femme auprès de qui la passion et les rires ont fait place aux emmerdements, aux gossages, aux engueulades et aux obstinages constants. J'aurais passé au suivant le relais de l'éducation de mes enfants ; de toute façon, ils confrontent tout, tout le temps et sans raison. J'aurais crissé mon travail au bout de mes bras, bien loin. Je l'aurais enfoui dans le fin fond du trou du cul du monde. J'aurais coupé tous les ponts avec ma famille de clowns, que j'évite d'appeler dysfonctionnelle puisque ce serait un euphémisme.

Revenir à l'essentiel. Aux petites choses simples. Je veux m'asseoir plus de deux minutes et savourer. Les tensions fusent de tous bords tous côtés et je n'en peux plus. Il n'y a plus de quoi rire. Une niaiserie prend des proportions faramineuses. On prononce mon nom, j'ai envie de hurler. On me salue dans la rue, je défigurerais mon interlocuteur. Ma femme place un mot, je la ferais disparaître.

Je me louerais un chalet dans le bois juste pour fixer les traces de doigts graisseux étampées dans les fenêtres.

Même pas pour réfléchir à quelque chose d'intelligent. Juste pour chauffer le poêle à bois et m'endormir dans un fauteuil de feutre moisi. Pas plus. Pas moins.

Faire le point, puisqu'il est l'heure.

Il y a supposément l'amour. Je vis en concubinage avec Doris depuis seize ans. Ma femme n'est ni trop belle, ni trop laide, ni trop grosse, ni trop maigre, ni trop petite, ni trop grande. Elle a pourtant déjà dégagé un charisme renversant. Jadis, elle faisait chavirer tous les cœurs. Elle détournait les maris du giron de leurs épouses. Elle charmait hommes et femmes. Elle aurait pu défroquer n'importe quel curé. Mais avec les habitudes et les petites manies qui la grugent, elle est devenue fade. À la banale saveur d'un bouillon de jour de grippe, sel, poivre et oignon. Sans fantaisie. Maintenant, elle marche entre le gyproc et la peinture, elle a perdu son assurance de jeunesse. Doris parle trop pour ne rien dire. Elle m'étourdit, me perd à la première virgule étirée trop longtemps. Entre nous, une sorte d'amour résiste, qui n'a rien à voir avec la passion, plutôt avec l'amitié. On s'endure. On est parents. Je ferme les yeux lorsqu'elle regarde ailleurs. Je sais que nous ne passerons pas le cap du vingtième anniversaire, mais je ne suis pas prêt à partir maintenant. Je la quitterai, bien que la date reste encore inconnue. Mon idéal serait qu'elle parte au bras de l'une de ses conquêtes. Comme ça, je serais rassuré. Notre bonheur n'a pas goûté le miel bien longtemps. Après deux ou trois mois de passion et de baises sauvages jour et nuit, Doris est tombée enceinte, à vingt-trois ans. Elle a ressenti un choc si grand devant cette nouvelle qu'elle a sombré subitement dans une dépression qui a duré de la grossesse jusqu'au huitième mois du bébé.

Dominic. Fiston à son papa toujours accroché à mes pantalons.

Avant de me rencontrer, Doris avait remisé la possibilité d'une vie de famille. C'était catégorique, hors de question de porter un enfant. Arrêter de boire, perdre sa liberté, stopper les sorties, ne penser qu'au bébé, ralentir sa carrière, le faire passer avant tout. Elle ne pensait qu'aux concessions qu'il lui faudrait faire pour élever un enfant tandis que je visualisais tout le bonheur que les bébés procuraient. Selon elle, lorsqu'il y avait enfant dans la demeure, il y avait toujours un parent perdant. Un parent qui s'oubliait, s'investissait plus que l'autre et mettait sa vie sur pause pendant que l'autre se la coulait douce en-dehors du cocon familial. Elle n'avait pas l'intention de jouer à la mère au foyer. Pour se justifier, elle débattait du luxe de faire des enfants dans un monde si superficiel, inéquitable et axé sur le capital. *L'époque est sombre. No future. Pas de perspectives d'emploi à long terme. Pas de place pour leur génération. L'inflation a touché l'immobilier, pas moyen d'acheter une maison à bon prix. Le coût des aliments monte en flèche.* Elle argumentait que ce n'est pas un cadeau que de donner la vie à un être qui naîtrait sur une Terre condamnée et polluée jusqu'à la moelle. Ces beaux discours paraissaient bien dans les soirées, mais calé dans le divan à écouter mon amoureuse, je ne constatais qu'un profond égoïsme. Je lui en voulais d'être trop attachée à son apparence et d'avoir peur des ravages qu'une grossesse pouvait avoir sur sa taille. Dire que lors de nos premiers rendez-vous, elle prétendait qu'elle désirait une famille. J'étais loin de me douter qu'elle ne pensait pas à des bébés, mais à des chiens errants, à des chats de gouttière et à des oiseaux en cage. Moi, je savais que je ferais un excellent papa. Je me connaissais maternel plus que paternel. Je savais que je serais là, nuit et jour, jour et nuit, à faire les cent pas d'inquiétude. À bercer bébé, brasser bébé, flatter bébé, masser bébé, faire téter bébé, babiller à bébé, ramper avec bébé, lire des histoires à bébé, réconforter bébé, changer bébé, laver bébé, consoler bébé, faire rire bébé, rattraper bébé du haut de l'escalier, courir derrière bébé, empêcher de grimper bébé sur la télé, enlever la poignée de terre de la bouche et du nez de bébé, ramasser le vomi de bébé, discipliner bébé, applaudir bébé sur le pot, ramasser les dégâts de bébé, cuisiner les purées de bébé, aider bébé à accueillir le second bébé, encourager bébé à délaisser sa suce, supporter bébé pour qu'il devienne grand, et ce, jusqu'à ses cent ans s'il le fallait. Nous avions discuté longuement de la question. Doris stoppait la communication sous prétexte que je ne désirais pas réellement entendre son point de vue. Quand c'était tout le contraire. Ça lui faisait une belle jambe. En faisant bifurquer la conversation sur notre communication déficiente, elle me culpabilisait de ne pas savoir échanger et amenait la discussion ailleurs. Là où les émotions étaient moins sensibles. Là où je n'essuyais pas le coin de mon œil en pensant que je ne tiendrais jamais mon enfant dans mes bras. Là où les désirs étaient moins douloureux. Doris ne voulait pas de cette chose molle, sans tonus, baveuse, ne contrôlant pas ses réflexes, mangeant, chiant, dormant, et naturellement dépendante de la mère. Le sujet était clos.

Un accident si vite arrivé, nous avons eu un premier garçon. Des deux, j'étais le plus aimant. Tous m'appelaient *papa poule* tellement je prenais soin de mon trésor. Je le trainais partout. Dominic était toujours accroché sur mon dos. Il n'y a pas un endroit où je ne l'ai pas amené. Ça donnait une pause à la maman. Elle retrouvait sa bonne humeur dès qu'elle ne l'entendait plus pleurer. Doris s'en occupait à peine. Sachant que je me dévouais corps et âme et que j'aimais catiner, elle se sentait moins coupable de laisser l'enfant. Elle peinait à s'émerveiller devant les galipettes de Dominic. Son postpartum n'en finissait pas de finir. Elle justifiait son désengagement en expliquant aux gens qu'un garçon a besoin d'une figure paternelle présente et que le bébé ne demandait que son père. J'ai été son premier mot, *papa*. Je laissais Doris libre de tout. Plus à l'aise avec le bébé lorsqu'elle n'était pas dans les parages, je lui trouvais des commissions à faire, des sorties à ne pas manquer et des soirées entre amies à arroser. On s'arrangeait très bien entre gars, on n'avait pas besoin d'un autre avis ou d'être contredits.

Puis, cinq ans plus tard, un deuxième accident est survenu : Maxime. Doris évitait toujours autant ses responsabilités. Prétextant s'être sacrifiée deux fois neuf mois additionnés à quelques jours d'allaitement, Doris pelletait l'éducation de ses garçons dans ma cour et s'en lavait les mains. Ma femme se vantait de faire vivre la famille pendant que je restais à la maison. Elle se décrivait comme une femme moderne. À voir aller Doris à gauche et à droite, ma propre mère était ravie. Drôle de personnage qui admire les femmes avec des couilles, ma mère voue un culte à celles qui ne passent pas leur vie à leurs chaudrons. Pour elle, le symbole de la réussite est une femme qui travaille plus fort qu'un homme, n'a pas assez de vingt-quatre heures dans sa journée pour tout faire et s'invente des minutes pour accomplir encore et toujours plus.

Elle a l'étoffe d'une gagnante, me disait-elle à son propos, *pas comme toi qui s'contente de c'que t'as. Pas d'ambition.*

Mon travail, rien de palpitant. Je souffre du syndrome d'Indiana Jones. Si je m'écoutais, j'aurais tout foutu en l'air pour voler de rebondissement en rebondissement. Je caresse le fantasme de quitter mon travail de bureau. Un bon matin, je pousserai mon paravent beige, je passerai devant mon patron sans dire un mot et je partirai sans faire de tournée d'adieu. À l'aventure. Je tracerai un itinéraire sur mon globe terrestre, seule décoration de mon cubicule, pour le jour où je ferai le saut. Pour l'instant, j'attends d'avoir accumulé un coussin monétaire suffisant et je laisse grandir les enfants. Mon sentiment de n'avoir rien accompli d'extraordinaire grandit chaque fois que je punche ma carte le matin, chaque fois que je parcours le même trajet pour me rendre jusqu'à mon poste de travail. Pas de détour. Toujours les mêmes pas, toujours les mêmes questions, toujours les mêmes personnes rencontrées sur mon chemin. Dans mes lubies de liberté totale, je me vois jouant le premier rôle d'un scénario complètement fou. Guide de safaris en Afrique où l'on traque éléphants, girafes, lions et où l'on risque de se faire bouffer par une panthère. Oui. Plongeur au 32e parallèle nord de l'océan Atlantique pour tenter de recueillir les rares photos de requins du Groenland. Oui. Correspondant de guerre, *Ici Jean Martin, Radio-Canada, en Corée du Nord*. Oui. Pompier parachutiste. Oui. Pêcheur de crabe d'Alaska, pas peur. Oui. Pilote d'avion pour les feux de forêt. Planant. Oui. Démineur. Remercier la vie à chaque pas. Oui. Pourquoi persister jour après jour à rouler trente, quarante, cinquante minutes en voiture dans le seul but de gagner la paye obtenue d'un boulot qui me transforme en larve ?

L'argent est là, bien abondant, mais il ne sert à rien. Mon insécurité me pousse à en avoir toujours besoin de plus. Je dépense pour l'essentiel. Je ne voyage pas, n'achète pas d'art, ne vais pas au cinéma, au théâtre, dans les festivals. Je fuis les foules, les lieux bondés où les gens se frôlent et se massent pour assister à une représentation, pour visiter un Salon du livre, de l'automobile, de l'emploi, de la famille, du plein air, des sciences. Je ne souffre pas d'agoraphobie, mais une accumulation de gens dans un même endroit m'agresse. Je déteste me donner en spectacle, brûler mon cash pour des projets irréalistes. Je me suis acheté une maison, une voiture, c'est bien en masse. Un toit pour abriter mes fils, pour qu'ils soient douillets et confortables. Je paie les comptes, aucun chèque n'a jamais rebondi, jamais un paiement en retard. Mon logis est meublé, plein à craquer, j'ai tout acheté cash. Je n'utilise que le sofa devant la télé. Le reste est accessoire. Pourquoi s'inventer des besoins quand c'est à la racine des choses qu'on n'est pas heureux ? Pour s'engourdir plus, sans doute. Devenir stoned. Cet argent servira bien un jour ou l'autre à quelque chose. J'ai un plan, mais avant de le mettre à exécution, enfin, j'ai des dossiers sur le feu. Du stock à régler. Le projet que je chéris ne peut pas prendre la forme d'un geste anodin comme ouvrir son portefeuille et acheter une BMW. Le vieux rêve de retraite, il est facile à réaliser, celui-là. Simple. Mon projet se répercutera sur un grand nombre de gens. Mon rêve est évolutif. Il comprend plusieurs étapes. De longs mois de travail. Des années d'attente. De la paperasse à remplir, à expliquer et à faire signer par des tas de spécialistes. Faire accepter mes choix, argumenter, marteler que c'est réel, que je ne déconne pas, que ça existe et que ça se concrétisera. Il y aura de la chicane à venir. Beaucoup de chicanes. Des discussions. Celles qu'on évite longtemps avant de foncer, mais qui nous rattrapent d'une seule enjambée. De la chicane de course. Avec des coups de griffes, des coups par-derrière, des coups de poignard au cœur, des coups d'épée dans l'eau, des crochets, des uppercuts, des directs longs, des overhand punches, des cross counters plongeants. Il y aura bagarre. Avec du sang, pis tout', pis tout'.

Semer la bisbille avant de récolter la perle rare du bonheur.

L'orage approche à l'horizon.

Une masse grise. Un mur de pluie, de grêle, de vent.

Assommant.

Pousse-toi. Reste pas là.

Un presque ouragan qui arrache tout sur son passage, qui n'épargne personne, qui emporte les troupeaux, qui soulève les maisons, qui déplace les voitures chez le quatrième voisin, qui effraie les enfants, qui traumatise les mamans, qui déterre les vieux souvenirs catastrophes des vieux du village, qui secoue les âmes sensibles, qui oblige les papas à passer aux mesures d'urgence.

Un presque ouragan qui effleure, mais qui dévaste tout.

Après mes études secondaires, je me suis établi en ville. Plus capable de vivre dans un petit bled de rien où tout le monde se donne le droit de commenter et décortiquer nos moindres faits et gestes. Je ne pouvais plus supporter qu'on m'épie derrière les rideaux de grands-mères lorsque je passais dans la rue, qu'on passe un appel téléphonique à ma mère à chaque légère différence dans ma routine. J'avais le goût de montrer mes fesses en faisant des fuck you à toutes les écornifleuses du village. Je souhaitais m'éloigner de ce petit univers. Je fuyais tout contact avec ces gens-là. Je n'avais plus envie d'amitiés superficielles réservées à boire, à parler de température, à comparer le faux bonheur de l'un avec celui de l'autre, à réciter les publicités télé ou à répéter les mêmes opinions entendues dans les émissions de radio sans contenu. Dans ma jeune vingtaine, l'amitié n'était pour moi qu'une mascarade nous ramenant en pleine face notre propre solitude. Il suffisait qu'une personne s'éloigne quelques mois de la sphère fermée des amis pour être rejetée. Ignorée. Sortie de la bulle. J'étais seul. Je l'avais toujours été et même si j'avais été entouré d'une foule de show rock noire de monde, je me serais senti encore seul. Mais grandir dans un village d'à peine sept cents âmes ne comporte pas seulement des points négatifs. Petit, le village m'appartenait. Je l'occupais, le dynamisais. Juste par une ride de BMX, je réussissais à faire revivre des racoins qui n'avaient plus été visités depuis que mon bisaïeul y avait amené sa concubine pour y dégrafer les élastiques mous qui tenaient ses bas collants. L'homme était considéré comme le king, avait tout le village uni derrière lui pour alimenter sa réputation et le monter sur son trône. Pour moi, c'était l'inverse qui s'opérait. Je ne faisais pas honneur au clan des Martin. Chaque jour, on me pointait du doigt, on analysait mon caractère, on me surnommait méchamment, on jugeait mon apparence. J'étais étrange. Pour la voisine qui n'avait que ça à faire de ses grandes journées, renifler les situations inhabituelles et potiner, j'étais étrange. À côté du fou du village, à une marche près, presque ex æquo. Pour le curé qui avait eu vent de quelques rumeurs sur moi par des villageois en confession, j'étais étrange. Pour le propriétaire du dépanneur vendant tout trop cher parce qu'il était le seul dans la communauté, lorsque je sortais de son commerce avec les joues pleines de gommes à une cenne, j'étais étrange. Pour mes camarades de classe qui redoutaient que ma singularité soit contagieuse, j'étais étrange. Pour la sœur de la chorale de Noël qui m'obligeait à chanter au lieu de faire du lip sync, j'étais étrange. Pour le directeur qui s'inquiétait de la dynamique qui s'installait autour de moi à la récréation, j'étais étrange. Pour mes frères et sœurs qui devaient me défendre, ça commençait aussi à être étrange. Pour ma mère, convaincue que tout ça n'était qu'une façon de faire parler de moi, c'était du niaisage.

Des enfants, c'est magique, mais ça peut aussi être ignoble. Par protection, j'ai appris à m'isoler. Je ne faisais pas partie des bandes de jeunes branchés de l'école. Je n'étais pas non plus dans les tronches, les sportifs, les musiciens, les joueurs d'impro, les animateurs de radio, les bénévoles de festivals étudiants, la gang du bal, les génies en herbe, les employés de la cafétéria, les vendeurs de suçons à la tire d'érable pour le parascolaire, les fumeux de pot, les joueurs de babyfoot, les animateurs de la patinoire sur l'heure du midi. Il n'y avait que les enfants différents de l'école qui me voyaient tel que j'étais. Ça ne m'apportait pas plus d'amitiés réelles, mais au moins, je sentais que je n'avais pas tout le monde à dos. Mes quelques amis étaient les autres étranges de l'école ou les hippies qui aimaient tout le monde. Ceux qu'on nommait affectueusement les attardés, les crottés, les ostie d'fuckés ou les débiles. Pour moi, des amis, ça ne servait qu'à ça, nous mettre de la pression de plus sur les épaules ou nous faire sentir marginalisés encore plus, mis dans une petite boîte avec une étiquette rouge *Ne pas toucher. Risque de contamination.*

J'ai grandi au bout de la rue principale du village de Sainte-Reine. Grouillante d'énergie, à cette époque, la municipalité explosait de tournois, de festivals, d'activités pour les enfants et d'attraits touristiques. Avec ses terres agricoles fertiles, les lieux étaient habités en grande partie par des cultivateurs et des éleveurs. Bœufs. Cochons. Cerfs. Canards. Lapins. Pintades. Chevaux. Pas un panneau n'affichait la même tête de bête à côté du nom de la ferme ; nom inventé en prenant les premières syllabes des prénoms de chaque membre de la famille. Chez nous, les oies et leur foie gras faisaient des jaloux dans les parages. Au village, une poignée d'individus, presque tous issus du clan Martin, se partageaient un vaste territoire. Champs. Forêts. Lacs. Non loin du cœur de la place, les montagnes à gravir, le fjord à perte de vue. Tout y était pour s'arrêter et crier à tout vent qu'on possédait le véritable paradis. L'été, la population triplait. Des familles de la grande ville retiraient le plywood des fenêtres de leur chalet et venaient, enfin, les revigorer. Des touristes stoppaient leur élan de voyage et mobilisaient toutes les places de camping pour deux mois. Des travailleurs, ayant entendu parler du coup d'argent facile aux baleines, se trouvaient un boulot pour vider les poches des touristes et se battaient pour obtenir les dernières chambres. Hôtels, auberges, B&B, maisons, chalets, roulottes, jusqu'aux bécosses, tout était bondé. De nouveaux enfants envahissaient le village avec leurs parents, au grand bonheur des tout-petits qui diversifiaient leur réseau d'amis. Des commerçants rouvraient leurs boutiques pour vendre tout et n'importe quoi. Il était impensable d'aller manger au seul restaurant, puisqu'avec les touristes, il y avait foule. Durant ces quelques mois, au nom de l'économie, les villageois approuvaient le débarquement des étrangers dans chaque recoin de leur paradis. Ils recommençaient à respirer après l'Action de grâce. Les étrangers désertaient le village. Ils oubliaient qu'il était beau. Les habitants reprenaient leurs droits pour l'hiver. L'arrivée de l'automne était toujours pareille. Pendant que les adultes se retrouvaient entre amis pour faire la fête et partager des soupers, puisqu'ils n'avaient pas pu se réunir pendant la période touristique, les enfants déprimaient de voir repartir leurs amis.

Une vie normale.

Une expression à incidence variable.

Pour les adultes, une belle et longue période de relaxation à venir.

Pour les enfants, la routine ennuyante du retour sur les bancs d'école à fréquenter les mêmes camarades. Pas très exotique.

Pour les adolescents, voir son premier french reprendre la route de la ville.

À travers toute cette folie éphémère, un endroit m'appartenait. Un lieu unique qui n'avait pas encore été découvert par les envahisseurs urbains : le Cran-aux-Corneilles. De là-haut, d'un côté, je voyais tout le village, de l'autre, un précipice, le fjord. Je gouvernais. D'un simple geste de la main, comme par magie, le cimetière avec le plus beau point de vue devenait un parc grouillant de jeunes familles. L'école, la bibliothèque, l'église et le presbytère qu'on avait recouverts de tôle grise reprenaient leur allure initiale : de grands bâtiments en briques rouge feu, pétants de vie. La rue Berthier conservait ses champs de marguerites où les adolescents commençaient à se taponner et j'effaçais les nouveaux condos pour personnes âgées. J'éloignais la rue Caron de la route principale où les camions passaient à cent trente kilomètres à l'heure tout près du terrain de soccer et du parc à balançoires. Les bandes de la patinoire seraient remises à neuf et déplacées sur un terrain vacant avec vue sur la marina et l'entrée du fjord. En réalité, on la retrouverait entre le vieux garage désaffecté de Tinomme et la shop à bois des Valois où ça sentait le vernis et la peinture en spray. La caisse populaire, le bureau de poste, la pharmacie, l'épicerie, le petit café-buvette et les dépanneurs ouvraient leurs portes à nouveau pour servir les villageois et raviver les contacts humains. J'avais de la vision. J'avais même déjà rédigé une composition en classe sur le sujet. Mon professeur, pour sensibiliser les élèves à la politique et à la mobilisation citoyenne, nous avait demandé d'écrire un texte d'une page minimum sur *Si tu étais maire du village, que changerais-tu ?* Je m'étais rendu au sommet de ma montagne et j'avais réfléchi longuement. Cette vue d'ensemble me donnait une longueur d'avance. Tous mes camarades de classe avaient inventé des absurdités. Patrice aurait offert des bonbons à tous les enfants chaque jour. Sylvie aurait installé des jeux gonflables en permanence derrière le cimetière, là où avait brûlé l'ancienne chapelle et où il y avait un trou dans le paysage depuis. Selon elle, il fallait le remplir. Jonathan L., qui ne pensait qu'à des plans dangereux, aurait installé des murs d'escalade sur l'église pour se rendre jusqu'au clocher. Tandis que Jonathan S. aurait engagé plus de policiers pour surveiller les voleurs, bien que la paroisse n'en comptait aucun. Qui aurait planifié de défoncer la caisse populaire ou les maisons des riches? Tout le monde se connaissait et se surveillait, sans subtilité, planté devant sa fenêtre. Je trouvais que les autres élèves n'avaient pas pris leur mandat au sérieux. Ils étaient maires. Ils auraient pu changer le monde et ils ne pensaient qu'aux bonbons et aux jeux. Moi, j'avais conçu une plate-forme électorale. Il y avait de la cohérence dans mes changements. J'avais regardé du haut de ma butte ce qui n'était pas très joli, ce qui n'avait pas l'air prudent, ce qui manquait pour être heureux et j'avais modifié la carte du village. Mon institutrice, très impressionnée, avait douté que j'aie fait mon travail seul, mais, fière qu'au moins un de ses élèves ait bien bossé, tenait à me récompenser. Lors d'une séance du conseil municipal, elle m'a amené présenter mes idées au maire et à ses conseillers. Me trouvant mignon, ils m'ont félicité, mais leurs sourdes oreilles et leurs orgueils démesurés les empêchaient de retenir les propositions sorties de mon exposé. Bien qu'il y avait longtemps qu'un citoyen n'avait pas rapporté des recommandations sensées devant ce comité, ils m'ont remercié de manière polie et ont poursuivi leur conversation sur le déneigement et la quantité de sable à appliquer dans les rues. *L'an passé, il y en avait trop, ça coûte cher.*

Pour arriver au Cran-aux-Corneilles, il y avait un chemin à trouver. Une piste bien cachée que j'entretenais pour qu'aucun autre enfant du village ne découvre l'endroit. Je redoutais ce moment. Déjà que le petit bois était devenu une dompe où les jeunes se construisaient des campes, les détruisaient puis en laissaient les débris partout. Je ne voulais pas courir le risque que mon lieu zen devienne bordélique. Tous s'y rejoindraient pour couper les arbres, amener de la scrap, se livrer bataille pour délimiter leur territoire, puis abandonner les lieux délabrés. Il fallait prendre le sentier derrière le terrain de volleyball, dépasser l'énorme pin, monter quelques pas et tourner à droite. Les adolescents peu subtils qui avaient envie de tranquillité pour s'embrasser connaissaient ce passage. Mais eux, au lieu de tourner, continuaient tout droit sur le sentier et se rendaient sur la *Roche à french*. Bien connue, bien fréquentée, la roche pouvait accueillir trois couples, pas plus. Après avoir tourné sur mon chemin sauvage, je marchais vers la cabane pourrie où un jeune garçon du village venait faire des lapins rappeurs et des ours en graffiti. Une fois arrivé à la cabane, il fallait la contourner par la gauche en faisant attention aux planches pourries et commencer à grimper sur les rochers tout près afin de rejoindre un sentier plus haut. À ce moment, je pouvais me remettre à souffler et prendre mon temps. Je savais qu'à cette hauteur, personne ne se douterait qu'il y avait quelqu'un. Je marchais à pas de loup et les arbres me cachaient.

Par attachement au territoire et à sa protection, je n'avais pas l'intention de partager l'existence du Cran-aux-Corneilles. Aucun parent n'avait le souci de la nature à Sainte-Reine. Aucun enfant ne pouvait comprendre qu'on devait la sauvegarder. Le conseil municipal préférait donner pour un dollar les terres, la forêt, le sol, le sous-sol et les chemins donnant sur le bord de l'eau sous prétexte de développement économique. Développement de quoi ? D'usines, d'entreprises, de dépotoirs, de quartiers où toutes les maisons sont semblables, en plastique, fausses briques, faux arbres, faux marais, fausses fleurs, faux nains de jardin, faux bon voisinage, faux rires, faux bonheur en canne. Une maison Prestige avec du vide dedans. Le conseil municipal voulait toucher plus de taxes. Garçonnet, je m'amusais à fabriquer du beau, un bout de bois à la main. Baguette magique. Machine à imaginaire en marche. Un besoin d'air m'asphyxiait depuis le jour de ma naissance.

Je n'avais encore jamais sorti la tête de l'eau. Comme si je me noyais à perpétuité. J'étais en résistance. Si l'instinct animal n'avait pas été plus fort que tout, j'aurais choisi d'arrêter ça là. À la première seconde de ma vie. Au moment crucial. Mais je n'avais ni le cou enroulé dans le cordon, ni le visage bleu d'avoir manqué d'air. Je vivais et j'étais en santé. Grosse forme. Gros garçon. Mon combat a démarré à la minute où je suis sorti du ventre de ma mère. Une lutte à forme humaine.

L'accouchement n'augurait déjà rien de bon. J'étais un gros bébé bien dodu et paresseux. Je n'avais pas envie de naître et surtout pas ce jour-là. Mon père venait de perdre son travail à l'usine du village, dans les va-et-vient d'ouverture et de fermeture. Mon grand-père, musicien refoulé avec des bouches à nourrir, en plus de s'occuper des animaux de la ferme, l'avait fait entrer à l'usine. Vie stable. Mauvaises conditions. Bon salaire. Sortir du cocon maternel cette journée-là posait une croix bien franche au calendrier. Une naissance par un beau jour de crise. Le chômage. Le criss de chômage. Un père en crise du criss de chômage. L'élevage des oies rapportait de quoi manger à la famille, mais mon père devait travailler à l'extérieur pour payer les comptes, la maison, les dettes de la ferme. Il devait puncher à l'usine pour joindre les deux bouts. À voir son mari désarmé, ma mère n'avait pas le cœur à la fête et encore moins à l'accouchement. Le choc de la nouvelle avait été tellement grand qu'il avait déclenché de fortes contractions trois semaines avant la date prévue. Pas de poussées. Le travail ne finissait plus, seize heures, dix-huit heures. Ma mère fatiguait et n'avait comme encouragement qu'un homme désemparé qui s'apitoyait sur son sort. *On va l'faire vivre comment, c'te p'tit dernier-là ?* Pour le ramener sur terre, Amélia hurlait dans son oreille comme si elle avait voulu le réveiller des morts. Il était absent. Des cris, des larmes, du sang, trop de sang. Hémorragie. Elle y est presque passée.

Il s'en est fallu de peu, à un cheveu. Mon père aurait été pris avec quatre enfants sur les bras et une femme à enterrer, morte en couches, en plus du criss de chômage. Avec un tel scénario, la trajectoire de la famille aurait tourné. Enfants à l'orphelinat de la ville et père veuf cherchant une seconde épouse dans le but de reprendre la garde de ses petits.

Beau tableau.

Ma mère a repris ses esprits quelques heures plus tard alors que son nouveau fils pleurait dans les bras de son mari en larmes.

Dernier d'une famille de quatre enfants, j'ai fermé la marche d'une bien drôle de façon. Dans la tragédie et le spectacle.

J'avais déjà une dette cosmique.

Sortir de là. À grands coups de réalité en pleine face. Sortir et espérer retourner dans cet univers aqueux. Dormir, nager, bringuebaler, manger, dormir, dormir, dormir, grossir, prendre forme. Ne plus sortir. Si oui, autrement. Pas comme ça. Pas aussi rapidement. Pas aussi violemment. Surtout pas comme ça. Sortir dans la paix. Sortir dans le calme. La clémence.

Ils m'ont nommé Jean, comme l'apôtre. Jean tout court. Pas de deuxième prénom. Pas de composition. Jean. La mode était au deux noms. J'en avais un. Tout court. Bref. Franc.

Puis mon père est parti. À la sauvette, sans avertir personne, au dire de ma mère. Il rejetait ses enfants, nous laissant nous débrouiller seuls. Ma mère Amélia médisait sur son mari à tout vent. Elle jurait que jamais elle ne reprendrait de conjoint, car en bout de ligne, les hommes n'apportaient que des tracas. Ils n'avaient pas les reins assez solides pour sortir leur famille du trou. Il valait mieux s'arranger entre femmes. Je n'ai pas connu mon père, il a quitté la maison quand je n'avais que quelques mois. Lorsque je questionnais ma mère sur le caractère et les traits de mon père, Amélia me ramenait toujours au négatif. Selon elle, il ne valait pas la peine qu'on perde notre temps à parler de lui, c'était déjà lui porter trop d'attention. Il ne fallait retenir que son statut de monstre, de salaud, de chien, de flanc mou, de manipulateur, de menteur, de lâche de la pire espèce.

Parfois, je me surprends à penser que j'ai choisi ma femme à l'image de ma propre mère. L'époque ne permettait pas de rester vieille fille. Amélia n'avait jamais rêvé d'enfanter et encore moins de devenir femme d'un agriculteur, éleveur d'oies à gaver et travailleur d'usine. Seule chef de famille, elle avait tout sur les bras. L'odeur, la saleté, les longues veillées à faire des conserves, à décrasser la maison souillée par les bottes à vêler remplies de boue, à faire la comptabilité de la compagnie, à se battre avec les enfants pour qu'on se lève et l'aide aux tâches, à recoudre les vêtements déchirés sur les clôtures, à panser les plaies, à ramasser les déchets organiques pour nourrir les animaux. Non, elle n'en rêvait pas. Ni aujourd'hui, ni hier, ni demain, ni jamais. Elle aurait pu vendre, c'est vrai, mais elle était beaucoup trop orgueilleuse pour montrer à la face du village que le départ de son mari l'avait démolie. Elle aurait préféré la politique. Avoir un titre. Mairesse de Sainte-Reine. Faire de l'argent comme de l'eau en tant que directrice de la caisse populaire. Faire de longues études, être docteure, juge, notaire. Elle voulait vivre sa vie comme un homme. Indépendante. Têtue. À chialer sur tout ce qui va mal *icitt' d'dans*. Amélia n'était pas dotée de délicatesse ni de tact. On savait tout à mesure qu'elle le pensait. Elle avait une vision de la vie conservatrice et elle réglait le cas des gens d'une seule phrase. Bang. Ça sortait, point final. *Les Tremblay divorcent, leurs enfants ne seront plus bons à rien!* Bang. *C'te maison-là, c't'une vraie porcherie, c'est certain, la Villeneuve est tellement faible, dès qu'elle tombe enceinte, 'est couchée pis faut tout' faire pour elle.* Bang. Ma mère n'avait ni pitié ni gêne. Comme elle était capable de composer l'éditorial paroissial, de tenir à jour les avis de décès, d'avoir son commentaire sur la météo et l'heure juste sur toutes les histoires du village, on la surnommait la Gazette.

Avec nous autres, ses enfants, c'était pareil. Elle ne s'attendrissait pas. Elle ne fondait pas en larmes de joie en nous regardant dormir dans notre couffin. Elle n'interagissait pas avec nous pendant nos périodes d'éveil. Elle nous assoyait entre trois chaises et nous fournissait un ourson pour qu'on se désennuie. Elle nous berçait rarement. Les nuits de dents, peut-être, si elle n'arrivait pas à fermer l'œil. Comme mère, sa maigre consolation a été d'avoir deux fils sur quatre. Des garçons, ça ne quémande pas d'affection à longueur de journée, ça ne parle pas toujours sur un air de violon et ça ne pleure pas sans arrêt pour un rien. Un garçon, ça travaille aux champs, ça fait les jobs de bras et ça ne passe pas son temps à piailler au souper pour raconter à ses parents ce qui est arrivé à l'école. Un garçon, ça réclame plus rapidement son indépendance et on n'est pas toujours obligé de le surveiller lorsqu'il fréquente une jeune fille. Un garçon, ça s'efface dans le bois, dans son garage, dans son atelier à bricoler, ça part faire des virées de char et ça nous laisse tranquille.

Amélia ne me comprenait pas. *Mon p'tit dernier, y est mêlé.* J'échappais à la règle et ça l'irritait. Selon elle, je me comportais comme mes sœurs. Je pleurais sans arrêt. Je boquais quand j'étais fâché. Je poussais des cris de joie aigus. Je me lamentais pour un rien. Je suivais mes grandes sœurs partout et elles me prenaient pour une poupée grandeur nature. Je les imitais quoi qu'elles fassent. Amélia mettait la faute sur le dos de mon père. Absent. Fuyard. *Normal, y aurait dû être son modèle.* La présence virile qui m'aurait enseigné les dossiers de gars. La chasse. La pêche. La dure vie de fermier. Les subtilités de la sexualité masculine. L'hygiène d'un mâle. Mais il n'était pas là.

Ma mère ne se lassait pas de juger son fugitif de mari et de le condamner pour tous les maux de la terre. Elle disait de mon père qu'il était un homme emprisonné dans de lourdes angoisses maladives. Un monde bien dense qu'il aurait fallu pelleter longtemps avant d'atteindre le bonhomme. Petit, je l'imaginais. Partout. Tout le temps. Je me montais des scènes dans le jardin où mon père occupait le premier rôle.

Mon imaginaire était plus grand que nature. Je m'étais inventé tout un monde avec mon papa dedans.

Ton père aurait réagi comme ci. Ton père aurait dit ça de toi. Raconter des histoires. Même fausses. Monter des bateaux. Ma mère m'imposait des scénarios catastrophes avec un père dans le rôle du monstre.

SCÉNARIO CATASTROPHE

Des futurs nouveaux parents. Dans cet énorme ballon, un quatrième enfant. Toutes les peurs dedans.

Un père, la chienne au ventre, ne veut pas de fille.

Il lui parle en garçon. La mère sent un bébé fille. Il n'en veut pas.

Un médecin et des infirmières lui confirment que c'est un garçon. Elle n'est pas convaincue. Une mère sceptique.

Un père la prépare à la venue d'un garçon. Il équipe la chambre, les tiroirs, la salle de bain, le salon, la cuisine d'objets utiles à l'arrivée d'un garçon, aux couleurs d'un garçon. Un père plus qu'heureux de ne pas ajouter une fille à sa famille.

La mère sent toujours un bébé fille. La balloune gonfle, elle le sait.

Ça ne peut être un garçon. Son ventre rond ne la trompe pas. C'est une fille.

C'est pointu, un ventre de gars.

Un père qui menace de partir si c'est une autre fille.

Comment prénommer ce garçon?

Mon père, invisible, faisait partie de tous mes jeux. Gilbert n'était heureux qu'à marcher dans ses champs ou devant son piano qui se trouvait dans le cabanon. Raison pour laquelle j'aurais aimé le suivre comme un chien de poche. Dans les pâturages, il aurait laissé échapper des mots, des émotions. Nous aurions échangé des regards. Mon père aurait porté attention à moi. Tout le contraire d'à la maison, où il se terrait dans un mutisme complet, buvant son café, fumant ses clopes, roulant les prochaines et soupirant pour que ses enfants aillent jouer plus loin. Dehors si possible. Dedans, les quatre murs l'étouffaient. Ses huit heures par jour à l'usine l'usaient, le brûlaient. Trop de bruit. Trop de chaleur. Trop de monde malheureux au pied carré. Dedans, il se métamorphosait en vieil ours désagréable et bougonneux. On lui tapait sur le système et il ne pensait qu'à repartir faire les foins, qu'à donner une deuxième portion aux oies, qu'à prendre les jambes à son cou et courir au bout du champ, là où il y avait le plus beau point de vue sur l'eau. Là où même ses épis de maïs avaient l'air de respirer mieux que lui. Je ne me souviens de rien, ce sont les souvenirs de mes sœurs.

Dans mon utopie paternelle, je pensais chaque petit détail comme si je l'avais tricoté.

Le portrait de famille se dressait rapidement. Une première fille, Ève. Une deuxième, d'à peine onze mois de différence, Brigitte. Un premier garçon, Marc, grand soulagement, quelques années plus tard, sous ordonnance du curé Cléophas. Et moi, Jean, le petit dernier, accident de parcours d'une mère en fin de carrière. Soulagement numéro deux que je sois garçon, supplice de mettre au monde un quatrième enfant. Un enchaînement d'amour obligé, de sprint routinier et de gestion de crise. Un boulet de plus pour Amélia qui fermait la shop, là. Désabusés, blasés, passifs, mon frère et mes sœurs acceptaient tout et n'assumaient rien. Ils n'avaient pour occupations quotidiennes que de flâner sur la galerie, de manger et de traîner sur le coin de la rue principale où tous les jeunes du village se réunissaient le soir, du plus petit au plus grand, devant la bibliothèque. Il n'y avait que moi qui refusais de m'y rendre. Qu'aurais-je fait là, à part entendre les mêmes âneries et les mêmes blagues que dans la cour de récréation ? Je me serais battu avec mon peu de force et serais revenu la gueule en sang me faire soigner par une mère culpabilisante. *T'es pas capab' de t'défendre, viarge !* Dans ces situations, mon frère et mes sœurs ne me défendaient pas, juste la petite voisine. Bâtie, trop grande pour son âge et dotée d'une réputation de femme bionique, elle se battait pour les plus faibles, pour les sans-voix, et j'étais l'un de ceux-là.

Effacé, je laissais ma famille décider tout pour moi. Ce que j'aimais. Ce que je voulais. Ce que j'étais. J'achetais la paix. Si je ne capitulais pas devant les choix de la famille, c'était le débat, l'analyse et, au final, le vote ne tournait jamais du bord de mes envies. Amélia à elle seule détenait la totalité des votes de toute la famille, car elle possédait, à perpétuité, celui du père parti et des autres enfants qu'elle contrôlait. Je ne faisais pas le poids. Je devais me soumettre. J'aurais pu tenter de négocier, de prendre position, mais les dés étaient pipés d'avance. Alors je ne me battais pas, disais oui et fuguais sur le Cran-aux-Corneilles pour être ailleurs. Depuis ma naissance, je voyais que tout le monde niait l'évidence et évitait la vérité. Malgré l'avis d'une tonne de spécialistes, on m'imposait, à coups de menaces et de mots durs, une existence erronée. Ma mère utilisait sa surpuissance et son gant de fer pour influencer toute pensée et opinion. Ce qui fonctionnait toujours. L'héritage familial pesait lourd. Ma mère parlait à chaque personne pour lui donner son point de vue. Elle en profitait pour faire passer ses idées par la peur. Amélia finissait toujours par nous dire que notre père Gilbert n'aurait rien dit sur le sujet et qu'il aurait continué à boire son café, à rouler et fumer ses cigarettes. Il aurait évité la chicane sans prendre notre défense. Il aurait baissé les bras, se serait déclaré vaincu et serait parti marcher avec ses oies. Mes sœurs et mon frère penchaient du côté de notre mère, n'ayant pas le choix de faire ce qu'elle disait. L'option « une voix, un vote » ne nous ayant pas été enseignée, nous choisissions de ne pas réveiller la colère de notre mère et de la croire aveuglément. Je rageais d'être encore le mouton noir sans appui.

Guerrier solitaire.

J'aurais voulu être entendu, ne serait-ce qu'une seule fois. Mon père m'aurait soutenu. Mon pif ne me ment jamais.

J'analysais les parents de mes amis et comparais leurs faits et gestes. J'avais honte d'inviter des copains à la maison, étant incertain du comportement qu'aurait adopté ma mère. Chaque matin, lorsque je descendais pour déjeuner, je ne savais pas dans quel esprit je la retrouverais. Je marchais sur des œufs. Elle avait une humeur changeante qui fluctuait selon l'évolution de la lune. Je m'étais fabriqué une image de la famille parfaite dans laquelle j'aurais voulu grandir. Je l'avais si bien construite que je croyais à mon mythe. J'avais déposé cette famille fictive au centre d'une cloche de verre protégée de toute attaque. Lorsqu'on me demandait de parler de ma famille, je sortais mon livre de contes et récitais ma fable apprise par cœur. Au sein de ce noyau solide, la maman, aimante et chaleureuse, cuisinait des desserts aux petites fraises sauvages qu'elle avait cueillies tout l'avant-midi pendant que ses enfants étudiaient. Lorsque je tombais malade, cette même maman se morfondait d'inquiétude. Elle ne respirait plus, ne mangeait plus et était paralysée par la douleur. Elle passait de longues heures à me bercer et à me caresser juste comme ça. Par pure tendresse. Pour faire passer l'air. Le dos. Gratte. Gratte. Gratte. Flatte. Flatte. Flatte. Tape. Tape. Tape. Bécots sur les tempes. Bisous sur le front. Ma famille parfaite avait comme chef un père multitâche. En plus de tous les travaux à la ferme, il réparait les voitures, pratiquait tous les sports, partait faire de longues randonnées en montagne avec ses enfants. Il était impliqué partout, tous avaient besoin de lui à gauche et à droite. Il ne s'assoyait jamais. C'était un père modèle, un père en demande. Dans cet imaginaire, j'avais un frère complice, avec qui je partageais tout. Pas trop viril, pas trop mou. J'apprenais de mon aîné les secrets des filles, la manière dont il faut s'y prendre pour réussir à les embrasser, quoi leur dire pour qu'elles se prennent dans nos filets, comment rompre sans devoir passer par quatre chemins. Un frère qui n'est pas qu'un gars rude, brusque, robuste, qui plaque dans les bandes et qui frappe pour qu'on le comprenne. Un frère ultrasensible et à l'écoute du subtil. Et des sœurs qui ressemblaient aux miennes : bien coiffées, habillées en robes fleuries, à pois ou ornées de dentelle, des brillants et du crayon sur les yeux, du mascara, du rouge vif aux lèvres et des talons hauts été comme hiver. On remarquait au premier coup d'œil les femmes en devenir à leur coquetterie pure. Dans cet imaginaire, j'étais à l'aise avec mes sœurs. Dans leur chambre à les regarder s'arranger, à les entendre parler des garçons ou pouffer de rire en bitchant les autres filles de leur classe. Elles prenaient soin de moi, j'étais leur bébé.

À dix ans, j'étais encore un bébé.

En réalité, tout le village connaissait l'histoire de notre famille Martin. Un père déserteur. Une mère à fort caractère qui tient le phare. Pas un ami ne voulait nous rendre visite à la maison. *Les Martin sont des étranges, des bizarres, des louches, des énigmatiques, des pas normaux, des curieux, des excentriques, des weirdos.* C'est ce qu'on entendait partout.

Ça saute aux yeux, je ne suis pas heureux.

Je n'ai jamais goûté à cette béatitude tant convoitée. Amer, je ne peux même pas me réfugier dans l'enfance pour me réconforter d'un bonheur passé. Il n'existe pas. Je tente de terrer cette illusion le plus loin possible dans ma conscience. Le moment où on se fait bercer amoureusement, emballé dans une doudou douce, en plein abandon contre le sein de sa mère, ne surgit pas dans mes souvenirs. Il n'y est pas parce qu'il n'a jamais eu lieu. Pas de mère aimante. Pas d'épouse remplie de passion. À part mes garçons, que des relations futiles et sans âme. Je suis plus que prêt à passer à autre chose. Me choisir, peut-être. Vivre, assurément. Je me dirige vers l'oubli, c'est tout ce que je sais. Une sorte de page blanche.

J'ai l'impression d'être malhonnête envers tout le monde. Je les trompe tous et leur mens à longueur de journée, en pleine face. Avec les années, je me suis bâti le personnage que je suis, un Jean sans histoire qui ne fait pas de vagues. Un Jean confortable qui n'a rien d'extraordinaire et qui ne dérange pas. Le personnage d'un homme-homme qui demande à sa femme de lui apporter le sel et le poivre à table. Un homme-homme qui rote, qui pète et qui se gratte les fesses sans gêne. Un Jean à barbe de trois jours, ou alors en complet-cravate, souliers cirés et chemise repassée par Doris. Un Jean qui travaille sur son terrain, rénove les recoins finis de la maison et bizoune dans son garage. Un homme-homme sans émotions, sans larmes et qui se vante de n'avoir jamais pleuré. Un homme qui fait toutes les jobs sales ou celles de bras. Un homme à l'image de mon père, de mon grand-père, de mon arrière-grand-père. Un cliché. Un personnage trop gros, aux traits trop gras, irréprochable.

Je suis tout autre. Tous sont aveuglés par cet homme construit et ne voient pas l'autre.

Quelque chose se passe au cœur de moi et je me dénuderai. Me foutrai à poil.

Les sensations vécues ne peuvent pas n'être que le fruit d'illusions passagères. Elles sont bien réelles. Depuis toujours. Une lourde tristesse me recouvre de son costume de plomb et je peine à marcher droit, à marcher libre. Pour trouver la cause, il me faudra ranger ce déguisement au vestiaire et sortir de la garde-robe.

Suspendre le numéro du joueur de hockey.

J'ai un copyright sur le désespoir. On me doit des droits d'auteur. J'encaisserai le chèque et fermerai ce chapitre.

Pour me soulager enfin, Jean doit sortir de scène.

La représentation est terminée. Plus de rappel possible.

Depuis ma tendre enfance, je couve ma petite fille intérieure. Je sais qu'elle est présente. J'ai vieilli et elle est toujours vivante. Je sais que cette certitude doit porter un nom, mais lequel?

Je me vois femme. Je me sens femme. POW. Je suis une femme. POW. Ça fesse. Ça ne peut être que ça. Impossible de me le cacher davantage. À d'autres, peut-être, mais pas à moi. Je suis une femme. POW. Question de survie. Question de nature. Rien à voir avec une question de choix. Je n'ai pas demandé à naître dans l'ambiguïté. Personne ne veut ça. Personne ne voit ça. Le handicap n'est pas visible. Abstrait, ça s'explique mal.

Comment sortir de cette peau d'âne ?

Avouer à tout le monde que je suis une femme, ensuite demander de féminiser leurs phrases, d'employer le *elle*, d'ajouter un *e*, d'accepter que l'homme que tous connaissent devienne une femme peu à peu et l'accompagner dans cette démarche sans honte, sans gêne, sans cachoterie, sans mépris, sans attaque, sans révolte. *Je m'appelle Jeanne.* Ça déboule. Mon cerveau roule trop vite. La surprise sera grande, les réactions incontrôlables. Et si ma famille me rejette ? Mes enfants sont-ils prêts ? Sont-ils obligés de le savoir maintenant ? Dans quelques années. Je dois d'abord absorber. Je rédigerai un plan plus tard. Avant de poser un geste, avant de mettre au courant ma femme, mes enfants, ma mère, mon monde. Il faut éviter la crise cardiaque.

À plusieurs reprises, lors d'époques charnières de ma vie, je me suis retrouvé dans la salle de bain, une lame à la main, à souhaiter arrêter tout ce cirque. L'élan était plus fort que moi. Larmes aux yeux, je tremblais de froid, de rage. En pleurant, mes dents grinçaient de trop me retenir d'exprimer, de dire. Il y avait de quoi hurler. Il y avait de quoi mourir. Chaque fois, le couteau me tombait des mains. Chaque fois, je reprenais mon quotidien comme si rien n'avait changé. Je me raisonnais et revoyais mes bases. Ça ne pouvait qu'être le fruit de mon imagination. Un corps d'homme ne pouvait que contenir une âme d'homme. Avant de devenir fou, je devais m'endurcir. Me construire plus mâle que mâle. Viril. Animal. Me solidifier. Devenir dur. Militaire. Impassible. Alors je me métamorphosais en ombre de moi-même. Je calquais les exemples les plus brutaux de ce qu'est un homme et j'appuyais encore plus fort. Misogyne. Macho. Parler gras. Avoir des conversations de garage. Laisser les femmes s'occuper de la maison. Observer les hommes, reproduire leurs comportements. Travailler, aimer, vivre mes émotions, entrer en contact comme un homme, en silence. Pour ne semer le doute dans la tête de personne.

Pour ne pas semer le doute dans ma propre tête qui spinnait à mille tours minute.

Maintenant, je n'en peux plus. J'étouffe.

Il n'y a plus d'issue au déroulement de mon histoire. Je me trouve devant un mur de briques que j'aurais dû commencer à gruger bien avant aujourd'hui pour que la collision soit moins violente. J'attends, las de tout, devant mon existence dans l'espoir qu'elle se termine là. Je gravis cet obstacle où la fin est imminente. Ma réalité se pavane toute nue dans ses nouveaux atours féminins, ses rondeurs, ses finesses, en riant à gorge déployée. Je la trouve jolie à voir aller. Elle est non captive. Bien. Assumée. La réalité est là, à s'amuser, à danser, à faire le paon. Dans un coin mystérieux de ma vie, elle se plante les pieds à se demander quand elle pourrait reprendre ses droits, sa place. Je sais pertinemment que ma nature profonde en choquera plus d'un, mais le mensonge doit cesser. Quatre-vingt-dix pour cent de moi-même est occupé par des éléments qui appartiennent à un homme que je ne connais pas. Un homme à qui je n'ai jamais adressé la parole. Le dix pour cent restant représente quelques souvenirs où j'ai touché au plus grand, où je me suis donné le droit d'être. Des moments où j'ai oublié mon état de mâle et où tous les astres étaient alignés autour d'une femme unique, mais réelle. Je vis la dualité depuis ma naissance. Je n'ai jamais goûté à la douce saveur de la pensée libre. Je me suis toujours battu pour ma question identitaire. Du haut de mes deux ans, quand je hurlais et crisais aux oreilles de sa mère que j'étais une fille et que je voulais revêtir les habits de mes sœurs. À l'adolescence, je camouflais mes envies de faire l'amour à un homme en tant que femme, tandis que ni mes cours de sexualité, ni aucun bouquin de la bibliothèque ne pouvaient répondre à mes questions sur le sujet. Petit, je demandais à ma mère à quel âge je deviendrais une femme. Ma mère me rabrouait et me suppliait de ne jamais dire ces choses-là devant la visite du dimanche et surtout pas devant le curé. Je me battais dans la cour d'école pour être accepté parmi les filles et pouvoir sauter à la corde avec elles. Tous m'entendaient crier en me faisant ruer de coups par les garçons de ma classe. *J'suis pas fifi, j'suis une fille!* Comment pouvais-je, aussi jeune, comprendre pourquoi j'étais attiré par le rose, les poupées, la marelle, les cœurs sur les points des *i*, les fées, les princesses, les prénoms de fille, ma maman, l'univers de mes sœurs, les robes, le rouge à lèvres, l'envie d'avoir des bébés, les actrices de magazines et leurs histoires d'amour, le mariage avec un garçon, les marguerites, les groupes de musique convoités par les petites filles, la cueillette de petites fraises des bois? Intègre et vrai comme seul un enfant peut l'être, je ne pouvais m'obliger à devenir ce qu'on exigeait de moi. Un petit garçon poli, intrépide, tombeur de ces dames, chauffeur de camions, médecin ou curé, dur à cuire, manuel qui sait tout faire de ses dix doigts, petit garçon de bois et de terre prédestiné à prendre la relève de la ferme familiale et à s'occuper de sa mère vieillissante puisqu'il était le dernier des enfants. Le poids était lourd pour un si petit bonhomme. Lorsqu'elle pensait à mes *affaires simp'es*, dans le futur, Amélia s'imaginait plus me visiter en prison que de me soutenir dans de telles idioties. Son garçon, une fille? Il était temps que ça cesse avant que tout le village ne s'en mêle. Quitte à l'envoyer dans un camp de réforme. À cet âge, j'avais la chienne de me tenir droit devant ma mère, même pour demander un biscuit après le repas. Je ne l'aurais jamais confrontée en lui demandant de me métamorphoser en fille. Alors je préférais le faire en classe. Je me révoltais contre mes amis qui m'agaçaient. Je passais mes messages dans mes dessins. Je dépensais ma rage dans le jeu. J'avouais ce que je ressentais dans mes dissertations. Les professeurs voyaient qu'il y avait anguille sous roche et tentaient d'allumer les lumières à ma mère, mais la porte restait fermée. Amélia faisait la sourde oreille et refusait d'entendre raison. Le directeur d'école était barré de la maison. *C'est juste des beaux discours d'enseignants trop éduqués ça! Ça s'peut pas, ces affaires-là! Qu'ils s'en tiennent à faire la classe et qu'ils enlèvent leur nez de mes affaires.*

Le combat est le même aujourd'hui. Ma mère n'a pas suivi son époque. Elle exige que tout fonctionne selon son scénario. Elle régente. Ses enfants? Nous avons tous déserté notre lointain village, mais elle coordonne encore la bulle familiale. Elle a son mot à dire sur tout. Elle n'attend pas qu'on la consulte, elle prend le plancher. On ne sait pas qui la met au courant des activités de l'un ou de l'autre. Elle sait. C'est tout. Elle est comme Dieu. Elle est partout. Elle a toujours eu cette manie de nous tirer les vers du nez et de nous faire cracher le morceau. Comme si on l'avait déjà informée d'une situation. Elle recueille les derniers détails en questionnant un autre membre de la famille sur le sujet et ensuite, elle fesse. Elle fait feeler coupable. *On sait ben, chu tout l'temps la dernière à être informée!* Jamais la personne en face. Toujours par des moyens détournés, par des personnes interposées. Elle connaît l'art de la manipulation du message, et si cette technique ne marche pas, elle en utilise des plus puissantes. *J'ai tout' sacrifié pour vous autres à vous élever tu'seule comme un rat.* Je sais qu'en ressortant des boules à mites que tout petit je me sentais fillette et qu'encore aujourd'hui le féminin l'emporte, la pensée de ma mère n'aura pas évolué. J'ai maintes et maintes fois entendu son opinion là-dessus. Elle empoigne son cœur comme si elle s'apprêtait à claquer d'une minute à l'autre et elle se plaint au ciel. *Des lubies, juste des maudites lubies encore. On est encore là-d'dans. Ça va tu fenir un m'ment d'né?* L'approbation de la famille ne sera pas facile à obtenir. Le point névralgique est ma mère et ma mère ne veut rien savoir de *c't'affaire simp'e.*

Avant même d'effleurer le fantasme d'annoncer la nouvelle à mon entourage, je dois savoir vendre l'idée sans que personne ne puisse argumenter.

Accepter cette vérité pour mieux défendre Jeanne.

Si ça ne pouvait être qu'une fantaisie. Si ce n'était qu'un caprice. Je déambulerais, comme tout le monde, accablé de mes soucis quotidiens sans autre vague à l'âme que d'accompagner mon flo vers la propreté ou de ramener du beurre à mettre sur le pain blanc tranché de la famille en chialant à propos des coupures du gouvernement et de la température de bouette. Ça serait plus facile de marcher dans les rues avec des pensées moins lourdes. Je me fondrais dans la foule et n'attirerais pas les regards. Je crains ces inconnus qui doutent. Ces inconnus qui questionnent. Ces inconnus qui veulent découvrir si ces yeux bleus, ces joues poudrées, ces cils recourbés et ces cheveux frisés au fer sont ceux d'une femme. D'une vraie. Ma transformation ne sera pas parfaite du jour au lendemain, alors ça va jaser, ce monde-là. Il serait si bon que ça se fasse en un clin d'œil. Sortir des quatre murs de ma vieille peau, entrer dans la nouvelle et devenir invisible. Sans lunettes noires, sans chapeau, ni rien pour me cacher de peur qu'on me reconnaisse. Sans larmes, sans crises familiales, sans évitements, sans réactions de mes garçons, sans divorce, sans procès pour la garde des enfants, une annonce apprise tout en douceur avec des *je m'en doutais* et des *j'attendais la nouvelle*. Tout naturel. Pouvoir enfin respirer pour de vrai, sans points dans le dos, mâchoire bloquée, dents serrées, ou épaules barrées. Prendre une grande bouffée d'air et remplir mes poumons en arrêtant le temps et la terre de tourner. Être dans ma vie. Saluer comme tout le monde salue. Une femme parmi les femmes. Marcher comme tout le monde marche.

Ne penser qu'à éviter les craques du trottoir.

Piler dessus, ça porte malheur.

Du plus loin que je me souvienne, j'ai toujours été une fille. Je l'ai toujours senti. J'en suis convaincu. Intérieurement, je suis devenu adolescente, puis femme. Je ne suis pas tombé des nues du jour au lendemain avec une décision irréfléchie. Je l'ai toujours su. Je n'ai pas atterri dans le bon corps. Va savoir où mon dossier s'est égaré lorsqu'il est passé des mains de Dieu à celles du responsable des naissances, mais ils n'ont pas assuré sur ce coup-là. Ils ont mélangé mon âme et mon corps. *Ça nous fera un bon divertissement. C'est que ça devient emmerdant à la fin, en haut.*

Depuis ma naissance, j'ai été conditionné à devenir homme. De la couleur de mes vêtements aux jouets offerts, jusqu'au sac d'école que je ne pouvais pas choisir. Ma famille préférait me le rappeler en tapant sur le clou. *T'es un p'tit garçon et tu deviendras un papa.* C'était écrit dans le ciel. Une finalité. Une fatalité. Une connerie. J'ai appris à jouer, à parler, à réagir, à frapper, à crier, à demander, à aimer, à négocier et à grandir en garçon. J'ai appris que je ne pouvais pas m'amuser à être la maman. Qu'être une princesse n'est pas donné à tout le monde. Que je devais me tenir droit, ne pas pleurer et dominer les autres si je ne voulais pas me faire manger la laine sur le dos. Que je ne pouvais pas me présenter en donnant le prénom de fille que j'avais choisi pour le jour où je serais *grande*. J'ai compris jeune qu'en parlant de moi, je ne devais pas utiliser les mots *elle*, *fille* et tous ceux à consonance féminine.

On m'a surtout enseigné à fermer ma gueule.

Très jeune, j'ai acheté la paix. Ma mère niait ce qui sautait aux yeux. Amélia avait même inventé que mon père se serait terré dans un silence désapprobateur en haïssant sa fillette de fils. J'aurais été coupable du départ de mon père, s'il vivait toujours avec nous. J'aurais brisé la famille.

SCÉNARIO CATASTROPHE

Bébé doux s'amuse. Deux ans de motivation, de ténacité et de d'énergie dans le tapis. *Berc', berc'e ti-bébé! Berc', berc'e ti-bébé!*

Bébé doux change la couche de sa poupée. Il lui fait à manger. Il lui donne son biberon. Il lui tapote les fesses quand elle pleure. Il lui chante des chansons pour l'endormir. Il lui raconte des histoires. Il la lave et lui brosse les dents. Il l'embrasse sur le front avant de dormir, lui administre des bisous magiques pour les gros bobos.

Il imite chaque geste que fait sa mère. C'est son unique jeu.

Papa rentre du travail, il lui offre un Tonka sur lequel il pourra s'asseoir et pelleter. Bébé doux ne s'y intéresse pas. Papa s'agenouille, il montre comment l'engin soulève la terre, Bébé doux ne bronche pas. Papa fait les bruits de camion, il met tout son cœur. Bébé doux plisse les yeux, il n'aime pas les sons forts. Il a peur. Papa s'impatiente. Il l'assoit de force sur le Tonka. Bébé doux hurle. Il essaie de débarquer. Il se tortille, cambre son dos. *'Barquer! 'Aime pas ça! 'Veux p'us! 'Veux p'us!*

Papa se fâche. Maman défend Bébé doux. Il est petit, il découvre. Papa remet Bébé doux sur le Tonka. Bébé doux hausse le ton, se grafigne, se donne des coups au visage, se pince les cuisses. Il tente de faire de même sur son père.

Maman sort Bébé doux de cette mauvaise posture et le réconforte.

Papa engueule maman. Il l'accuse d'encourager son fils à catiner. Il croit qu'il est trop en présence de femmes. Que Bébé doux est trop couvé. Qu'il devrait sortir des jupes de sa mère et de ses sœurs.

Papa veut faire de son fils un homme.

Sur le balcon, le froid n'est pas encore assez tranchant pour que je réalise. J'ai besoin d'une bonne claque dans la face. Bien sentie. Sèche et directe. Une gifle à la française. La pilule est grosse à avaler. Depuis tout le temps que j'accumule et que je refoule ma véritable identité, c'est impossible de me réveiller en un instant. Je veux qu'on me morde, qu'on me pince, qu'on me casse les os, qu'on me scie une jambe. Une douleur intense me permettrait peut-être de prendre conscience de la lourdeur de ma situation. On arrive à se convaincre de tout lorsqu'on est un assez bon menteur. Je me suis lavé le cerveau. Je me suis laissé croire que j'étais fou, que ça n'existait pas. J'ai cru tous les faux spécialistes de la psychologie à cinq piasses que j'ai rencontrés. J'ai cessé de chercher de midi à quatorze heures. Je me suis tu et j'ai choisi les conventions. Plus de flammes, plus d'espoir de faire pencher la balance de mon côté, j'ai fermé les livres et j'ai mis un point final à l'histoire. Trop petit pour partir en guerre. Je savais qu'un mal-être m'habitait, mais, gamin, comment le nommer quand tout joue contre nous ? Ma mère a mis au monde un garçon. Le médecin lui a crié aux oreilles lorsque je suis sorti : *C'est un garçon !* Elle a changé ma couche pendant trois ans, j'étais un garçon. Elle m'a habillé et m'a équipé en garçon. Elle m'a chanté des chansons et m'a amusé à des jeux de garçon. Elle m'a surnommé affectueusement mon loup, bonhomme, petit ours, beau mec, capitaine, matelot, pirate, lionceau, canaille. Elle m'a présenté comme son garçon. Solide. Travaillant. Qui n'a peur de rien. Elle s'est attachée à moi comme garçon. Elle m'a trimballé en garçon. Elle m'a parlé et m'a conseillé comme un petit homme. Elle m'a inventé des passions de garçon. Elle m'a imaginé pratiquer un métier de garçon. Elle a fait de la projection. L'empreinte faite dans la tête, les yeux et les tripes de tous, comment en accepter le contraire, surtout quand le physique nous prouve qu'on a raison ? Pourquoi aller à l'encontre de la nature humaine ? J'ai un pénis.

Alors j'ai capitulé. Je m'apprête à combattre Goliath et j'ai presque envie de rendre les armes sans même avoir livré bataille. Je ne suis pas du type à me bagarrer. Je me bats pour les autres, pas pour moi, jamais. Les membres de la famille Martin ont tous une personnalité très imposante. Mes grands-parents, mes oncles, mes tantes, mes cousins, ma mère, mon frère et mes sœurs : un enfant qui naît dans ce clan a besoin d'apprendre à parler rapidement et fort s'il veut se tailler une place. Les paluches en l'air, les grands rires gutturaux, les femmes qui parlent parlent parlent sans placer une virgule ni prendre un souffle, leur caractère exubérant, exagéreux, rien ne m'aide à me sentir à l'aise de m'exprimer. Moi qui sais écouter. Moi qui ai besoin de me trouver seul à seul avec une personne de confiance dans une ambiance feutrée pour me confier. Rien à voir avec ma famille. Dans le village, les Martin ont une réputation à défendre et surtout à conserver. Plusieurs anciens maires et chefs d'entreprises qui engagent le trois quart des gens du village portent le nom de Martin. Dans les rassemblements des Fêtes, on entend parler d'économie, de religion, d'agriculture et de conventions. Il ne faut surtout pas déroger de la norme et se détacher du troupeau. Témoin de tout ça, adolescent, j'avais l'impression qu'autour de moi, tous partageaient une mentalité coulée dans le ciment et figée dans le temps. Les Martin étaient prisonniers d'une autre époque. Celle des calèches et de l'eau à la pompe. Celle de la petite école de rang et du curé dans les chambres à coucher.

Un soir, à onze ans, le souvenir est encore frais, moi qui n'embêtais plus personne avec mes histoires de fille depuis un bon bout, j'ai pris mon courage à deux mains et je me suis préparé à sauter dans l'arène des lions affamés. D'un pas feutré, je me suis dirigé vers la chambre de ma mère pour discuter. Enfant, je ne comprenais pas ce qui sommeillait là, là, dans le fin fond du creux de mon ventre. Une roche. Lourde. Il y avait de quoi de coincé. Je n'avais pas de mots pour le nommer. Je n'étais pas comme les autres. C'est tout ce que je savais. On me considérait comme différent. C'était évident, personne ne s'amusait avec moi. Pourtant, je me trouvais parfaitement normal. Si je me concentrais uniquement sur mes émotions, il n'y avait rien de plus banal. Je pleurais quand j'avais de la peine. Je riais quand c'était drôle. J'étais excité par les surprises. Je m'enrageais de colère et je voyais rouge, plus que d'autres petits gars des fois, sans pouvoir reprendre mes esprits. Je défendais les injustices. J'étais plein d'empathie et de compassion pour les moins chanceux que moi. Et... j'étais une fille. Plus je me questionnais sur mon identité, plus je perdais le fil. Sans appui maternel, comment connaître la route à prendre? Sans approbation de la maman, qu'est-ce qui est bien? Qu'est-ce qui est mal? On en perd nos repères. La colère sans discussion ne fait que refouler encore plus les frustrations. Je voyais mon grand frère se transformer et je craignais pour mon corps. J'avais peur. Je n'avais pas envie de voir poindre ma puberté. La pomme d'Adam. Les poils au visage, sur le sexe et peut-être partout ailleurs. À voir mes oncles, il en pousserait dans le dos, sur les fesses, dans les oreilles, dans le nez, abondamment sur le torse et ils ressortiraient tel un bouquet de fleurs par le col de mes chemises. La voix qui passe de l'aigu au grave. Le visage qui devient plus brut, carré. Il fallait explorer les avenues qui s'offraient à moi avant ce grand désastre. Freiner la puberté à cet âge, c'était comme fabriquer un mur en poches de sable devant un tsunami. Je n'étais pas convaincu et avais besoin de l'aide de mes proches. Je me suis approché de la chambre de ma mère, il y avait déjà quelqu'un avec elle.

Grande sœur : *Jean s'fait écœurer et battre à l'école, maman. Y dit qu'y est une fille.*

La mère, assise à se démaquiller : *Y a rien d'ben plaisant à être une femme. Même moé si j'avais l'choix, j's'rais mieux en homme. Jean cherche l'attention. Y va maturer.*

Grande sœur : *Quand son enseignante prend les présences, il la reprend et dit qu'y s'appelle Lili. Tout l'monde y crie des noms.*

La mère, crémant son visage : *On n'a pas l'habitude de faire des fefis, y en a pas dans famille.*

L'oreille collée sur la porte, je venais de saisir une dure réalité familiale. Amélia m'avait mis au monde, mais était loin d'être prête à me mettre parmi le monde. La nuance était là. Je n'obtiendrais jamais le soutien d'un Martin. Ni de maman. Ni de mes sœurs. Encore moins de mon frère. Je devrais partir en croisade tout seul, mais à onze ans, on ne s'éloigne pas trop. Je réunirais mes forces. Je trouverais bien une alternative. Je partirais à la recherche de mon père, lui me comprendrait, même si ma mère se tuait à dire le contraire et à le blâmer pour tous les maux de la terre.

Tôt ou tard. Mon père serait derrière moi.

SCÉNARIO CATASTROPHE

Un. Deux. Trois. Nous irons au bois. Quatre. Cinq. Six. Cueillir des cerises. Un garçon joue tout seul dans le bois. Calme. Bien. Si on le trouve, on le frappera.

On le bat dans la cour d'école. Avant de partir pour la classe, sa mère crie *T'iras pas en classe accoutré d'même avec la robe de ta sœur.* Il a un pantalon d'armée. Un sac à dos bleu. Un vélo noir avec des flammes de Harley-Davidson. Des espadrilles de course qui vont vite. Un chandail de lutteur. Il a tout ce dont les petits garçons rêvent à son âge. À la minute que ça sort, son grand-père, qui le chouchoute, court acheter tous les symboles du mâle dominant. L'enfant mettrait le feu dedans. Il s'accroche aux vêtements de ses sœurs. Il résiste aux coups. Il réplique aux insultes. Il ne pleure pas. Il est bien droit. C'est puissant, une fille. Il y a des pouvoirs magiques dedans. Dix ans et personne ne le comprend, ne l'écoute. À part un professeur qui répète au père, de peine et de misère, qu'il doit consulter avec le petit. *Contente-toi de répéter les mathématiques et le français. Mon fils est normal.*

L'enfant n'est pas né dans la bonne époque.

Le monde n'est pas prêt.

Adolescent, je suis devenu Jean mâle. Jean viril. Jean cliché. On me voyait déambuler dans les corridors de l'école secondaire et j'étais plus stéréotypé qu'un stéréotype. Joueur de football quand j'aurais plutôt penché pour les majorettes. J'étais un homme. J'avais mué, trop tard pour faire un changement en douceur. J'haïssais ma voix. Ma pomme d'Adam s'était pointée bien pointue. Du poil avait pris possession de mon torse et un pinch mou était visible sous mon nez. Je produisais de la testostérone en quantité industrielle. J'aurais pu en vendre au gallon à tous les gars de ma classe qui n'avaient pas encore commencé leur puberté. Je fumais assis dans le fond de ma case au centre social. J'embrassais les pom-pom girls. Mon meilleur ami, Charles, n'avait pas encore passé au tordeur de la métamorphose extrême. Il était si petit qu'il avait dû développer son sens de l'humour et un incroyable talent en dessin pour déplacer l'attention ailleurs. À 16 ans, il avait des traits fins, parlait deux tons plus haut que moi et n'avait pas un poil au menton. Il n'avait pas grandi d'un centimètre depuis sa quatrième année et attendait de pied ferme de débourrer. Je voyais en lui une féminité réconfortante et je l'enviais. Lorsqu'on discutait ensemble, parfois je fixais mon ami et me perdais dans les courbes de son visage devenues floues. Je constatais la facilité avec laquelle Charles aurait pu se transformer en fille. Sa silhouette était bien découpée. Ses doigts de dessinateur effilés ne ressemblaient en rien aux miens, larges et trapus. Mains de bûcheron. Mains de soudeur. Mains de déménageur. Mains de cultivateur. Mains de la relève. Loin des mains de secrétaire auxquelles on ajoute de faux ongles colorés. Les lèvres pulpeuses de Charles rendaient jalouses les adolescentes aux babines effacées. Toutes les filles rêvaient de le frencher ou de lui échanger cette paire de lèvres charnues. Lorsqu'il souriait, on pouvait remarquer une craque entre ses incisives lui donnant un air sexy de vedette rock. Il avait de grands yeux coiffés de longs cils denses. Pas de mâchoire carrée. Pas d'épaules de joueur de foot. Charles ne connaissait pas sa chance. Il connaissait encore moins mon secret. Il n'avait sûrement même jamais eu à se demander s'il était un garçon ou une fille. Ces questionnements identitaires de base ne lui avaient jamais effleuré l'esprit. Seul garçon d'une famille de quatre enfants, Charles fuyait sur son quatre roues le monde des poupées et des chorégraphies de salon où l'on chante dans une brosse à cheveux. Il roulait rejoindre ses chums de gars construisant un camp derrière le bar de danseuses du village. Avec trois sœurs, il était plus facile d'avoir la paix dans le bois. Je l'enviais. Ses sœurs étaient si jolies. J'aurais joué dans leurs cheveux.

Ma naïveté a fondu comme neige au soleil, je sais maintenant que me dévoiler implique de décevoir, de faire pleurer, de briser des vies, de recevoir des commentaires, des jugements, des railleries, des coups bas ou sur la gueule, de l'intimidation. Que de la perte. De tous bords tous côtés, des deuils de gens que j'aime. Je ne suis plus un gamin, on ne me prendra plus dans le piège du «quel secret caches-tu?». Je reconnais les embuscades. Jeune adolescent, j'ai préféré me construire un personnage, devenir acteur et jouer ma vie plutôt que de faire face à la musique. Je feignais, esquivais. Je contrôlais mes pulsions féminines à quelques exceptions près. Je me permettais des écarts chez moi, seul, dans ma chambre, embarré à double tour, les rideaux tirés, les lumières tamisées. J'étais certain que ma mère finirait par m'interner au premier soupçon d'un semblant-de-peut-être-que-oui-mais-j'suis-pas-sûr-que-c'est-possible-que-ça-puisse-arriver-que-j'sois-pas-né-dans-le-bon-corps-t'sais. Amélia en avait assez vu, assez entendu. Hésitant, je ne m'étais pas aventuré à dévoiler ma véritable identité à Charles. Je ne voulais pas prendre le risque de perdre mon seul ami. À la place, je me suis bâti une vie normale.

Je venais tout juste de quitter mon enfance. J'avais besoin d'une pause. Un time out, un temps mort. Une trêve à cette guerre pour enterrer le cadavre. Il était impossible de porter les armes sans le soutien de tout le bataillon. Naître différent au cœur d'une famille aux valeurs conservatrices et d'un village où tout se sait, tout se jase et tout se déforme, ce n'est pas tous les jours aidant. Au contraire, ça cale plus profond encore. Le reflet des autres souffrant du malaise créé par mon état provoquait des mauvaises surprises, des manques de souffle, des maladresses. Les réactions variaient entre la curiosité devant la bête et le sentiment d'étrangeté. On m'évitait. Pas un habitant ne m'appuyait ou tentait de comprendre. On ne connaissait rien sur ça. Moi-même j'ignorais tout. On préférait croire à la folie, l'explication était plus simple. J'ai stoppé ma lutte. Je n'avais pas la force de continuer mes démarches d'information populaire. Pour moi, l'évidence sautait aux yeux. Ce que je ressentais existait, puisque c'était ancré. Le sentiment réel d'être une fille réelle. Je ne pouvais pas me tromper. Une histoire pareille, ça ne s'invente pas. Pas pour le plaisir. Pas pour provoquer. Pas pour faire chier. Pas pour pousser les limites des gens. Pas pour passer le temps trop long dans un village mort comme la lune. Je souffrais.

Physiquement. On ne peut pas souffrir par exprès. Un combat intérieur rageait à chaque heure du jour et de la nuit. Pas de temps d'arrêt. Je me pendais au bout de ma corde. Plus les minutes passaient, plus je prenais des risques. Il aurait été si facile de mettre fin à mes jours. Mourir, terminer ça là. Pied de nez à tous ceux qui m'avaient abandonné dans ce mal à l'âme. Pied de nez à tous ceux qui avaient fait le pari que ça allait passer. Déshonneur pour la famille Martin si fière-pet et si hautaine. Vengeance devant ma mère froide et distante. Sauf qu'il n'y avait pas plus amoureux de la vie que moi. Mourir, c'est le chemin de la facilité. Ma famille pouvait dormir sur ses deux oreilles. Malgré mes grands tourments, malgré ma propre incrédulité sur ce que je vivais, je n'aurais pas fui ainsi. On ne m'aurait jamais trouvé pendu dans la cave, ni baignant dans mon sang, ni gonflé par l'eau ou tout bleu de médicaments. Petit, j'avais presque fait le pas. J'avais failli. Je voulais mourir. Des suicides d'enfants, ça arrive. La tristesse plus forte que le jeu, l'enfant sombre et meurt. Aujourd'hui, j'aime trop la vie et je suis incapable de choisir le suicide comme solution. Je suis papa. Je ne peux pas disparaître. Je prends la chance de voir où tout ça me mènera. Découvrir quelle est ma route.

J'encaisse pour eux. Mes fils.

Je relativise. Il y a dans le monde des gens plus malheureux que moi. Ceux qui n'ont pas une bouchée de pain à se mettre sous la dent. Ceux que pas une cenne n'adore. Les gens battus, violés, humiliés, trahis, contrôlés, manipulés, dont le cerveau est lavé. Ceux qui sont exploités. Ceux qui doivent vendre leur corps pour une maigre redevance. Ceux qui sont pris à la gorge sous une tonne de dettes. Ceux qui vivent la guerre. Comparativement à tous ceux-là, je me trouve relativement bien. Je marche à côté de ma vie, mais je ne suis pas en danger extrême. Extérieurement, les gens qui ne m'ont pas vu porter des robes tout petit ne peuvent pas se douter de mon dérèglement. Pour garder le cap, il y a une petite voix intérieure qui me répète des mantras. *Comme les autres. Comme les autres. Je suis comme les autres. Je veux être comme les autres.* Rien à foutre de tout le reste, je me convaincs que je divague et que ça se stabilisera. Lorsque mes changements identitaires se fixeront, je soufflerai. Je me réveillerai de ce long cauchemar en homme assumé, fier et confiant. Riche, cette réflexion m'apportera beaucoup. Je prendrai position au lieu de laisser couler la vie sans aller voir plus loin. Malgré tous ces beaux rêves de normalité, une autre voix occupe une partie ma tête, une voix contre laquelle je dois me battre. Qu'elle se taise. Qu'elle meure. Qu'elle disparaisse à tout jamais. Mettre une paire de bas dans la gorge de cette vilaine, la retenir avec du tape gris, l'attacher sur une chaise, la laisser crever sans la nourrir. Cette voix est plus forte que tout et a envie de crier à s'en arracher les poumons.

En pleine crise d'adolescence, je suppliais que ma tête se connecte toute seule à mon sexe. Magie. J'espérais que ce n'étaient que des questionnements normaux. Je me disais que je pouvais encore endurer l'état mâle. J'haïssais Dieu et je l'envoyais se faire foutre pour l'ensemble de son œuvre. Je continuais d'avancer en homme pour lui prouver qu'il se gourait complètement. Je buvais, c'était moins tough. Des fois, au beau milieu de nulle part, j'aurais tout avoué d'un trait. J'aurais pris un porte-voix. *Je fitte pas avec mon sexe! C'est ça pis c'est tout'!*

Au lieu de cela, je longeais les corridors de l'école et je me terrais dans ma carapace. Je m'impliquais là où ça fait gars de s'impliquer : dans l'équipe de football, de hockey, de volleyball, dans les olympiades sur l'heure du midi et la radio étudiante, à animer l'émission de death metal. Je récoltais tous les mérites sportifs des galas de fin d'année. Je gagnais la fierté de ma maman pour qu'elle puisse oublier l'épisode fillette de son garçon. Je balayais les pots cassés sous le tapis en souriant et en me faisant aimer des filles de la polyvalente. Pour qu'Amélia s'enorgueillisse du côté tombeur de son garçon qui collectionnait les relations, avec le temps, j'avais construit un personnage plus grand que nature. Perfection louche. Créé de toutes pièces, on m'aurait cru tout droit sorti d'un plateau de cinéma permanent. *Silence, on tourne. Il faut que ça mouille les yeux. On donne de l'émotion au public. On est généreux. On se met dans la peau de notre personnage, on se colle à sa réalité. On improvise. Les gens ont payé pour voir le cirque, il ne faut pas décrocher du show.*

Dès que je sortais du lit le matin, le scénario commençait. J'avais l'impression de toujours jouer la même scène et ne voyais pas le moment où je cesserais de l'interpréter. Bien que ma famille se fermait à ma vraie personnalité, il y avait des moments de grâce où ma grande sœur ressentait mon désarroi. Elle ne savait plus comment agir, la situation était surréelle, les issues rares et ma tristesse si grande.

— Le monde n'est pas prêt pour lui... elle... pour Jean, j'veux dire! On pourrait déménager en ville?

— Mais t'es complètement folle!

Agressive, ma mère n'avait pas l'intention de s'installer ailleurs pour *ça*. Elle avait de l'ouvrage sur la ferme. Elle ne prendrait pas le risque de ne pas trouver de job en ville pour un caprice d'enfant. En plus, elle haïssait la ville, pas capable d'y rester plus de deux jours. Trop loin de ses lacs. Trop loin de ses rivières. Elle ne respirait pas là-bas. Si elle avait à paqueter les petits et plier bagage, elle le ferait pour l'argent. Plus d'argent. Pas pour que son gars se perde dans la foule de la ville pour *ça*. Pas pour qu'il arrête de se faire écœurer parce qu'il se déguise avec les habits de ses sœurs et qu'il vole leurs vêtements en cachette. Le linge, qu'elle disait, c'est pas une raison pour déménager. Avant de faire des boîtes, elle m'obligerait à voir un psychologue pour qu'il m'explique qu'au fond, j'étais un garçon et qu'il fallait arrêter mes lubies. Le psy me guérirait de *ça*, au prix qu'elle le paierait. Pas question que *ça* me handicape toute ma vie et que *ça* fasse de moi un animal de foire. C'était juste une passe pour me rendre intéressant. Il suffisait de me casser et d'arrêter de m'écouter.

Ça. Comme si en évitant de nommer la réalité, *ça* n'existait pas.

Amélia était déchaînée, plus la force de gérer la situation et pas d'outils pour comprendre ce que je vivais. Elle préférait se la fermer et refuser d'entendre les voix de la raison. Amélia disait qu'elle prenait position pour mon père aussi. Il n'aurait jamais laissé son fils délirer de la sorte. Jamais. Plus je surprenais ma mère à tenir ce genre de discours, plus je comprenais qu'il me faudrait lutter contre tout le monde et que je devrais risquer le tout pour le tout.

Avoir des arguments béton ou attendre la mort de ma mère.

Le chemin du *il* au *elle* serait long.

Pas de ligne droite ou de raccourci.

Jeanne naissait à peine dans mon esprit que je devais l'étouffer-plus-d'air-sous-un-coussin. Une fois prononcé, ce prénom aurait été un souffle libérateur, un murmure amoureux de moi à moi, sauf que j'aurais assassiné Amélia. Je le taisais. «Jeanne» était défendu. Surtout à table.

À partir de cet instant, je ne me suis plus permis d'écarts de conduite. Plus d'heures passées enfermé dans ma chambre à être une copie de femme ou un homme déguisé dans les habits où je me sentais à l'aise, d'où je rendais malheureux tout le monde. Agir, bouger, chanter, parler comme une femme ne serait plus une option possible. Je me rangeais du bon côté. L'équation était simple : j'avais un pénis, j'étais un homme. Toutes mes minutes appartiendraient à Jean. Les plages horaires d'école, les activités à l'extérieur, les rassemblements de famille, tout était pour lui. Jeanne n'apparaîtrait plus. Je me contenterais de mes promenades en forêt, isolé, à marcher vers le refuge de mon enfance, le Cran-aux-Corneilles, pour penser à Jeanne. Ce qu'elle serait si. Ce qu'elle pourrait devenir. Ce qu'elle sera peut-être.

Devant le miroir.

J'arrêtais le temps.

Je cessais de respirer. Presque.

J'existais autrement. À l'extérieur de moi. Puis un jour, l'existence fige un étranger devant la glace.

Haut-le-cœur. Arracher tous les miroirs.

Les briser.

Sept ans de malheur, c'est moins long qu'une vie.

SCÉNARIO CATASTROPHE

Première éjaculation spontanée d'un adolescent. Wet dream.
Choc.
Il ne croit pas aux réactions de son corps. Ça ne devrait pas être, car il n'est pas. Il aurait dû être capable de réfréner son engin.
Il le déteste.
Honteux, il pleure.
Le bruit court dans la famille.
Tape dans le dos du père, on célèbre l'événement.

J'ai bien grandi. Je suis devenu adolescent, puis homme. Jean
Martin. Mâle alpha. Chef de famille. J'ai continué à porter mes costumes masculins, pas le choix de me déguiser
ainsi, ma femme Doris n'ayant jamais entendu parler de mes
histoires d'enfant. Tabous bien gardés dans les souvenirs col-
lectifs familiaux. Si je l'avais mise au parfum, elle n'aurait
pas été en mesure de comprendre. Elle m'aurait soupçonné,
questionné. Elle se serait plongée loin dans mon regard pour
s'assurer que. Elle m'aurait trouvé étrange. Elle aurait vérifié
ses rouges à lèvres, ses robes. Je la connais bien. Ce chemin
est périlleux. Je suis marié. J'ai des enfants. Aux yeux du
monde, c'est impossible que je sois une femme, j'ai réussi à me
lier d'amour à une femme et à procréer. Je perdrais trop en
cours de route si je passais à l'action : ma famille, ma femme,
mes enfants, mes amis, mon travail, mes implications, ma
future-presque-peut-être-promotion et, pour certains, ma
crédibilité. Je me demandais souvent ce que serait devenue ma
vie si j'avais tout quitté sans me marier, sans la vie de famille.
Je ne pouvais m'imaginer un instant sans mes deux garçons.
J'ai été mis au monde pour prendre soin de ces gamins. C'est
écrit. Penser en être séparé me tire les larmes des yeux systématiquement. Avant de me jeter dans le vide, je dois être plus
que certain. Plus aucun doute ne pourra persister. Je me suis

convaincu que mes envies féminines n'étaient que fantaisies pendant trop de temps. Je m'autorise à présent à prendre soin de Jeanne. L'alimenter. En avoir moins honte. L'apprivoiser. La rendre jolie.

Je maquille mes yeux et je me trouve joli. Avec beaucoup de fard à paupières. Une couche épaisse pour cacher mes rides. Je dessine la ligne de mes lèvres. Elles sont trop fines, je les veux pulpeuses. Je les colore de rouge vif et j'imprime une forme sur ma cigarette. La fumée caresse les courbes de mon visage et camoufle mes traits honteux. J'applique un fond de teint pour dissimuler la peau grise de la barbe à venir. Je connais tous les produits, toutes les crèmes. Ma femme en est folle et comme elle parle pour remplir les silences, elle m'explique toutes les propriétés de ces produits de beauté.

Je prends mon temps. Les rares soirées où je me retrouve seul à la maison, j'en profite. Dans la pénombre du sous-sol, loin de tous regards, je ne me sens plus jugé. Je ne dérange personne. Ne gêne ni parents ni amis. J'existe. Pour accomplir cette métamorphose temporaire, je dois connaître l'horaire de tous les gens de la maisonnée par cœur. Leurs va, leurs vient, leurs va-et-vient, repart et revient, jour et nuit, du dimanche au samedi. Je sais quand aller fouiller dans les tiroirs de Doris pour trouver des trésors : jupes neuves, crème hydratante, couleurs tendance, soutien-gorge à remplir, fer à lisser, mascara, talons hauts. Je les prends le temps d'une soirée et les dépose au même endroit, dans la même position. Je possède si peu de temps pour habiter mon véritable corps que je me grouille de le transformer. Puisque je ne dispose que de quelques heures dans la semaine, j'exagère mes traits. Sans pratique, ma préparation manque de raffinement. Mes coiffures n'ont pas la solidité qu'il faudrait pour tenir longtemps. L'art de la bobépine m'échappe. Je nuance mal les doses de couleurs sur mes paupières. Je ne distingue pas si je suis grossièrement maquillé ou si ça va.

Je me vois joli.

Magnifique comme jamais je ne me suis vu.

Je peigne ma perruque. J'ai acheté cette longue chevelure en pleine crise de la trentaine. Je manquais d'estime. Des cheveux, ça change un visage. Ça le définit. Ça aide à rendre concrète la transformation. Je me coiffe d'un bandeau à pois pour la fixer sur ma tête et camoufler mon front dégarni. Des pois rouges sur fond blanc rosé. Le rouge a déteint sur le blanc pour créer le rose. Un rose floral. Un rose de jeune fille du premier printemps. Je peine à placer chaque couette là où elle doit être pour avoir l'air naturel. Ma garde-robe est pleine à craquer d'habits qui me vont à ravir, en homme. Ma femme me les offre. Elle m'aime chic. Elle a dépassé le stade des cravates. Son salaire lui permet de faire des excentricités, Doris paie mes costards. Si elle ne le faisait pas, j'irais travailler looké vulgairement d'un jeans et d'un t-shirt. La honte. Peu importe le prix que ma femme met sur mes habits, je les trouve affreux. Attriqué ainsi, j'ai l'air d'un croquemort. D'un businessman sans scrupules. D'un faux détective en fin de carrière. D'un pantin d'entreprise. D'un clown hypocrite. Je ne peux plus supporter ces tissus brutaux à la coupe militaire. J'enfile les bas-culottes de Doris en cachette. Je prends mon temps pour ne pas les fissurer de mailles. Pas de traces. Une chemise blanche couvre ma poitrine. Pas de soutien-gorge, je n'ai pas de seins. Je referme la fermeture éclair de ma jupe. Étroite. J'inspire. Je rentre mon ventre. Je jalouse les sections de vêtements pour dames, où l'on trouve de tout : des imprimés de cerises, des jupes turquoise, des milliers de paires de souliers aux couleurs vives, du picoté, du rayé, du moulé, de la dentelle, de la soie, du cachemire, des brillants, des diamants, des étoiles, des cœurs, du fleuri, du transparent. Tandis que pour les hommes, on ne propose que le beige, le gris, le noir, les souliers cirés, les chemises pastel et les polos. Il n'y a que les cravates pour donner de la fantaisie et je les trouve laides. Ces nœuds au cou m'horripilent. J'imagine chaque homme qui les porte pendu à un arbre et je frissonne de regarder tous ces morts marcher. Quoi de mieux à offrir à un homme pour la fête des Pères, pour Noël ou pour son anniversaire qu'une cravate ? J'en ai de toutes les couleurs et je les haïs profondément. Ma mère ne manque pas une occasion de garnir ma collection. Pour enfoncer le clou plus profondément. Pour m'étouffer un peu plus. Pour me rappeler que je suis un homme et que je ne peux pas me défiler de mon rôle. Mon refus de porter les cadeaux de la matriarche me vaudrait vingt minutes de culpabilisation et une séance de pitié. Je souris, dis merci et feins que c'est le plus beau présent de tout l'univers. Meilleure chose à faire. Je l'enfile sans tarder pour qu'un sentiment de satisfaction se pointe sur le visage de la généreuse donneuse de cravate de merde et je ferme ma gueule pour le reste de la soirée de fête. La joie. L'hypocrisie me répugne. Je suis à la recherche de transparence, de cohérence, d'intégrité, de vérité.

L'image de moi que me renvoie ma mère me lève le cœur.

SCÉNARIO CATASTROPHE

Devant la télé. Un père et son fils.

Il patine à fendre l'air, fait une passe à Berglund. Jette un œil aux défenseurs. Berglund tente un tir au but. La rondelle manque la cible!

Un père, bière à la main, Doritos entre les jambes, regarde le match les fesses sur le bout de son Elran et pousse des *Ah!*, lance des *Voyons donc tabarnac!* et crie des *Ostie d'mains molles!*, *Y est ben branleux lui!*, *Y a tu feni d'la crisser dans l'fond d'la patinoire la câlisse de puck?*, *On s'rait meilleur pas d'gardien*, *Faites-y p'us d'passes lui, y est pas capab' de rien faire avec!* comme si les joueurs entendaient derrière l'écran.

Oh! La rondelle a frappé le poteau. Dégagement. Pietrangelo fait une passe à Steen. Repris par Oshie. Il lance et compte! Quel lancer! Le Canadien tire de l'arrière 4 à 1. On est en fin de deuxième période.

Un fils, éjarré sur un divan plus de ressorts, enfoncé dans un coussin trop mou, se dit que ce n'est qu'un dur moment à passer. Hockey du samedi soir. Lui qui ne rêvait que de spectacles de ballet, de musique classique, d'improvisation de la LNI, de théâtre, de films de répertoire. Ce qui fait vivre des émotions. Ce qui remplit. Ce qui n'abrutit pas, emprisonné dans un sofa à gueuler après une rondelle de marde.

Ils ne se parlent presque pas.

— Skate ostie, skate!

Juste de petites questions d'usage.

— Non mais, faut tu êt' mauvais pour s'faire laver par la pire équipe d'la ligue ?

Les commentateurs s'emballent et déballent toutes leurs plus belles expressions de hockey. Le garçonnet fabule *Le Barbier de Séville* en background. Un beau moment père-fils partagé.

— J't'inscris au hockey cette semaine !

J'y suis. Droit, devant mon miroir, je teste ma voix et j'exerce mes intonations. Rythme lent. *Je m'appelle Jeanne.* Rythme rapide. *Je m'appelle Jeanne.* Ton aigu. *Je m'appelle Jeanne.* Je pratique mes mimiques de femme, imitant celles de mon épouse ou de mes sœurs en exagérant leurs réactions. Caricature de Doris, je prends grand soin de choisir les traits que j'aime d'elle et de laisser de côté ses tics nerveux. Lorsqu'elle tourne sa couette de gêne. Lorsqu'elle sourit, retroussant le coin supérieur gauche de sa lèvre pour séduire son interlocuteur. Sa jambe toujours croisée, le pied pointé comme une ballerine et balançant sans relâche. Posture éreintante, les hanches d'hommes n'étant pas faites pour ce maintien, ça devient rapidement une torture. Sa manière d'hypnotiser son public par son regard trouble, sombre et pénétrant. Il faut lui donner cela, Doris est magnifique de sensualité et de charme. Avant de me connaître, elle accumulait les amants en les dévorant un à un, les recrachant aussitôt après en avoir fait le tour. De ses comportements de nomade amoureuse, elle a conservé tous les gestes dégageant les puissantes phéromones sexuelles femelles permettant de faire flancher tout mâle se trouvant sur son passage par mégarde. Innocemment, Doris met la machine en marche, déballant tout l'arsenal et pouf, l'homme naïf est envouté et perdu dans ses filets. Pour se prouver qu'elle séduit toujours, Doris s'amuse à faire tomber les hommes. Je sais que ce jeu est inoffensif. Cela ne me touche pas, je lui laisse sa pleine liberté de plaire et je prends des notes. Si elle me trompait, je ne lui en tiendrais pas rigueur. Je crois que je serais content. Ça me forcerait à mettre le processus en branle.

J'aime me préparer comme pour une première de théâtre. Devant la glace. Fébrile. À attendre le signal de départ. Vivre le trac jusqu'au dernier instant. Le moment où, par un geste manqué, je pourrais me faire prendre. Inspiration. Expiration. Lentement. Mon ventre gonfle et je savoure l'instant de solitude en tête-à-tête avec moi.

Je me sens femme dans chacun de mes membres. Inspiration. Je commence par mes orteils. Expiration. Je laisse monter dans mes pieds, mes chevilles, mes mollets. Inspiration. Je continue l'ascension dans mes genoux et mes cuisses. Je ne pense surtout pas à mon sexe. Il est de trop dans l'histoire. Pendouillant dans le vide, il me rappelle à chaque mouvement qu'il est là. Je l'attache par derrière, enfouissant mes testicules par en dedans. Toute la journée. Le soir, lorsque je libère cette chose, je souffre, mais moins que lorsque je le sens bouger à l'intérieur de mes sous-vêtements. Mon sexe me rebute, il me donne la nausée, me crée des frustrations. Je m'imagine souvent, lame à la main, me charcuter et trancher ce pénis. Je ne peux plus le voir. Expiration. Je dois me calmer et revenir dans mon corps. Je me ressaisis et ma féminité passe aux fesses. Inspiration, mon ventre se gonfle, devient chaud, rempli de tout, rempli d'elle. Expiration. Je sens croître mes seins. Inspiration. Mes bras touchent au ciel. Plus rien ne peut bloquer mon chemin jusqu'au fil d'arrivée. Jeanne la tant attendue. Expiration. Mon cou se dénoue, l'air passe. Inspiration. Mon front se déplisse, mon visage devient moins sévère, mes traits plus fins, une sorte de liberté se dessine sur mon visage.

Au dernier moment, je soulève à peine le menton, j'esquisse un léger sourire qui transmet mon état à mes yeux. Plus secret que la Joconde, en lisant en moi. Puis je pose les mains sur mon visage pour me cacher. Je suis pudique. J'ai besoin de me dévoiler tranquillement. M'apprivoiser. Un striptease tout en douceur. Après toutes nos années de vie commune, les deux grossesses de ma femme, les amitiés masculines, tous ces gens rencontrés en tant qu'homme, je reviens toujours à la case départ. À mon sentiment de garçonnet. Je dois aller au cœur de la femme que je suis une fois pour toutes. Un voyage dont Jean ne reviendrait jamais. Une perte humaine en vue.

J'ai tant travaillé sur ma transformation extrême que je n'ai pas entendu la voiture de Doris se garer dans le driveway. Je lui ai pourtant demandé trois fois son heure de retour pour ne pas être surpris en flagrant délit. Doris a changé ses plans sans m'avertir, j'ai horreur de ça. En un temps record, je retire ce que je peux. Je cherche mes vêtements éparpillés dans toute la pièce. Nerveux, je tremble, j'échappe les objets, j'ai du mal à les replacer pour que tout passe inaperçu. J'entends mon cœur battre comme si je venais de courir un marathon. Je tente de laver mon visage, mais, pressé par le temps, j'ai l'impression d'avoir les mains pleines de pouces. Enfiler mon pyjama de papa n'a jamais été aussi difficile, je ne sais pas par quel bout le prendre. Je crois frôler la crise cardiaque. Je ne dois soulever aucun soupçon, Doris est pointilleuse. Cinq courtes minutes pour camoufler un grand secret. Surtout ne rien oublier, pour ne pas être obligé de mentir et camoufler une maîtresse inexistante. Tout doit être clean avant de déguerpir m'asseoir devant le match des Canadiens en train de se faire sortir des séries 6 à 1 par les Sénateurs. Je déteste le hockey. Ça m'emmerde. Les joueurs professionnels ne sont que des casse-pieds et de gros bébés gâtés. Pourtant, j'ai pratiqué ce sport longtemps à l'école secondaire et j'y excellais. Le jour où mon coach m'a annoncé que je serais observé par des recruteurs de haut calibre lors d'un match de tournoi, j'ai tout saboté. Il était hors de question que je fasse carrière, je préférais devenir comptable dans un petit bureau à n'embêter personne et faire mes petites affaires. Mon personnage masculin, quant à lui, en raffole. Papa à temps plus que complet de deux garçons, je me tiens au courant de l'actualité sportive. Je ne dis presque rien, par économie de mots, mais je parle de hockey. Je bois ma bière en grommelant. J'aime mieux le vin. J'écoute tous les sports à la télé, je connais toutes les statistiques et participe à plusieurs pools chaque année. Mes fils jouent au hockey, en mangent pour déjeuner, le voient dans leur soupe. Les deux ont comme plan de carrière de jouer et d'en vivre. Depuis qu'ils savent que j'ai failli être recruté, ils sentent que tout est possible. Notre complicité s'estompe et la tendresse que nous avions disparaît pour laisser place à la bagarre. Nous sommes toujours aussi proches et mes garçons se fient pas mal plus à moi qu'à leur mère pour répondre à leurs besoins de base, mais ils se métamorphosent en petits mâles. Maxime et Dominic. Des prénoms qui font garçon, mais qui auraient tout aussi bien pu appartenir à des filles. Au moment où Doris et moi devions les nommer, j'avais imposé des noms unisexes. Des prénoms facilement interchangeables si l'hérédité jouait un tour à l'un de mes fils. J'espérais qu'aucun de mes garçons ne soit comme moi. Trop souffrant. Horriblement douloureux. À première vue, ils semblent normaux. Je suis soulagé. Je connais le calvaire. Je ne le souhaite à personne. Je n'ai même pas commencé ma transformation que je pense déjà au statu quo. Moins impliquant. Moins de chances de passer pour fou. J'analyse, c'est tout, et j'ai la chienne. En faisant mon coming out, je serai automatiquement étiqueté. *Il est déguisé en femme. C'est un homosexuel refoulé. C'est un désaxé sexuel, un prostitué. Il fait ça pour de la drogue. C'est un jeu érotique. Il veut pimenter sa vie plate.* Name it. Je serai comparé à un pervers et Jeanne à une fausse femme costumée, un travesti. C'est difficile de puiser l'énergie nécessaire pour plonger dans le feu de l'action. Je me freine. J'ai pas le courage. Ma vie douillette en homme m'empêche de bouger. J'ai tout. Je serais fou de cracher sur mon bonheur d'Elran en cuirette pour m'épanouir sur des talons aiguilles.

Est-ce que la vie est plus belle vue de haut qu'assis sur nos lauriers ?

Il y aura mort d'homme.

J'ai commencé à boire. Moi qui accompagne mes garçons partout où ils vont, maintenant je ne veux plus sortir. Je quitte la maison pour l'essentiel. Bosser. Faire l'épicerie. Pharmacie. Demandes de Doris. Je presse le pas. Je ne m'éternise plus en public. Le reste du temps, je m'isole. Le temps de préparer l'élan nécessaire pour sortir de ce corps, et je boucherai la bouteille. Pour l'instant, je continue à boire, question d'engourdir le mal-être. Avant de finir par suffoquer, j'ai commencé quelques recherches sur les crises identitaires. Au fil de mes recherches sur le web et de mes visites à gauche et à droite, j'ai récolté de l'information sur une association de transsexuelles. Le réveil a été brutal. Sur la première page du dépliant, j'ai lu :

Êtes-vous prêts ou prêtes...

À perdre votre partenaire ? Perdre votre famille ? Perdre la garde de vos enfants ? Passer pour un parent incompétent ? Subir des poursuites en justice ?

À perdre vos amis et à avoir de la difficulté à construire de nouvelles amitiés ?

À perdre votre travail ? Subir des préjugés lors de vos prochaines recherches d'emploi ?

À vous faire critiquer, juger ?

À ce que personne ne comprenne votre choix ?

À amorcer des démarches juridiques, civiles, psychologiques, sexologiques, chirurgicales, esthétiques?

À envisager de ne plus vivre une autre journée dans votre corps?

Vous êtes transsexuel ou transsexuelle et il est temps de passer à l'action.

Oui. Je réponds oui. À tout. Oui. Il le faut. Pour le mieux.

Oser prononcer le mot. Le sortir de ma bouche. Le crier presque.

Je suis transsexuelle.

Je me le dis. Transsexuelle.

Je me le répète. Transsexuelle.

Je suis convaincue. Transsexuelle.

Transsexuelle, e-l-l-e. Car en réalité, je suis une transsexuelle.

Comme je suis une femme, le féminin l'emporte.

Tout perdre pour se gagner soi. Recommencer. Je devrai jouer le tout pour le tout, sur le neuf noir, mettre mon magot et tourner la roulette. Je dépéris depuis plusieurs mois et ne me l'avoue pas. Je me perds dans le travail, mais déteste toutes les tâches liées à mon emploi. Mon boulot n'est qu'une belle défaite pour ne pas retourner à la maison. Mon couple n'a plus d'ailes pour voler. Mes fils vieillissent, et avant que leur adolescence ne les enferme dans des corps d'hommes moins bavards, plus rustres et loin de leur sensibilité, je dois essayer de leur expliquer ma véritable nature. J'ai tenté de leur inculquer de bonnes valeurs, ils jugeront par eux-mêmes. Vulnérable, je vois mes forces s'amoindrir et mes responsabilités devenir des montagnes. Souvent, je cherche mon air, sens mon corps s'engourdir comme si j'allais mourir dans la demi-heure.

Vous êtes transsexuelle et il est temps de passer à l'action.

Transsexuelle. Une malformation physiologique tout droit sortie du stade fœtal. Petit têtard qui ne développe pas le sexe en équation avec le genre du futur bébé. Si simple à expliquer. Si difficile à accepter. Je suis une femme. Une femme.

Arracher ce pénis. L'attacher à une brique. Le lancer dans la rivière. Qu'il coule en mer. Que les poissons s'en nourrissent et le fassent disparaître.

Couper ce boulet que je traîne et qui me trahit depuis quarante ans. Même si ce membre est un symbole de pouvoir. Même si dans bien des peuples, toutes les femmes voudraient le posséder pour vivre mieux. Même si c'est encore une fierté que de mettre au monde un garçon dans certaines familles.

Brûler ce membre inconnu.

Ne plus sentir de vie dedans.

Aucune sensation.

Aucun manque.

Le broyer.

Le déchiqueter.

Mettre une bombe et allumer la mèche. Qu'il explose et que sa chair se répande partout. Qu'il se vide de son sang. Qu'il s'efface.

Bon débarras.

Crayon et papier à la main, ce soir, j'écris une lettre. Longue. Sans me censurer. Je déballe tout dans les moindres détails. Je donne des exemples de mon enfance pour qu'on puisse se mettre à ma place, qu'on soit empathique à ma cause. Je mets sous la guillotine mes émotions sans protection. Je dévoile tout d'elle, de Jeanne. Jeanne sous toutes ses coutures, sous toutes ses formes. Ma vraie nature. J'ai adressé cette lettre à Doris. J'ai fait un plan pour lui annoncer en douce. Pendant son absence, je laisserai traîner la missive sur la table du déjeuner ou peut-être à côté de la télécommande de la télé. Une fois qu'elle l'aura trouvée et lue, elle comprendra. Elle aura un choc, mais elle saisira le fond. Ma femme poussera un long *Aaaaah!* comme si, détective, elle fermait une affaire n'ayant pas de solution ni de conclusion depuis des décennies. Beau fantasme. Beàu rêve. J'ai lu des témoignages d'hommes qui ont fait le saut vers leur corps de femme. Lors de l'annonce à la famille, tous les coming out se soldent par des cris, des larmes, des accusations, un drame, des insultes, des coups, des gens qui tournent le dos, qui renient, qui disparaissent sans laisser d'adresse.

Doris sera pire que ça. Elle a le don pour le drame.

PORTRAIT

Elle attend l'opération. C'est long.

Elle surveille la liste. À qui le tour ? Ce ne devrait pas être celui de cette femme. *Elle a commencé sa transition après moi. Elle n'est pas sérieuse. Elle le fait pour les mauvaises raisons.* Elle attend l'opération. C'est très long. Elle met la faute sur le docteur. Il n'y a qu'un spécialiste pour toute la ville. Elles sont des centaines à attendre leur tour. Leur vaginoplastie. Leur libération. Elle attend la sienne. Elle se fait des ennemies. Dès que ça ne fait pas son affaire. Dès que c'est injuste pour elle, elle crie. Elle se braque. Elle se fâche. Elle ne se supporte plus. Elle se contrôle mal. Les autres filles l'encouragent du mieux qu'elles peuvent. Elle n'a besoin d'aucune pitié.

Elle sait très bien s'organiser seule.

Elle ne sait plus combien de temps elle pourra attendre encore.

C'est long.

C'est trop long.

Il n'y a plus de temps à perdre.

Et si j'étais découvert avant de préparer Jeanne à sa grande sortie ? Démasqué avant le temps, sans être au point ? Je crains le moment où ma femme me découvrira en femme. Son mari se cachant sous des bas de nylon, des jupes, des tailleurs, des chapeaux, des chemisiers, du maquillage dès qu'elle quitte la maison. Son stock. Trahison. Je dois le lui dire. Tout avouer. M'exprimer. Sortir ce que j'ai à sortir, même tout croche, même en cherchant mes mots, même en bégayant. Non. Je me tais. Ne rien laisser paraître. Garder le secret jusqu'à ce que les garçons quittent la maison. Ils sont encore tout petits. Des bébés. Mensonge. Oui. Parler. Faire confiance au bon jugement de tous. M'encourager à prendre parole et à ouvrir la porte. Je risque gros à continuer de mentir. Doris a le pouvoir de me salir auprès de mes fils, de les éloigner de moi.

Ma mère savait toujours quand l'un de ses enfants lui cachait quelque chose. Elle disait que tout finissait toujours par se savoir et qu'il valait mieux tout dire soi-même avant qu'on sache la vérité de la bouche d'une autre personne. Elle qui n'employait que le ton bête pour parler aux gens et qui lançait les quatre vérités à la face du monde, conseillait aux autres de trouver la bonne manière de dire les choses pour ne pas brusquer. Cette même mère-là, qui faisait brailler quiconque se frôlait à sa médecine, enseignait l'art de la diplomatie. Pour elle, ce n'était pas *dire* qui semblait un problème, mais *écouter*. J'ai compris jeune qu'il y avait des leçons à tirer de l'éducation de ma maman. À son insu, elle nous montrait au quotidien la méthode pour exprimer nos besoins. Nous n'avions qu'à faire le contraire, qu'à appliquer la règle inverse du maître.

Sauf que ma situation n'est ni un petit mensonge d'enfant, ni une demi-vérité à avouer. Il y a quelque chose d'inimaginable dans mon histoire. Comme s'il fallait mettre au jour et raconter le passé avant de pouvoir sortir le morceau. Une mise en contexte. Ça ne peut pas s'annoncer avec légèreté entre deux bouchées de baloney. Il y a des explications à donner. Des nuances à faire. Des gants blancs à javelliser avant tout, car pour faire accepter une si grande nouvelle à ma femme, je devrai en porter.

Comment faire passer l'idée en douceur? J'ai beau retourner mon champ lexical de mille et une manières, rien. Aucune amorce d'excuse possible. Ça n'a rien à voir avec un jeu d'enfant. Ce n'est ni la faute d'une figure maternelle trop présente ni à cause du départ de mon père. Ce n'est pas non plus pour repartir à zéro. Si ce n'était que ça, je serais déjà parti pour Londres, Pékin, Tombouctou. Même le dictionnaire ne m'aide pas à fournir une définition précise. *Transsexualité : n. f. Situation d'une personne qui a le sentiment d'appartenir au sexe opposé à son sexe biologique.* Hasard physiologique. Explication floue. Parlant de *sentiment* et non de conviction claire. Doris la pragmatique, la concrète, la terre-à-terre a besoin d'une pensée plus organisée que cela pour réagir correctement. Elle fonctionne aux certitudes.

J'attends, bien calé dans le sofa, que ma femme rentre du boulot. Elle travaille tard, soirée de serrage de mains et d'échanges de cartes d'affaires. Un cinq à sept qui s'étire. Elle a bu quelques verres, a discuté d'économie et de développement du marché, a maugréé à propos des jeunes fumeux de pot de plus en plus fainéants et a fini par s'emporter contre les bourgeois bohèmes à la défense de l'environnement qui refusent de voir tout le profit qu'on pourrait faire en oubliant quelques arbres, quelques rivières et bélugas.

Elle est rentrée pompette. Sur la pointe des pieds, elle croit marcher à pas de loup. Sauf qu'en réalité, elle bardasse tout et s'enfarge dans les plantes vertes, les meubles. Elle a l'impression d'être subtile. Elle ricane à se voir aller, car elle constate qu'elle n'a pas atteint cette limite depuis la naissance de son plus vieux. La grossesse, l'allaitement et la maternité sont de merveilleuses cures contre l'alcool et les excès. Avoir des enfants, ça exige un certain contrôle de soi.

Dans la maison, une lueur inhabituelle au salon, une ombre sur le divan, coupe de cognac à la main. À sa façon d'arrêter sec, j'ai compris, Doris se questionne. Habituellement, il n'y a que les crises d'angoisse pour bouleverser mon cycle de sommeil. Est-ce que je l'attends de peur qu'elle découche ? Je ne suis pas jaloux. Ai-je fabulé un accident ? Le mauvais temps aurait pu laisser présager que oui. Est-ce que je veille l'un des garçons qui aurait pogné un maudit virus ? L'école est un marécage à microbes où tous les gamins s'échangent leurs maladies. Doris est figée dans le cadre de porte, elle me trouve louche d'être éveillé aussi tard. Son non-verbal parle fort.

Avoir peur du *Faut qu'j'te parle*.

J'ai le visage d'un enfant, celui entre la moue et les traits apeurés par les bruits de la nuit. Doris ne me connaît pas sous ce jour, elle ne m'a vu que rarement avec ce visage interrogateur. Maladroite par trop d'alcool, Doris m'a brusquement lancé une question.

— C'tu fais là debout ? Y est tard, va t'coucher.

— As-tu conduit ta voiture dans cet état ?

Je n'arrive pas à fermer l'œil et n'ai pas l'intention d'aller tourner dans mon lit. La soupape va sauter. Je sens comme si une force plus grande que moi me poussait à prendre le bâton de parole. Sur le pilote automatique, je n'ai pas conscience de ce que je m'apprête à faire. Lâcher une bombe. Évacuer une nouvelle qui sciera instantanément les jambes de mon épouse. Malgré l'onde de choc que ça causera, je dois parler. Tout dire. Sans jamais reprendre mon souffle. Sans laisser de silences à combler. Direct. Concis. Précis. Clair. Il n'y a pas de bon moment, c'est ce soir. De ma naissance à aujourd'hui, je déballe tout ce qui me hante et alourdit mon existence. La pression de ma famille, la méchanceté des enfants du village, l'incompréhension de mon frère et de mes sœurs, le refoulement de mon identité, les longues heures à me croire fou, les démarches du directeur d'école restées en suspens, mon quasi-suicide, ma longue période à me convaincre que je suis un vrai gars, les multiples moments où j'aurais voulu tout lui avouer, la peur que mes garçons ne comprennent pas, la toute-puissante qui me pousse à déballer mon sac, la personne que je rêve d'être depuis toujours, l'appui espéré de sa part.

Doris encaisse. Elle reçoit le récit sans placer un mot, les yeux ronds, la bouche ouverte, debout dans l'embrasure de la porte du salon ; elle n'a pas pu s'asseoir avant. Doris semble voir mes lèvres épouser un mouvement, mais le sens de mes paroles a l'air de lui échapper. C'est au-delà du réel, elle n'ose y croire. Puis elle éclate. Les phrases résonnent dans la maison. *Tu t'fous d'ma gueule ! Que des maudites menteries ! Mais j'suis qu'une pauvre conne, j'ai rien vu ! Quelle naïve je fais !* Elle parle, elle parle, elle crie. *Depuis seize ans qu'on est ensemble et tout s'effondre.* Elle me connaît comme un mari, un amoureux, un père, un pourvoyeur, un mâle, un homme viril. Elle m'a vu vieillir et évoluer comme homme. Elle a un chum, elle ne s'est pas mariée à une femme. Elle parle, elle parle, elle crie. *J'aurais préféré qu'tu m'annonces qu't'as une maîtresse ou un cancer. Comme tout l'monde. Au moins, on aurait pu se battre ensemble pour ramener notre vie à la normale.* Dans une situation plus habituelle, les réactions des autres seraient plus facilement gérables, communes. Au pire du pire, Doris aurait expliqué son divorce par une phrase banale. *Il me trompait avec une fille du bureau.* C'est loin d'être un détail, son mari devient son épouse. *Non mais, j'suis poche pas à peu près pour lire dans les signes. J'suis aveugle en viarge !* Elle ne pouvait pas savoir, rien ne paraissait. Ma mère ne lui a jamais rien dit à ce sujet. Amélia était si fière d'avoir une bru, elle ne se serait jamais risquée à raconter une anecdote de Jean en petite fille. Doris avait une totale confiance en sa belle-mère et elle aussi lui a menti. La trahison et les complices fusent de partout. Elle parle, elle parle, elle pleure. *J'croyais t'connaître et pourtant, maintenant, tout m'échappe.* Doris s'est bâti un nid solide avec les années et comprend qu'en réalité, ce n'est que du vent. Des mensonges. Des tromperies. Des cachettes. Du camouflage. Du maquillage. Un gros *front.*

Les bases explosent. POW.

C'est comme si j'étais né dans le corps de quelqu'un d'autre... Doris entend mes confidences d'un air vaporeux. *P'us capable d'être prisonnier, de vivre enfermé, d'être malhonnête.* À côté d'elle se déroule un semblant de discussion. Comme une pièce de théâtre dont elle assiste, perplexe, au dénouement. *Je vais mettre au courant les garçons.* La brume envahit ses yeux. *Je devrai faire au moins un an de transition, vas-tu m'aider ?* Doris dessine un oui de la tête interminable par instinct, puis un non. Elle comprend l'issue, mais elle refuse le fond. Son mari est une femme. Le père de ses enfants, une mère. Elle s'est toujours vue vieillir au bras de l'homme de sa vie. Elle ne peut pas s'être fait flouer à ce point. *J'ai berné tout le monde.* Doris m'énumère la liste des moments où j'aurais pu lui avouer.

En bout de ligne, Doris connaît Jean, mais ignore tout de Jeanne. Il y a un défaut de fabrication à notre histoire.

Que pouvait-elle faire ? Casser la baraque. Hurler. Briser la vaisselle. Lancer les plantes au travers des pièces. Réveiller les enfants et partir chez sa mère. Me frapper. Tirer mes valises sur le balcon. Rester et laisser passer la tempête. Le temps arrange toujours les choses.

Faute de réplique, Doris a réagi sur le coup de la surprise. Elle n'a pas le recul nécessaire. Elle est dépassée par l'ampleur des aveux et elle s'imagine mal les conséquences de ce choc familial. Impulsive, elle a sauté. Par trop-plein d'émotions, elle a pété les plombs. Par trop-plein d'émotions, elle m'a lancé tous les noms de la terre à la gueule. Par trop-plein d'émotions, elle m'a frappé, m'a giflé, m'a serré les bras. Par trop-plein d'émotions, elle a réveillé les enfants, qui ont demandé pourquoi leur mère était aussi en colère. Puis les gestes ont déboulé, puis les mots ont déboulé, puis les scénarios ont déboulé et les menaces aussi. Par manque de maturité, elle a demandé aux enfants de choisir. Le plus vieux a penché pour elle, l'autre, pour moi. Elle a demandé au plus jeune de réfléchir à deux fois.

— Ton père t'a menti ! Tu pars avec un faux père ! Tu pars avec un faux-semblant !

Le petit ne comprend pas, il est prêt. Rien n'aurait pu être assez grave pour qu'il penche du côté de sa mère. Il y a longtemps que le petit homme sait que ses parents ne finiraient pas leur vie ensemble. C'est une éponge. Il gobe tout. Ça se sent l'absence de bonheur. Mon garçon s'est fait à l'idée très jeune et a déjà choisi. Il part avec moi. Il est décidé, et ses valises se remplissent dans sa tête. Il ne sait pas précisément ce que j'ai pu faire à sa mère pour la mettre dans tous ses états, mais il ne tombera pas dans le panneau du chantage émotif. C'est tout bien réfléchi, il remplira son sac de hockey de pyjamas, de vêtements d'école et de sport, il y mettra son réveille-matin, ses bandes dessinées, ses livres scolaires, ses *Transformers* et ses voitures de course. Il est toujours collé à mes talons, pas question que je quitte la maison sans lui. Il s'attacherait à la voiture s'il le fallait. Ce que lui a dit sa mère lui importe peu. Il n'écoute pas ses mises en garde.

Mon autre garçon, Dominic, est figé. Habituellement arrogant et fanfaron, il ne sait plus que dire ni comment juger la situation. À moitié endormi, il a l'impression d'être plongé dans le pire des cauchemars et se pince pour se réveiller. Il n'a jamais vu sa mère aussi énervée. Elle marche nerveusement dans le corridor. Ses bras balancent le long de son corps et se cognent partout comme si elle n'avait plus conscience de l'espace. Dominic me regarde, apeuré. Il semble aussi me trouver fragile. Le visage entre les mains, il tente d'adresser la parole à Doris pour qu'elle finisse par se calmer. *Maman.* Il cherche le contact visuel. *Maman, maman.* Dominic sent que, quoi que je dise, je mangerai une poignée de bêtises comme seule et unique réponse. Mon plus vieux s'est toujours vanté d'avoir encore ses deux parents ensemble, sans divorce, sans chicane. Ce ne sera plus le cas.

— Je vais te mettre sur la paille. Tu ne verras plus les enfants. Tu recevras une lettre de mes avocats.

Dominic comprend que je me taise, mais il n'accepte pas que je parte. Le terrain est miné. Mon garçon ne sait pas quel chemin prendre, quelle manœuvre faire pour garder ses deux parents sous le même toit. Il est déstabilisé par tout ce vent de changement et peine à entrevoir comment je pourrais m'en sentir mieux. Non pas sans amour pour moi, Dominic a fait le choix déchirant de rester avec sa mère. Statu quo. Il ne bougera pas de la maison, ni du quartier. Trop d'amis. Pas envie de changer d'école. Il ne peut pas laisser Doris toute seule. Il se sent responsable d'elle. Il doit s'en occuper. La peur au ventre, il est terrassé par la pensée de la séparation de ses parents. Il n'a jamais songé à une conclusion de la sorte. Enfant de parents divorcés, trimballé à gauche et à droite dans ses valises. Il souhaite plus que tout une fin heureuse. *Papa, reste!* Il est prêt à me menotter au lit conjugal pour arriver à ses fins. Il sait bien que les crises comme fait sa mère ne donnent rien avec moi. Il faut user de stratégie plus douce. *Papa, reste...*

Puis Doris s'est ravisée. Elle qui était prête à me mettre dehors sans réfléchir a demandé une trêve pour remettre les morceaux en place. Elle panique. Quinze ans de vie commune ne peuvent pas s'effacer aussi facilement. Doris me demande si elle m'a assez écouté, si elle m'a trop mis de côté pour sa carrière, avec les enfants, si ça peut se soigner, si tout peut rester comme avant. Elle met toute la faute sur elle-même. Elle s'excuse. Elle ne m'a pas assez aimé. Elle ne s'est pas intéressée à mon enfance. Elle me supplie de changer d'idée. Elle panique. Je me sens coupable. Elle pleure.

— Reste. On est ben, là. Les enfants sont plus autonomes, ils ont moins besoin de nous. On pourrait se prévoir plus de temps pour nous. Reste, Jean.

Les enfants inquiets nous ont embrassés et nous ont serrés très fort avant de remonter se coucher. Dominic, qui se pose trop de questions, a feint de se rendre jusqu'à sa chambre et est revenu s'asseoir dans la courbe de l'escalier, là où il se cache pour écouter les adultes parler, jouer aux cartes et rire le soir. Il est mort de fatigue, mais n'a pas le cœur à s'abandonner dans le dodo. Il tremble à l'idée de me voir partir. Il pleure en silence de penser à la future solitude de sa mère.

Doris raisonne. Elle cherche à trouver une explication à mon état. Elle tente par tous les moyens de résoudre cette équation pour que notre couple redevienne ce qu'il était. Si elle y met du sien, la vie reprendra son cours normal.

Un homme reste un homme, les rôles sont bien définis.

La nature est plus forte que tout.

J'essaie de démontrer à ma femme qu'entre apparence et réalité, dans mon cas, il y a opposition. Je refuse de l'embarquer sur mon navire en pleine tempête si elle n'est pas déterminée. Le jour où je commencerai ma transformation, si elle reste, elle devra me présenter comme son épouse.

— Pour l'instant, tu ne changeras rien. On ne dit rien aux enfants. Pas tout de suite.

— Mais je ne t'ai pas parlé de tout ça pour rien.

— Tu nous as choisis dans ta vie d'homme. T'attendras un peu.

Les enfants sont petits, c'est vrai. Des bébés. Ils ont grandi, pourtant, mais je les vois encore dormir les bras au-dessus de la tête ou les fesses en l'air comme des poupons. Je me replonge dans le souvenir des grossesses de Doris à lui caresser le ventre et à me demander si on attendait un garçon ou une fille. Je ne désirais que des bébés en santé. Les garçons ont encore besoin de leur père. *Tu devrais être plus mature et penser à tes fils avant tout.* Je serrerai les dents et continuerai ainsi. À cohabiter avec ma femme comme son colocataire. À me rendre au boulot, mettre des sous dans un compte secret pour mes futures chirurgies. À manger au bout de la table en bon père de famille. À ne plus jamais faire l'amour parce que mon pénis me dégoûte et que, même si j'en étais capable, Doris et moi ne nous touchons plus. À m'accrocher à ma routine, à faire tous les jours les mêmes gestes pour ne pas penser. À m'écraser devant la télévision pour me vider la tête. À écouter la radio poubelle en me rendant au travail pour me choquer noir après des idiots, pour faire sortir le méchant et connaître le sujet du jour de mes collègues. À avaler la pilule tout croche. À tomber malade de tristesse parce que je ne touche pas encore à ma vie.

À faire le beau.

Doris a gagné. Je reste. En homme, j'habiterai sous le même toit que ma famille. Je mets mon projet sur la glace. Ça n'existe plus. Si on ne prononce pas le mot, c'est invisible. Si Doris a raison, ce n'est peut-être que la crise de la quarantaine précoce. Je réagis à la peur de vieillir, à la peur de la mort. Je ne me contente pas de remettre en question mes aspirations, mes relations, mes ambitions, je m'interroge sur mon identité. Une fois que je serai fixé, j'enjamberai les obstacles pour vrai. Je le sais maintenant. Il s'agit bien de transsexualité, mais je stoppe mon mouvement et reste. *Fais-le pour tes fils.* Pour l'amour de mes fils.

Doris a bien des défauts, mais elle a la qualité d'être persuasive.

SCÉNARIO CATASTROPHE

Un garçon joue à la marelle. On lui crie après.

Viens tuer Blanchette au ballon prisonnier, ostie de tapette!

Il lance la pierre dans la case deux. Il saute à une jambe, il la ramasse et il revient. Il lance la pierre dans la case 3. Il saute à deux jambes, il se retourne, il ramasse et il revient. *Jean! Viens tuer Blanchette!* Blanchette, la grosse brute épaisse de la classe de cinquième année. Le garçonnet à la marelle est le seul à pouvoir le neutraliser. Ça insulte Blanchette de se faire frapper par une «fille» et il pleure. Après ça, on est deux semaines sans l'entendre injurier toute l'école ou le voir donner des coups de pied dans les tibias des plus jeunes. Le garçon lance la pierre au CIEL. Il saute à deux jambes, il saute, il saute, il croise, il décroise, il saute à une jambe, à deux jambes, à une jambe, il se tient en équilibre au CIEL, il ramasse et refait le parcours inverse. Il gagne toujours à la marelle. Il va au ballon prisonnier, il tue Blanchette en plein visage. Les enfants rient. Blanchette pleure.

Il a joué son rôle de petit gars. C'est son père qui sera heureux.

Le garçon va s'asseoir dans un coin tout seul.

Il attend la fin de la récréation.

Une vie en latence.

Une année et des poussières s'est écoulée depuis l'incident familial. Le temps a fait son travail. Doris a plongé dans le refus. Elle a pris le contrôle de notre couple et a prévu à notre calendrier des sorties d'amoureux. Une par mois. Les enfants chez la grand-mère. Chambre d'hôtel. Table cinq services. Assortiments de vins. Spa. Massage aux pierres chaudes. Sauna. Week-end plein air. Marche en forêt. Nuits en chalet avec feu de foyer. Bains scandinaves. Fin de semaine de ski entre amis et soupers arrosés. Doris s'est transformée en G.O. de l'amour. Elle a pris les choses en main pour que je ne puisse choisir que la famille, le couple. Pour m'étourdir. Doris a démoli la routine et me fait surfer sur l'inattendu. Ça m'occupe l'esprit.

La semaine, Doris surveille. Elle ne quitte jamais son grand observatoire où les moindres petits signaux sont décortiqués afin de vérifier ma sincérité. Elle sort moins tard. Elle saute les cinq à sept non essentiels ou elle me demande de l'accompagner. Lorsque Doris est seule à la maison, elle fouille. Elle vide les tiroirs de vêtements pour découvrir des pièces à conviction. Elle mesure ses rouges à lèvres. Elle cherche dans les recoins du sous-sol, dans le fond de boîtes louches qui n'ont jamais été ouvertes. Elle me fait confiance jusqu'à nouvel ordre, mais pas trop. Elle doute. Il n'y a pas de marge de manœuvre.

Je feins. Je joue au mari heureux. Je ne peux plus me regarder dans le miroir, ni voir mon reflet dans une vitrine. Je mens à ma femme en pleine face, parce qu'elle le demande. Elle évite le sujet. Elle détourne la réalité, je peux continuer de la tromper sans pudeur. Je redoute de devoir me raser, me laver, prendre soin de mon corps d'homme. Je l'aurais malmené, ce corps. Blessé. Mutilé. Tandis que Doris le vénère, le caresse, le cire comme un char neuf. Plus je fais semblant, plus je refoule, plus je me déteste. Je vois Doris faire comme si je ne lui avais jamais rien raconté et je l'haïs. Son visage à deux faces a atteint mon seuil de tolérance. J'exploserai, le pied sur une mine. Les lèvres me brûlent de me déclarer. Je sème des signaux. Actes manqués. Doris ignore mes messages. Elle trouve son rouge à lèvres ouvert avec un mouchoir souillé de maquillage retiré d'urgence, elle fait comme si c'était elle qui avait foutu le bordel. Lorsqu'elle se rend compte qu'elle a égaré un morceau de linge et qu'elle le retrouve dans mes tiroirs, elle se traite de tête de linotte. J'oublie consciemment d'effacer du vernis à ongles sur l'un de mes doigts, elle conclut que j'ai joué avec les garçons. Je glisse des mots féminisés, elle ne réagit pas. Elle évite. Elle ignore. Elle joue à l'idiote. Même si Doris me surveille sur tout, elle n'entend rien, ne voit rien, ne remarque rien par protection émotive et mentale. La séparation la terrorise.

Ce soir, Doris a organisé une réception pour dégourdir notre vendredi. Je transpire de nervosité. Moi qui ai toujours inspiré l'aisance et la confiance aux yeux de nos amis, je bégaie et finis mes phrases difficilement. Avant l'arrivée de nos amis, rien ne laissait présager un scénario de crise d'anxiété. Les garçons étaient montés se coucher sans faire de chichi. Ils ronflaient depuis déjà deux heures et ni le bruit ni un besoin d'eau ne les avaient réveillés. Nous pouvions décrocher de notre rôle de parents et nous joindre aux festivités. Doris, qui s'occupe de cuisiner les hors-d'œuvre, n'a pas encore remarqué que je suis vidé. Charles, mon ami depuis l'école secondaire, soupçonnant une dispute conjugale avant leur arrivée, est venu me questionner sur la cause de mon mauvais œil. Il me trouve étrange. Je ne blague pas comme à mon habitude. Tout le monde voit que je n'ai pas le cœur à la fête, sauf Doris. Je n'ai pas envie de me trouver dans le monde. J'ai l'impression d'exposer mon malheur et ça me gosse.

Pas comme ça.

Je voudrais rire, avoir du plaisir, mais j'en suis incapable. Quelque chose m'empêche de me laisser aller. J'ai un frein. Les conversations des invités semblent toutes plus superficielles les unes que les autres. Rien ne m'intéresse. Doris, toujours dans ses chaudrons, commence à sentir la pression. Je reconnais les bruits secs de ses casseroles qui me passent son message.

— Qu'est-ce tu fais ? T'es lourd.

— J'sais pas. J'serais mieux d'aller m'étendre.

Je monte à l'étage chercher des cachets dans l'espoir de faire passer ma migraine. Je sais qu'il y en a dans le tiroir de notre commode. Assis sur le banc de la coiffeuse, je respire mieux. Moins coincé, pas forcé de tenir une conversation. Plus libre d'imaginer comment Jeanne vivrait cette soirée amicale. D'un geste d'illumination, je prends l'ombre à paupières bleue. Je m'en applique une fine couche. Délicate. Sans exagérer. Je poudre mes joues. Je cache les défauts de mon visage et le gris de la repousse de ma barbe avec du fond de teint. Je mets du mascara sur mes cils. Avec la pratique, je ne me dessine plus un regard de poupée. Puis je termine avec le rouge à lèvres.

Rouge.

Numéro 93, Exaltée de Chanel.

Pour la force. Le courage.

Je me mets flambant nu. J'enfile des bas de nylon, une robe à pois et des souliers assortis. Puis je sors de la chambre. POW.

Plus question de me cacher. S'ils sont réellement des amis, ils comprendront.

Doris a entendu des sons bizarres à l'étage. Une sorte de tica ploc, tica ploc, tica ploc de souliers. Du coin de l'œil, par l'ouverture de la cuisine donnant directement sur l'escalier, Doris m'a entrevu. Pas certaine. Regard trop rapidement posé sur moi. Puis d'un coup sec, plus aucun doute ne pouvait subsister. Son mari descend vêtu de sa nouvelle robe, celle qu'elle vient d'acheter pour le mariage d'une cousine éloignée. Les invités rient, font des blagues, puis se taisent. J'ai déposé un froid sur la réception. Doris rage. Rougit. La moutarde lui monte au nez et des bouffées de chaleur à la tête. Elle sait qu'en son absence je m'adonne à mes loisirs particuliers, mais de là à lui faire honte et dévoiler à la face de tous nos amis cette folie passagère ? Non. Je la fais passer pour qui ? Pour une demeurée. Les convives cherchent du regard Doris pour obtenir des réponses. Doris sourit autant qu'elle peut et tente de trouver une issue à la situation.

— C'est une soirée concept, on échange les rôles. Allez choisir des habits en haut.

— Non ! Ça m'a pris assez d'courage pour descendre. Je suis une femme, Doris.

— J'ai marié un homme, j't'e l'garantis !

— C'est pas ta faute. Si j'l'annonce pas tout de suite, demain, après-demain, pis tous les aut'jours, j'vais mourir !

Les bruits et les cris ont eu raison du sommeil des garçons. Maxime et Dominic, à moitié réveillés, descendent. Doris, voulant protéger les gamins, fonce sur eux pour cacher leurs yeux, mais elle manque de mains pour accomplir son plan. Face à face avec leur père habillé en femme, les garçons amorcent une série de pourquoi. Préparé et calme, je réponds aux enfants avec des mots simples. Ils sont contrariés. Maxime se mord la lèvre. Dominic pétrit ses mains. Puis ils fondent en larmes. Chaudes. Perlées. Petits diamants liquides évacuant une tonne de briques. À cet âge, il est difficile de se figurer ce qui adviendra de leur famille, de leur papa. Leur père devient une mère. Devront-ils l'appeler maman ? Comme père, je les ai élevés, réconfortés, cajolés, soignés, accompagnés dans tous les moments clés. J'ai été là pour deux, comblant les manques affectifs et l'absence de Doris. Je sais comment les prendre.

Dominic ne sait que penser. Aîné de la famille, il se sent obligé de protéger son petit frère. La place du père est libre, il devra l'occuper. Dominic perd ses repères. Il ne comprend plus ni le comment, ni le pourquoi de toute son existence. Il doute de son modèle. De lui comme fils. Soudainement, de son identité. Toutes ses certitudes s'effondrent sous ses pieds. Il a l'impression de ne plus rien partager avec moi, comme si j'étais devenu, en moins de trois minutes, un étranger. Maxime ne voit pas le problème. Dans le fond des yeux de la femme qui se trouve devant lui, il y a son père. Il y a tout l'amour qu'il reconnaît. Ses bases sont là. Mon regard aimant. Pas besoin de plus. Maxime ne pleure pas pour les mêmes raisons que son grand frère. Le cadet laisse plutôt sortir le chagrin de la séparation de ses parents à venir. Maxime devra être là. Il a en tête de garder le tissu familial uni. Si personne ne le fait, l'enfant est persuadé que son père finira seul, sans lien avec ses proches. Impulsivement, Maxime a couru vers moi et m'a pris dans ses bras. Ses épaules sautillent et on entend sa respiration étouffée par trop de larmes. Il a choisi son camp. Le jour où Doris me mettra à la porte, il pliera bagage aussi. Pas de négociations. Dominic saura s'organiser avec leur mère.

Nos amis, ressentant la profondeur du moment, s'excusent et partent sans souper. On peut lire des points d'interrogation dans leurs regards. Eux non plus n'ont pas vu venir cette situation. Personne ne pouvait se douter que je suis transsexuelle. Je suis la dernière personne qu'ils auraient pu soupçonner. Je ne transpire rien de féminin. Avant de partir, quelques amies prennent la peine de m'adresser un petit mot. *J'suis là, n'hésite pas. Passe un coup de fil, on va aller prendre un verre. J'aimerais bien qu'on en parle plus.* Pour mes chums de gars, la situation est moins évidente. Ils ont été accueillis par des poignées de mains en règle accompagnées de tapes dans le dos amicales, puis ils repartent dans l'ambiguïté. Les gars sont maladroits. Ils me tendent la main et, embarrassés, ne savent pas s'ils doivent présenter leurs joues. Charles hésite. Il se tient derrière et se questionne sur ses intentions. Il me regarde et d'un mouvement désapprobateur, il part sans me saluer. Moi qui ai toujours été là pour eux dans les pires moments de leurs vies. Moi qui les ai soutenus dans leurs projets les plus fous. Moi qui n'ai jamais manqué à l'appel, jour et nuit, lorsque l'un d'eux avait besoin d'une oreille. Je me trouve devant mes chums qui ne savent plus sur quel pied danser. Une femme parmi eux. Ça change la dynamique. Les confidences seront moins spontanées, moins détaillées. Ils vont croire que je jouerai sur les deux tableaux et irai tout bavasser à leurs blondes. Ils ne pourront plus me donner leur confiance complète. Nous nous réunissons presque chaque semaine pour boire des pichets au bar. J'aurais eu l'occasion cent fois d'avouer ma transsexualité. Ils avaient remarqué que je me faisais plus discret et que je me maganais à l'alcool fort pas mal depuis quelques temps, mais ils n'auraient jamais pu deviner quelle en était la cause. Je viens de perdre des amis, ça se sent dans l'air. Les soupers d'amis ne seront plus les mêmes. Ils devront toujours choisir entre Doris ou Jean. Ils ne pourront plus parler de l'un à l'autre et de l'autre à l'un. La guerre est pognée.

(Voiture 1)

Homme : *Les lubies de Jean. On l'reconnaît ben, là.*

Femme : *Penses-tu qu'Doris le savait ? Non. Tu peux pas savoir ça pis rester.*

Homme : *J'pourrai p'us l'appeler pour prendre une bière. J'peux pas m'résigner à sortir avec lui attriqué d'même.*

(Voiture 2)

Femme : *C'est un psy qu'il lui faut. Fais-moi jamais ça !*

Homme : *Non mais tu m'niaises, là. Tu penses-tu vraiment que j'vais m'déguiser en femme du jour au lendemain ?*

(Voiture 3)

Homme : *J'suis su'l'cul.*

Femme : *Va falloir être là pour lui. Ça va être tough.*

Homme : *J'suis su'l'cul ! Non mais... J'suis su'l'cul !*

Femme : *T'as rien d'autre à dire ? Ton grand chum est une femme. Dégèle !*

Homme : *C'tu veux que j'dise ? C'est gros, comme nouvelle ! Penses-tu qu'il va se faire poser des seins ? Moi, je jouerais toujours avec.*

Hommes des voitures 1, 2 et 3 : *J'pense pas qu'j'vais être capable.*

La maison est sens dessus dessous. À la cuisine, des hors-d'œuvre en train de refroidir sur le comptoir, des plats pas terminés de cuire, des légumes mous, du riz collé au fond, de la sauce sans épices, une pièce de viande accumulant les bactéries. Doris ordonne aux enfants d'aller se recoucher. Sans succès. Perte de contrôle. Pas le temps d'appliquer l'autorité. Des fonds de bière et de vin traînent partout. Un veston a été oublié sur le dossier d'une chaise dans la précipitation du départ.

Doris, figée depuis une bonne demi-heure, sur le banc de quêteux à l'entrée, ne dit plus un mot. De rage. De honte. De peur de perdre la boule. De dégoût. De respect pour nos enfants qu'elle ne veut pas traumatiser. Silence radio. Je comprends sa commotion. Je suis conscient du remue-ménage que je viens de provoquer, mais je savais qu'il fallait une onde de choc pour qu'elle saisisse enfin. Je voudrais la prendre dans mes bras et lui murmurer que tout ira bien. Les impacts de la situation varient selon les souliers portés. Doris a jeté la serviette. Elle m'a demandé de partir maintenant. Rassembler mes affaires. Tout prendre. Ne rien oublier. Que je m'en aille. *Pis ça presse.* Je ne suis plus le bienvenu dans notre maison, ni aujourd'hui, ni plus tard, ni jamais. Elle ne peut pas en endurer plus. Elle a perdu la face devant tous nos amis. Elle a fait des concessions, des compromis, mais là, le bateau coule. Il n'y a pas de canot de sauvetage. Les matelots se demandent comment intervenir pour amoindrir le naufrage. Le capitaine vient d'être congédié et banni de ses fonctions. Quand verrait-elle la terre à nouveau et quand la tempête finirait-elle par s'essouffler? Doris se trouve seule au beau milieu de l'océan agité, dans un radeau de fortune à se demander où est le nord. Elle n'a pas la force de dompter quoi que ce soit. Surfer sur la vague ne l'a jamais attirée. Elle est femme de plans précis, qui doit savoir vers où elle s'en va. Avec moi, elle se dirige dans le mur. Elle se répète: *Garder le cap, il faut garder le cap.*

Éclatement de la cellule. POW.

Il a suffi que Doris me mette à la porte pour que l'orage éclate. Le plus jeune qui ne veut pas que je parte sans lui bloque la porte. Il pousse sa mère. Il crie des *non*, des *lâchez-moi* et des *j'vous haïs*. Il refuse qu'on le touche. Il se griffe le visage, se pince, se frappe la tête contre les murs comme s'il voulait transférer sa douleur ailleurs, appeler à l'aide. Enfant facile, Maxime n'a jamais réagi de la sorte à aucun événement. Désemparés, nous ne savons plus comment faire pour ramener notre enfant dans le vrai monde. Il n'est plus connecté à la réalité. Doris parle fort. Elle demande à Maxime de se calmer. Elle m'ordonne de sortir de leur vie en me rendant coupable de ce qui se passe. Elle presse Dominic, muet dans son coin, de rassurer son petit frère, le prenant par le bras et le poussant vers lui. Maxime n'entend plus rien et voit rouge. Doucement, je m'approche de mon bébé. Je lui parle tout bas, d'une voix grave. Pour le recentrer, je lui dicte un message clair, sans flafla pour qu'il saisisse bien le fond. Je lui promets de revenir le chercher le lendemain matin et de l'attendre sur le perron à la première heure. Nous allons parler pour vrai. *Je serai là, tu ne dois pas t'inquiéter.* Il se calme. *Une promesse est une promesse.* Il se calme.

Avant de partir, je tente d'expliquer la situation à mon aîné. *Ce n'est pas ta faute.* Dominic ne m'adresse plus la parole. Incapable de me voir dans mes habits et de croire à ce qu'il a devant les yeux, il rage et détourne le regard. Il souhaite que je parte au plus vite, que je ne revienne pas. *Bon débarras.* Pas question de me prendre en pitié. La situation est improbable. Ça n'existe pas. Changer de sexe. Ça n'existe pas. Impossible. Jamais vu. Juste non. Dominic ne m'a pas serré contre son cœur. Il n'a pas dit à demain, ni au revoir, ni bonne nuit. Il n'a pas pleuré. Il a regagné sa chambre. Cette nuit-là, il a vécu sa première crise d'insomnie. Il n'a pas fermé l'œil. Il a veillé, a ressassé ses vieux souvenirs avec moi. Il s'est creusé les méninges en se demandant s'il aurait pu deviner.

Enfermés dans leur chambre, Maxime regarde le plafond, agité à l'idée de faire ses bagages, et Dominic, en colère, prie de peur d'attraper la même maladie que moi. Doris pleure son mari perdu comme si je venais de mourir.

Moi, je dors dans l'auto.

SCÉNARIO CATASTROPHE

Un garçon se défend. Il a appris dans ses cours de karaté entre sa troisième et sa quatrième année. Son professeur trouvait qu'il se laissait trop taper dessus. Il se bat maintenant comme un gars, pour avoir l'air d'un gars. Il défend les plus petits aussi, les handicapés, les plus fragiles. Il casse des gueules au moindre affront. Il enfreint les règles de base. Il fesse si on le contrarie. Il fesse si on le traite de tapette. Il fesse au lieu de pleurer. Il fesse et serre les dents.

Le directeur ne sait plus que faire de lui. Il dit ne pas le cerner, qu'il doit y avoir quelque chose en lui qui cloche. Une souffrance plus forte que la police. Monsieur le directeur ne veut plus voir de violence dans sa cour d'école. Il est sérieux. Il parle fort.

Son père écoute, hoche de la tête, le gronde devant le directeur, ramène le garçon à la maison et arrête en chemin manger une crème molle.

Un garçon pratique son karaté dans la cour arrière chez lui. Il répète une phrase issue du karaté qu'on lui enseigne : *Mes bras et mes pieds sont des sabres. Mes bras et mes pieds sont des sabres. Mes bras et mes pieds sont des sabres.* Et le garçon frappe la clôture. Et il frappe les arbres. Et il frappe le perron. Les escaliers. Et il hurle, il crie.

Il évacue.

Dans mes habits de papa, j'attends patiemment que Dominic et Maxime sortent de la maison. Sur le balcon, je suis assis, clope au bec, sur le coin des lèvres, là où on a l'impression qu'elle tombera au sol, mais reste pourtant collée à la peau. Il est 5 h 30, je n'ai pas perdu de temps. *Une promesse est une promesse.* Je souhaite parler à mes fils plus que tout au monde. Pour les assurer que je ne suis pas une bête étrange, que je suis loin d'être un monstre. Pour les soutenir et normaliser mon état.

Maxime est descendu en flèche directement devant la porte d'entrée pour vérifier par la fenêtre s'il me trouverait là. Soulagé, il s'est couvert d'une robe de chambre, de bas de laine et de pantoufles, car l'automne bien avancé est déjà frisquet. Il insiste pour que j'entre à l'intérieur pour discuter au chaud. Je ne veux pas jeter de l'huile sur le feu. L'incendie est déjà trop grand. J'ai demandé à mon petit d'aller chercher son grand frère, de s'habiller, car on serait mieux à marcher dehors.

— Dominic vient pas. Y dort encore.

— J'comprends. Toi, t'sens-tu assez fort ?

— J'suis assez grand. Regarde, je suis grand comme ça.

Maxime est monté à l'étage pour enfiler des vêtements chauds. Je réfléchis à ce que mon fils vient de me dire. Dominic dort toujours, pas question qu'il vienne à ma rencontre.

Mon cœur de père ressent une énorme tristesse devant ce rejet. Je savais bien que ce scénario pouvait arriver en sortant de la garde-robe, mais la pensée magique me faisait espérer que mes enfants seraient assez ouverts pour m'accepter. Je les ai éduqués à la tolérance, au respect de l'autre. Je ravale mes larmes. Je me concentre sur Maxime, puisque mon petit bonhomme me tend la main.

Doris n'est pas loin. Je vois son ombre sur le plancher aller et venir. Elle use le plancher du corridor entre la cuisine et la salle à manger. Sa nuit a été courte. Anxieuse de perdre Maxime, elle a pensé à de multiples possibilités afin de garder ses deux fils dans ses jupes. *Pas question d'avoir la garde partagée avec un désaxé.* Elle regarde du coin de l'œil. Elle garde le contrôle, elle ne veut en aucun cas que ça dérape. Maxime ne doit pas souffrir. Conscient de la présence de ma femme, croisant son regard, j'ai soutenu ses yeux pour lui transmettre mon désarroi. Je ne désire pas que ça se termine comme ça. Je voudrais échanger avec elle pour qu'elle ne m'efface pas de la vie des garçons. Pour qu'elle les accompagne dans cette épreuve. Leur donner des outils pour comprendre, relativiser. Je la supplie, mais elle n'a pas la force d'acquiescer à cette volonté. Brusquement, ma femme s'est retournée et s'est dirigée dans un coin à l'abri. Avant de me rejoindre, Doris a donné quelques avertissements à Maxime. *Ne t'éloigne pas du quadrilatère.* S'il entre dans ma voiture, elle appellera les policiers et déclarera un kidnapping.

— Fais l'message à ton père, j'veux qu'ce soit clair.

Maxime a déjà commencé sa mission de messager. Il n'a pas fini d'être pris en sandwich. Stressé, il savait que s'il ne me mettait pas au courant de cette mise en garde, je me trouverais dans une position fâcheuse. Sorti de la maison, mon fils a répété mot pour mot les recommandations. Elle pense que je serais assez fou pour enlever mon fils. La haine n'a donc pas de bout. Du jour au lendemain, Doris a viré son capot de bord et est passée de la femme aimante voulant recoller les pots cassés à la diablesse préparant sa stratégie pour faire du mal. Coup bas. Coup de masse au visage. Coup dans le dos. Coup hypocrite. Coup de fusil. Coup de pied au cul. Coup de travers. Coup de gueule. Tout est permis. Doris ne négligera pas les efforts pour me mettre à la rue. Sur la paille. Tout nu. Sans rien. Sans le sou. Sans amis. Sans famille. Bien qu'elle n'ait jamais été habitée auparavant par des élans de vengeance et de violence, Doris a perdu la raison. Je paierai cher.

J'ai réfléchi toute la nuit à la façon d'expliquer la réalité à mes fils. Je choisis mes mots. J'adapte mes exemples à mon auditoire jeunesse. Je crains le jour où mes enfants refuseront de m'adresser la parole. Avec Dominic, c'est déjà mal parti. Je devrai ajuster le tir plus tard. Je ne pourrais accepter le rejet complet et définitif d'un de mes garçons. J'en mourrais.

Seul à seul avec mon plus jeune, je marche lentement dans le quartier pour étirer le temps. Il n'y a rien de simple. Les explications sont laborieuses. Comment expliquer concrètement à un enfant en bas âge qu'il avait un père, mais que son père n'était pas un père, mais qu'il reste son père sans être père, car il deviendra une mère sans voler la place de sa mère ? Je veux être honnête, le plus possible. Je mets en garde Maxime en lui précisant que les prochaines années seront bourrées d'obstacles et d'embûches. S'il me suit, s'il vient habiter avec moi, il devra être fort. Il devra tout me dire, même si ça peut me blesser.

Nous pleurons. La discussion est dure. Non habituelle. Il y a un deuil à faire. Comme si tout change d'un coup. Comme si une personne si familière devenait en un instant parfait étranger. Comme s'il n'y avait plus moyen d'atteindre Jean, qu'il n'y avait plus d'accès pour se rendre jusqu'à lui. Comme s'il y avait eu abandon. Maxime va devoir m'enterrer vivant tout en acceptant ma nouvelle nature. Dominic a déjà franchi la première étape. *Oublie papa, Maxime. Papa est juste trop bizarre.*

Mais Maxime n'est pas prêt à me rejeter du revers de la main. Trop attaché à moi, il panique juste à penser qu'il sera éloigné. De chaudes larmes coulent sur les joues de mon petit. Il me supplie de rester à la maison. Il demandera la permission à sa mère. Il me fera une place dans sa chambre. Il fera toujours tout ce qu'on lui demandera. Il écoutera. Il ne sera plus malcommode. Il le jure. Sur la tête de Dieu. Sur la tête de son grand mouton en peluche favori.

De chaudes larmes s'évadent aussi de mes yeux. Pour des raisons différentes. À voir souffrir mon fils, je me sens coupable de penser à moi. Je me trouve égoïste de le mettre de côté le temps de ma transition. Depuis la naissance de mes bébés, j'ai toujours mis mes fils à l'avant-plan. J'ai veillé sur leur bonheur et maintenant, je suis l'objet de leur peine. J'ai du mal à me le pardonner. Je vais devoir me racheter aux yeux de Maxime et de Dominic. Regagner leur confiance. Leur estime. Leur fierté. Leur naturel. Je sais que nos prochaines rencontres seront forcées et qu'ils devront faire semblant. Faire comme si tout était normal. Mais en réalité, la situation est singulière. Unique. La probabilité que ça puisse arriver dans une vie de famille est du domaine du *presque jamais*. L'improvisation et l'instinct devront guider nos prochains rendez-vous. Ne pas trop brusquer les choses. Écouter beaucoup. Faire preuve de patience. Écouter encore. Consoler les chagrins. Éponger les crises. Comprendre les réactions bizarres. Écouter toujours.

Comme papa, j'aurais préféré ne pas leur imposer ça. À cause de cela, je suis en train de perdre le lien privilégié que j'ai bâti avec mon plus vieux. J'ai mal. Extrêmement mal. Dominic se ferme comme une huître. Il garde tout en dedans et ne se confie à personne. Je connais mon fils. Il fait le grand. Il accumule sa peine, sa rage jusqu'à l'explosion. Jusqu'à ce qu'il décide de me confronter. Par la force. Par les mots durs. Par la violence. Par impuissance. Parce que pas d'autre alternative. Parce que pas d'autre choix. Parce que pas d'autre outil pour communiquer sa douleur.

Nous pleurons tous. Maxime dans la rue. Dominic dans sa chambre. Doris sur le coin du comptoir de la cuisine. Moi dans ma barbe que je veux voir disparaître pour que la vérité sorte du sac.

Nous pleurons tous. Doris sanglote par échec d'avoir raté son mariage, par orgueil de n'avoir rien vu et par colère d'être abandonnée. Elle ne trouvera plus l'amour. Pas aussi vieille. Pas avec un ex transsexuel. Dominic, c'est plutôt par incompréhension, par peur du ridicule et d'être associé à son étrange papa. Maxime pleure par compassion, par empathie. Il se met à ma place et sait que je vais en baver partout, avec tout le monde, jusqu'à ce que les gens m'oublient. Quant à moi, je suis soulagé d'avoir fait le pas, libre, léger, mais effrayé devant les questions sans réponses qui flottent dans le regard de mes fils.

Nous sommes partis depuis plus d'une heure. Nous nous sommes arrêtés au parc, à trois rues de la maison. Nous nous balançons. Maxime m'interroge sur la suite des choses. Je réponds du mieux que je peux. Le calme est revenu. Il n'y a plus de drame à l'horizon. Malgré le jeune âge de Maxime, mon enfant remarque déjà des différences entre Jean et Jeanne. Je parle plus. Je me confie. Je suis apaisé. Il était habitué de me voir refermé sur mon monde et faisant passer mes messages par sa maman. Il a eu un père aimant et tendre, mais secret. Maxime n'a jamais eu autant accès à mon intériorité. À présent, il saisit pourquoi il était si difficile de cerner ma personnalité et mon caractère.

Cette situation lui apprend de ne plus se laisser berner par la carapace des gens. Il tentera d'élucider leur mystère. Il s'informera sur leur passé, leur présent. Il posera des questions à d'autres personnes qui vivent la même situation. Il deviendra journaliste en herbe. Pour lui, la curiosité l'amènera à palper davantage l'essence de l'être humain.

Maxime veut savoir.

Tout. Tout. Tout savoir.

J'explique à mon garçon que ça prendra encore plusieurs mois avant que je ne devienne une femme complètement. Lorsque je serai prêt, je commencerai à vivre en femme. Tout le temps. Partout. Au travail. À la maison. Dans la rue. Au restaurant. À l'épicerie. Chez des amis. Ça fait partie des étapes avant chirurgie. Vivre en femme au moins un an. Pour prouver le sérieux. Je m'embarque dans une longue série de tests, de rencontres avec des psychologues, des sexologues, des psychiatres qui auront tous leur diagnostic. Je prendrai des hormones qui changeront mon apparence. Je me ferai épiler intégralement. Plus tard, je pourrai entrevoir la possibilité d'être opéré, car oui, je me ferai opérer, un jour. Physiquement. Je subirai une vaginoplastie, une augmentation mammaire et quelques chirurgies pour raffiner les traits de mon visage.

— Dans quelques temps, quand tu viendras me voir avec ton frère dans ma nouvelle maison, je serai en femme. Ça te dérangera pas?

— Ça va m'faire tout bizarre.

— Tu devras trouver un autre nom que papa aussi.

— J'ai déjà une maman. Jeanne, c'est correct?

Inquiète, Doris est passée à l'action. Elle ne se laisserait pas faire sans se battre. Elle perd son mari, mais pas la face. Doris a sauté dans la voiture et est partie à la recherche de Maxime. Elle conduit à toute allure comme s'il y avait urgence, le feu.

Elle est dangereuse. Oubli de stop. Excès de vitesse. Aucune attention à la zone scolaire, aux passages pour piétons. Elle voit rouge.

Au bout de quelques minutes de panique interminables, Doris nous a trouvés. Paisibles, nous parlions tous les deux sans vagues, sans drame. Voyant poindre un sourire béat sur mon visage, Doris est descendue de la voiture et a foncé vers nous. Je ne quitterais pas la famille si facilement. Elle crie. Elle sacre. Elle utilise un sale langage. Les sourcils froncés. Des couteaux dans les yeux. Elle n'a qu'un but. Agripper notre fils par le bras, l'amener de force sur la banquette arrière et partir en faisant crisser les pneus. Pour que les voisins entendent. Pour qu'ils sachent que je suis un salaud et qu'elle doit protéger nos enfants. Pour que ma réputation soit ternie. Pour que je sois pointé du doigt. Elle veut m'anéantir. Maxime a compris le plan de sa mère. Il connaît son côté manipulateur. Il en ressent les effets collatéraux à tous les jours. Doris, remarquant de la résistance chez notre fils, s'est choquée en crescendo. Empruntant tous les stratagèmes et les pires tactiques malhonnêtes qu'elle a à portée de main, elle a traîné Maxime jusqu'à la bagnole en l'empoignant par les aisselles. Elle n'a pas conscience qu'elle lui fait mal. Elle ne s'imagine pas qu'il pourrait lui en vouloir. Elle n'entend plus rien. Elle a perdu contact avec la réalité.

Je regarde la scène. Impuissant, je tente de rassurer mon garçon, victime de la colère qui m'est destinée, en vérité. Je conviens qu'il y a là une raison de ne plus savoir reconnaître le ciel de la mer, mais Doris devrait être en mesure de contrôler son agressivité.

— T'inquiète pas, Maxime, j'suis là. J'viendrai t'voir souvent.

— Souvent ? Souvent ? Qui t'dit que tu pourras revoir les enfants ?

Sous prétexte que j'ai étiré mes adieux avec mon fils et qu'il sera bouleversé, elle m'engueule. *Ça traîne en longueur, ton affaire.* Je ne lui ai pas ramené Maxime à temps. Selon elle, je lui ai monté la tête contre elle. *Il est trop jeune pour être confronté à ça. Maxime manque de jugement pour départir le bien du mal.* Elle me menace de poursuites. Elle me retirera la garde des enfants. Elle me demandera une pension alimentaire exorbitante. Elle exigera que je voie les enfants en habits normaux. En habits de papa. Sinon, elle m'interdira de voir mes gamins tout seul. Elle m'obligera à être accompagné d'une personne qui a toute sa tête. Sans cette présence, elle demandera au juge de refuser les visites. Elle exigera d'être présente à chacune des rencontres pour que je n'influence pas les garçons. Dans un lieu neutre. Ni à la maison, ni dans mon nouveau chez-moi. Il n'y a pas un juge qui penchera en ma faveur, je dois me faire à l'idée et accepter toutes ses demandes ou me prendre un maudit bon avocat.

— Les juges m'enlèveront pas les garçons, c'est moi qui les ai élevés.

— Y a pas un enfant qui veut avoir un père déguisé en femme ! Ils préfèrent une mère absente qu'un père fucké.

— Tu vas choisir pour eux ?

— T'es malade, Jean. Fais-toi soigner ! Les enfants n'ont pas besoin de ça.

Les mots de Doris sont bien pesés. Elle frappe là où ça fait mal. Dans mon rôle de parent. La sphère de ma vie où je ne me suis jamais senti imposteur. Là où je n'ai jamais douté de rien. Je n'étais qu'un gamin et je savais qu'un jour je deviendrais mère. Je désirais des enfants du fond de mes tripes. Je rêvais de les porter. Je voyais mes tantes, les amies de ma mère, des femmes dans la rue et je m'identifiais à elles. Je pensais qu'un jour j'enfanterais et mettrais au monde mes bébés. Plus les années passaient, plus je comprenais l'injustice. En vieillissant, je n'entrevoyais qu'une issue. Me bâtir une famille conventionnelle. Papa, maman, enfants. Je serais le papa. Pour compenser, j'ai chouchouté mes petits et j'ai consacré tout mon temps à leur bonheur. Patient, aimant, présent, jamais je n'aurais eu l'idée de les abandonner ou les blesser. Les pleurs de mes garçons m'atteignaient jusque dans le cœur. Ça me tord le ventre. Encore aujourd'hui, en entendant les cris de Maxime embarré dans la voiture, j'ai dû m'attacher pour ne pas aller l'extirper de sa prison. Je mourais par en-dedans de le voir en pleine crise.

Doris n'arrive pas à passer l'éponge sur tous mes mensonges. Je lui ai volé ses plus belles années. Je la supplie d'aller trouver Maxime pour rassurer son petit cœur. Il ne faut pas le laisser seul dans cet état de choc. Et Dominic ? Seul au logis familial à se demander où peut bien être passé tout le monde. Il n'est pas prudent de le laisser comme ça sans surveillance. *Ce n'est plus ton dossier.* Elle gérera la situation plus tard. Elle s'occupera des enfants comme elle le souhaite à présent, sans me demander mon avis.

Avant de retourner à la maison, Doris m'a mis en garde sévèrement. *À partir de maintenant, dès que ça touchera les enfants, de près ou de loin, tu me trouveras sur ton chemin. J'te laisserai pas fucker leur vie.* Elle sera partout. Elle se mêlera de tout. Au moindre petit écart de ma part, elle m'empêchera de voir mes enfants par tous les moyens possibles et imaginables. Je n'aurai pas de seconde chance. Aucune excuse ne sera recevable pour mon pardon, aucune faute sur le dos de ceci ou cela. Elle n'acceptera plus que je lui mente en pleine face. L'hypocrisie a assez duré. Elle ne s'en laissera plus imposer. Elle gardera les yeux grands ouverts. Elle a été trop naïve. Doris tient le gros bout du bâton.

Elle a terminé son monologue en me lançant un ultimatum.

Soit je reste à la maison. En *il*. En Jean. En me tenant bien tranquille. Pour les petits. Pour qu'ils aient un modèle d'homme. Un vrai. Un vivant. Un grandeur nature. Pas dans les livres.

Soit elle me donne deux semaines pour me trouver un endroit où habiter et venir chercher mes affaires. Elle m'effacera de la vie des garçons et je ne pourrai les approcher de sitôt. Comme il m'est impossible de reculer, je n'ai qu'une seule réponse à lui donner : *Il n'y a plus de Jean.*

— C'est absurde ! Juste absurde ! J'suis en plein cauchemar.

Pour passer à travers sa douleur, Doris a choisi la guerre ouverte. Elle n'a pas l'intention de se montrer en victime. Pas question d'être la faible qui s'est faite berner. Les enfants sont de bons prétextes pour déclencher les hostilités, car elle sait pertinemment que la séparation de la maison et des meubles ne peuvent pas me toucher. Je me battrai pour les enfants, pas pour du matériel. Elle me connaît assez bien pour savoir que je partirai sans faire de vagues en lui laissant tout. Impliquer les enfants dans la bagarre frappe ma corde sensible.

Doris a grimpé dans la voiture. Maxime, toujours en colère contre elle, lui donne des coups de poings à partir de la banquette arrière. Il veut partir avec moi. Doris lui parle en le pointant du doigt pour qu'il se calme.

— Penses-y, Maxime... Tu veux vivre dans un p'tit appart' avec rien du tout ? Et Jean tout mélangé ?

— C'est pas Jean, c'est Jeanne, son nom.

JE M'APPELLE JEANNE

Sous le ciel des vautours
On sait jamais qui nous sourit
Quand on s'pète la gueule

Fred Fortin

AVANCE RAPIDE

Sac de vidanges à récupérer sur le balcon. Pas de meubles. Pas de trousseau. Rien pour remplir un camion. Aucune âme qui vive. Pas de voiture dans le driveway. Un silence, une solitude symbolique. On me passe un message. Sur les sacs, une lettre. Elle menace de demander le divorce. Elle jure d'obtenir la garde totale des enfants. Pas une fin de semaine par mois. Pas une journée par an. Totale. Définitive. Elle parle aussi de se pousser avec les enfants à l'autre bout du continent. De ne plus jamais donner de nouvelles. Jamais. Penser à me défendre avec des avocats. M'endetter jusqu'à p'us une cenne. Ne pas hésiter. Mes garçons sont toute ma vie.

Je n'ai pas le courage de dévoiler à ma mère que je quitte Doris pour régler mon problème identitaire. La franchise a ses limites. Pas tout de suite. Pas comme ça. Pas à froid. Après ses quelques verres de Schnapps à la pêche, peut-être. J'ai le temps, j'habiterai chez elle pour quelques jours. Le temps de me virer de bord et reprendre du poil de la bête. J'ai pris un congé maladie au boulot en précisant à mon patron que j'aurai un dossier à lui remettre entre les mains à mon retour.

Je prends une pause. J'en ai grand besoin. Je suis conscient que des vacances chez ma mère n'auront rien de reposant. Conscient qu'elle sera toujours sur mon dos. Qu'elle n'appréciera pas vraiment ma venue. Qu'elle passera son commentaire sur tout ce que je ferai. Qu'elle n'aimera pas mes repas. Qu'elle ne se mêlera pas de ses affaires. Qu'elle voudra m'enseigner comment faire mon lavage. *T'as jamais appris ça toué qu'on mélange pas le linge avec les guenilles.* Qu'elle aura son mot à dire sur mon heure de coucher. Qu'elle fourrera son nez partout. Qu'elle tentera de savoir, par une multitude de questions, pourquoi je suis venu sans Doris et les garçons. Elle mènera son enquête. J'ai épluché mon carnet d'adresses avant de choisir l'option de la maison familiale. J'aurais souhaité être hébergé ailleurs, mais lorsque ça tourne mal dans ma vie, c'est plus fort que moi, j'ai besoin de dormir dans mon lit. Dans des draps à l'odeur de Tide. Planchers d'eau de javel. Tiroirs de lavande. Cuisine aux effluves de rôti de porc et petites patates jaunes pognées dans les murs. Salon vieux tapis à poils longs. En compagnie de ma mère badigeonnée de Vicks VapoRub, Antiphlogistine et alcool à friction. Toutes ces odeurs me rassurent et me font respirer mieux. Le décor de ferme, de fjord, de forêt, de champ, de clôtures, de vieilles granges, de maison de bois m'apaise. Il y a quelque chose de zen à se trouver dans ces lieux. Une espèce de silence transcendant qui résonne en sortant sur le perron. Avant de retrouver la maison de mon enfance, j'ai pensé à quelques amis, mais ils proviennent de mon cercle commun avec Doris. En couple. On n'accumule pas seulement du matériel après plusieurs années de vie commune, il y a du monde qu'on souhaite préserver de la rupture. Mes amis du secondaire n'ont pas donné signe de vie depuis des lustres. À part Charles, et il est parti en claquant la porte lors du fameux souper. Il ne me reste que mes connaissances du bureau et mes bons amis de couple. N'ayant pas eu de nouvelles de ces derniers depuis mon coming out, j'ai conclu que toute ma bande de copains avait choisi le camp de Doris. En amitié, lors d'une rupture amoureuse, il faut toujours consoler l'un ou l'autre. On ne peut jamais accompagner la personne qui laisse et l'esseulé sans devenir le médiateur, le porte-parole ou le rapporteur. J'ai donc décidé de me retirer chez ma mère et de laisser le champ libre à Doris pour cuver sa peine et jeter son venin.

Je reviens d'une longue marche en forêt, j'avais besoin d'un moment contemplatif à me remplir de beau pour sortir du côté sombre de l'histoire. Comme si le *Concerto pour piano n° 2* de Rachmaninov jouait dans ma tête pour me réparer.

De loin, je vois la maison. Une ambiance singulière plane au-dessus. Les lumières sont éteintes comme si les lieux étaient inhabités. De la fumée sort de la cheminée. On voit la voiture de ma mère stationnée dans l'entrée, elle ne sort jamais le soir. Plus j'approche, plus un sentiment étrange m'envahit. Jamais je n'ai vu cette maison aussi noire. J'essaie d'ouvrir la porte principale. Barrée. C'est verrouillé à double tour. Plus moyen d'y entrer.

— T'as r'commencé tes niais'ries. J'ai mis tes affaires dans ton char. Le reste, t'auras juste à m'donner ta nouvelle adresse.

— Tu l'sais depuis qu'j'suis ti-cul que j'suis pas bien dans ma peau.

— Doris mérite pas ça. Beau modèle pour tes gars ! Rien qu'd'la marde !

— On peut s'parler entre adultes, Amélia ?

Ma mère a claqué la porte. Amélia a encore frappé. Ses parents disaient d'elle que le jour où le Bon Dieu était passé avec la délicatesse, elle devait être partie chez le bonhomme. Lorsqu'elle n'est pas d'accord avec quelqu'un, elle ne dialogue pas. Elle assomme sa proie. Un coup de gourdin. Une phrase assassine et son adversaire se retrouve au tapis sans même avoir pu se protéger. Elle n'a pas de compassion. Une rumeur court sur elle au village. *Amélia, qui s'y frotte, s'y pique. C'est une dure.* Il est difficile de l'imaginer femme affectueuse et dévouée. On la voit plutôt comme celle qui gère sa famille sans qu'elle ne puisse jamais exprimer son mécontentement. La vérité n'est pas loin de cela. Son attitude inflexible ne pardonne pas. Personne ne réussit à la faire plier. Elle règne sur son royaume sans accorder de pouvoir de négociation. Aucune rébellion possible.

Il y a elle et le reste du monde.

Même avec bien de l'acharnement, je ne pourrais jamais faire changer d'idée ma mère. Elle boque. Elle ne connaît que ça. S'enfermer dans son aphasie et attendre d'obtenir ce qu'elle veut. Elle n'a fonctionné que par cette stratégie depuis les soixante-dix dernières années. Elle n'a jamais pensé à changer de méthode. Elle donne son opinion tranchante. Elle ne laisse pas place à la discussion ou à la réponse. Elle se ferme comme une huître. Elle feint la surdité. Elle coupe tout dialogue. Les sentiments pis tout ça, c'est du chinois. Tellement que, comme enfants, nous avons dû nous résigner à trouver d'autres modèles à l'extérieur du noyau familial pour nous enseigner une communication saine. Mes deux sœurs ont singé l'une de nos tantes qui commérait, qui alimentait les ouï-dire, qui supposait, mais qui, une fois devant une situation où elle devait se confronter à une discussion sérieuse, prenait son courage à deux mains et se lançait dans l'arène. Elle avait déjà une écoute plus développée qu'Amélia, c'était un début. Mon frère aîné a suivi mon grand-père partout, alors il est devenu sa copie conforme. Il finissait toutes conversations tendues par *C'est pas mon criss de problème*. Tant qu'il avait de la nourriture sur la table, des vêtements sur le dos et un toit au-dessus de la tête, il ne se mêlait de rien. Pour moi, le dialogue est d'une importance capitale. Ç'a toujours agacé Amélia. Elle aurait voulu que je me taise. Enfant qui parlait tout le temps. Dès l'âge d'un an, on pouvait me comprendre. Mes oncles et tantes en visite n'en croyaient pas leurs oreilles de m'entendre radoter. Dès mon plus jeune âge, j'étais devenu le petit protégé de ma grand-mère. Comme je vivais dans le même rang, je flânais chez elle. Je l'aidais avec le jardin. J'apprenais à tricoter et cousais ses courtepointes avec elle. Je cuisinais le ragoût, les pâtés, les petits fours et les gâteaux du temps des Fêtes. Ma grand-mère avait du pif. Elle voyait bien que je n'étais pas heureux. Elle n'avait pas le souci de devoir m'éduquer, mais seulement d'être compréhensive, à l'écoute et de garder sa porte grande ouverte pour moi. Elle me faisait enfiler un de ses tabliers jaunis à frou-frous qu'elle avait fabriqué à la main en cours matrimonial, là où on apprenait à devenir une bonne épouse et une mère modèle. J'étais si fier de le porter et de mettre la main à la pâte. Je passais mes grandes journées de fin de semaine avec elle pendant que tous les enfants jouaient à se chamailler. Quand elle n'était pas disponible, je me réfugiais au Cran-aux-Corneilles pour ne déranger personne. Je discutais avec elle de tout, de rien et de choses très sérieuses. C'était une femme au cœur d'or. Elle était assoiffée de savoir et ne se fatiguait jamais de partager sa sagesse. Ma grand-mère me racontait des histoires. Tout le temps. Il y avait toujours des morales à ses contes. Des fins où on enseignait la vie, le gros bon sens. Elle disait que l'éducation, il n'y avait rien de plus important. *Tant qu'on a accès à ce savoir-là, il faut remercier le ciel parce que ça nous rend riche. Pas riche d'argent, mais riche dans la tête.* Cette petite bonne femme m'inspirait. Pour tout. Elle pensait qu'on ne finissait jamais de se mettre du plomb dans la tête, qu'on évoluait toute notre vie et que si on stagnait dans nos vieilles pensées de borné, *ben on mourrait dret' là.* Quand je rapportais ses enseignements à Amélia, elle grommelait contre les livres de sa mère qui avaient toujours pris tant de place dans la maison. Amélia, petite, aurait pu entendre mille contes, mais elle préférait aller jouer ailleurs. Loin des jupons de sa mère toujours au repos à rêvasser, à refaire le monde. Enfant terre à terre, Amélia ne savait que faire de pages à tourner, elle voulait travailler de ses mains et voir ses réalisations à l'instant même où elle les accomplissait. C'était une gamine qui n'avait pas de temps à perdre, puis elle a grandi ainsi. Tout le contraire de sa mère. Tout l'inverse de moi, portrait craché de ma grand-mère. Lorsqu'elle est décédée, j'ai perdu plus qu'une grand-maman. J'ai perdu une confidente, des bras aimants, un cocon réconfortant, une professeure de tout. La regardant inerte, allongée dans sa tombe comme une poupée de porcelaine qui a fermé les yeux à tout jamais, je savais que notre intimité était morte avec elle et qu'il me serait impossible de recréer des moments de cette force avec quiconque.

À la mort de sa mère, Amélia a fait un grand ménage. Elle a brûlé tous ses livres. J'aurais sauté dans le feu pour sauver les bouquins. C'était comme voir ma grand-mère mourir une seconde fois. Je ne saisissais pas ce geste horrible. Trop petit pour comprendre la méchanceté. Je me souviens des histoires par cœur. Histoire de voyage. Histoire d'amoureux. Histoire de sale sorcière. Histoire de vengeance. Histoire de duperie. Histoire de village. Histoire de petit prince. Histoire d'une lettre. Histoire de ventre de baleine. Histoire de bouteille à la mer. Histoire d'oies blanches et de son voyageur miniature. Histoire de fierté. Histoire du terroir. Histoire de route. Histoire de religion. Histoire dessinée. Histoire écrite en lettres serrées et toutes petites. Histoire d'un géant. Histoire d'une seconde où on sait que c'est lui. Histoire de politicien. Histoire de paradoxe. Histoire de roi, de guerre, de fée, de chat, de chevalier, de grenouille, de pissenlit, de jardin, de chien brun, d'étoile, de pépins de pomme, de territoire, de meurtrier, de pasteur, de maîtresse, de navigateur, d'Amérindien, de découverte, de science, de parabole, de solitude, d'amère déception, de blague sans fin, d'immortalité, de beaux marins. Histoire d'un piano blanc et d'une chanson. Histoire de mensonge. Histoire amorale. Histoire de tout petit. Histoire de grand rêveur.

Le feu avait détruit le papier, mais pas les souvenances.

Un adieu au goût amer. J'aurais voulu perdre ma mère et vivre avec ma grand-mère, mais ça, ça ne se dit pas. Leur animosité ne datait pas de la dernière pluie. J'en voulais à ma mère d'être ma mère. La base. Je trouvais que la vie était salope d'avoir mis cette femme sur ma route. De lui devoir mon existence. Petit, j'employais à peine le mot maman. Je la nommais Amélia. Barrière naturelle entre elle et moi.

AVANCE RAPIDE

Je me suis dégoté un appartement dans l'est de la ville à l'opposé du quartier où j'habitais avec Doris. Je suis revenu à mes anciennes amours. Lorsque j'ai quitté la campagne pour la ville, je m'étais installé là. Dans l'est. À deux rues de mon premier appartement, j'ai trouvé la perle rare, pas trop dispendieux, semi meublé, libre tout de suite, avec une chambre de plus pour installer deux lits pour les enfants. Je n'ai eu qu'à arrêter dans une cabine téléphonique pour avertir le propriétaire que je prendrais les clés le soir même.

Je conduis nerveusement. Je n'ai pas vécu dans un appartement tout seul depuis mon mariage. Sans bruit. Dans le calme. Des nuits entières à écouter le silence. À ne pas être réveillé par ma femme somnambule ou les pleurs des enfants. Un tic-tac d'horloge. Le frigo bruyant. Le souffle d'une respiration. Un grincement de dents. Un pipi au lit. Une toux creuse, sèche, grasse. Le calme. C'est tout.

Lourdes et longues nuits sans sommeil accompagnées par la solitude.

Reine insomniaque.

PORTRAIT

Minorité visible.

Terre d'accueil.

Elle est une transsexuelle affirmée et elle fait sa vie comme elle l'entend.

Double minorité visible.

Elle a ses papiers.

Elle marche dans la rue. Elle fait ses courses. Elle travaille. Elle sort dans les bars. Elle fait l'amour. Elle séduit. Elle se sent bien. Elle se sent elle. Femme.

Voyage en terre natale.

Famille traditionnelle. Pays où, si ça se sait, on la battra à mort. On la reniera. Personne n'est au courant.

Passeport d'homme. Habits masculins. Conventions obligent. Ses parents insistent pour qu'il prenne femme dans son pays et qu'il la fasse venir en terre d'accueil. Il ment. Il invente une fiancée canadienne.

Son union est imminente.

On a sonné à la porte. Un homme attend sur le balcon au froid. Stressée d'ouvrir pour la première fois vêtue de mes habits de femme, je ne sais plus comment réagir. Aller me changer et prendre le risque de ne pas savoir ce que me veut ce visiteur impromptu. Répondre en femme et créer l'effet de surprise. Me cacher et attendre qu'il s'en aille. Et si on me demande de signer des papiers ? Je signerai Jean habillée en robe ?

   Maintenant que je suis chez moi, je porte ce qu'il me plait. Dès que j'arrive du travail, je me déshabille, prends une douche, mets ma perruque et l'ajuste, me maquille et revêts mes nouveaux vêtements. Jean au boulot, Jeanne à l'appartement. Les personnes me fréquentant encore le savent. S'ils se pointent à l'improviste, ils devront être prêts à rencontrer Jeanne. Je n'ai pas souvent de visite. J'attends quelques mois avant de faire le grand saut au travail. Je dois préparer le terrain, trouver une stratégie d'acceptation. Parfois, je sors en femme. Je teste quelques lieux. Lorsque la journée prend fin, je saute dans ma voiture, je refuse toute invitation et je me dépêche de revenir à la maison. Je roule à vive allure sur l'autoroute. J'ai besoin de me libérer. Impensable de passer à l'épicerie en Jean, il faut me changer avant. Mon processus de transition commencé, on dirait que je ne peux pas y aller lentement, ça déboule. Trop bien dans mon nouveau corps. Je ne peux plus vivre dans l'autre. Malgré tout, certaines situations de doute persistent. Il y a des moments où je n'ai pas l'énergie de provoquer de malaise.

L'homme fait retentir le carillon de la porte une seconde fois. Dans l'œil magique, je remarque son impatience. *Oui, je sors de la douche! J'arrive!* Je fouille rapidement dans mes vêtements d'homme et j'enfile ma robe de chambre brune. Je ne sens pas ce type. Point d'interrogation.

Je vis dans une zone tampon. Cette zone grise où je dois défragmenter mon cerveau et le reprogrammer en cohérence avec mon senti. Le reconnecter à ma véritable nature que je n'ai jamais laissé éclore. Il y a du boulot à accomplir avant de pouvoir retirer mes vieilles pantoufles, de perdre mes vieux réflexes et de foncer tête haute, sans hésitation, dans mon quotidien au féminin. Même devant un pur inconnu, je n'ose pas me montrer sous mon vrai jour. Jeanne n'est pas au point.

Pas encore.

Cachée sous d'immenses lunettes de soleil, je sors en ville pour faire des courses. Je marche sur les trottoirs pour garnir mon minibar. Je me rends à la poste. Je vais prendre un café chez l'Italien tout près. Mais comme ça, à nu, sans lunettes, il me faut plus de préparation mentale et physique.

— Bonjour m'sieur! Vous avez un colis dans l'camion.

— Dans l'camion?

— Vous attendiez vot' piano, non?

— Un piano? Pas à c'que j'sache.

— Quelqu'un a voulu vous faire plaisir, faut croire!

Curieux, je suis descendu en oubliant d'emprunter quelques marches de l'escalier, tellement que j'ai failli perdre pied et me casser la gueule par terre à l'arrivée. Voir de mes yeux vus. Ne pas perdre de temps. Je déteste ce genre de blague. C'est impossible que ce piano m'appartienne. Gamins, on commandait de fausses pizzas aux gens, maintenant on les fait marcher à coups de pianos imaginaires. Si le déménageur dit la vérité, il doit bien y avoir un message collé quelque part sur l'instrument. Lorsque je suis entré dans le camion de déménagement, deux autres hommes attendaient en buvant un litre de lait à même la pinte. *Il nous faut des os forts.* En apercevant le mastodonte sur roulettes, j'ai eu le souffle coupé. Un piano est bien attaché tout au fond du camion. Qui peut bien me faire livrer cet engin? Je suis persuadé que ces hommes de bras font erreur. Il n'y a personne d'assez fou pour m'offrir un meuble si imposant. J'ai suggéré aux déménageurs de vérifier à nouveau l'adresse de destination. Ils doivent le rapporter là où ils l'ont pris. L'expéditeur réparera sa bévue. Je commence à m'impatienter. La situation est ridicule. En m'approchant du piano, je reconnais mes initiales gravées près des notes graves.

Le choc.

Une surprise sans l'être.

Le piano familial. On me déménage le piano familial. On. Amélia. Un autre cadeau empoisonné de la mère. Moi qui me réjouissais de l'immensité de mon quatre pièces et demie, je le vois se réduire en un minuscule débarras. Mon semi-meublé, avec presque pas de fenêtres, aura des allures de marché aux puces plein à rebord. Le piano a pris l'humidité avec les années et on remarque des traces de champignons. Il y a une odeur présente dans l'espace. La shed de mon père. Déjà que je ne me sens pas encore chez moi et que je me familiarise avec les lieux, il y a intrusion d'un instrument gigantesque et puant dans mon univers fragile.

Les déménageurs n'ont pas encore monté le piano. Ils n'ont pas franchi le cadre de la porte et je panique.

J'étouffe.

L'objet m'envahit.

Mon père avait laissé ce piano dans le cabanon lors de son départ. Trop gros pour l'emporter.

Pour encaisser la surprise, je me suis assis sur le banc et j'ai approuvé le cadeau. L'instrument m'est bien destiné et si je le retourne, la guerre sera officiellement déclarée.

— Mais je n'ai pas de place pour lui en haut.

— Ça, c'est pas not' problème !

Onze ans. Je traversais une sombre époque. Je n'arrivais plus à vivre avec moi-même. Tellement que j'ai tenté de mettre fin à mes jours. J'ai fait un nœud à une corde et j'ai voulu me pendre. Je me voyais bien me balancer au vent du fjord. Je n'ai pas gardé de séquelles mentales de cette tentative, mais, au village, les regards sur moi se sont accumulés. La nouvelle a fait le tour et a fini par isoler encore plus notre famille. Coudre de gros rideaux de velours pour cacher les fenêtres, en recouvrir les murs, à en oublier la maison. Après cette dure période, j'ai eu le droit de me rendre au cabanon pour jouer avec le piano paternel. Amélia, prise d'un doute, m'avait enfin permis de toucher à l'instrument pour que je m'accroche à quelque chose. Elle qui nous avait toujours interdit de pianoter, elle faisait un passe-droit. Amélia n'était pas une mère démonstrative, mais elle vivait à l'occasion de légers moments de lucidité parentale qui lui rappelaient qu'elle n'était plus seule et qu'une famille gravitait autour d'elle. Elle avait eu peur de me perdre. Malheureusement, elle ne prenait conscience de son état de mère que par réveil brutal. Il fallait que ça fesse pour que ça se fasse. Je n'ai pas toujours été un enfant facile. Amélia se plaisait à en faire courir le bruit partout, comme si elle désirait qu'on l'acquitte d'un crime. Elle cherchait les excuses. Refusant de voir la réalité en pleine face, elle sublimait les problèmes par du matériel. Le nœud au ventre de me voir au bout d'une corde l'avait motivée à réaliser mon plus grand rêve. Jouer du piano. Il y avait longtemps que je la suppliais de prendre des cours de musique. Je voulais devenir virtuose. Comprendre ce langage complexe qui, une fois décodé, fait que nos mains voyagent et que notre tête vole ailleurs.

Trois déménageurs forcent à grosses gouttes pour faire grimper un piano énorme. Ils n'ont pas encore atteint la moitié de l'escalier que les trois hommes sacrent et gueulent sur l'un et sur l'autre. Mon voisin regarde la scène de sa fenêtre. L'escalier en fer forgé laisse retentir un bruit assourdissant comme s'il allait s'écrouler. Son étroitesse fait en sorte que les déménageurs doivent toujours resserrer leur sangle sur eux pour remonter le piano. Ils ont presque l'air égorgés. *Ça passera pas là. Y est plus gros qu'les pianos standards! Y rent' pas. Voyons maudit criss! Y est pogné. Lève-lé! Il va falloir démonter la porte pour le rentrer.*

Trois déménageurs sacrent de plus belle. Ils jurent. *Tabarnac d'ostie d'ciboire de criss d'ostie d'viarge de saint-simonac de câlisse de tabarnac de saint-chrême d'ostie d'ciboire.* Ils les alignent tous les uns à la suite des autres. Ça soulage plus. Ça fait sortir le méchant. Ça aide à forcer droit. Ça fait oublier qu'ils ont dû le sortir de l'autre maison, ce bonyeu de viarge de criss de tabarnac de ciboire de piano-là et qu'ils gossent encore dessus pour le monter à l'étage. C'est pas gagné d'avance. Ça passe le temps. Ça alimente la discussion. Ça solidifie les liens de l'équipe. Ça rend plus que réelle la scène aux allures de fiction. Ça ramène tout ça dans le vrai monde. Une fois en haut, les trois hommes ne sont pas au bout de leur peine. Non. L'instrument n'a pas l'intention de soulager les labeurs des déménageurs. Il résiste à la porte. Ni de face. Ni de côté. Ni de biais. Ni en le retournant sur la hauteur. Les hommes tentent de calculer à l'œil s'il y a un moyen de le faire passer là. Ils sortent le ruban à mesurer. Ils recommencent à forcer. Ils lancent de nouveaux sacres. Ils en inventent. *Sacrament de bout d'ciarge à rat.* Ils laissent la bête sur le balcon le temps de trouver une nouvelle stratégie. Le temps de la pause, ils ont réfléchi en buvant leur deuxième litre de lait chacun, à même la pinte. *Ça renforcit le système. Un déménageur, y faut pas qu'ça s'pète un bras.* Les biberons terminés, les hommes reprennent le boulot. N'ayant pas été frappés par l'éclair de génie afin de faire entrer le piano, ils ont pris le temps d'analyser leur plan de match. Dessin mental, ils espèrent résoudre la solution. Ils entrent dans l'appartement et ratissent tous les recoins. *Les corridors sont trop étroits. Ça tourn' pas su'un dix cennes une bebelle de huit cents livres. Si y entre dans l'appart', y arrête son ch'min là.* Même si je vidais une pièce complète et l'aménageais pour accueillir le piano, l'engin musical ne pourrait pas s'y rendre. En plus, il volerait la chambre réservée à mes fils. Je ne sortirai quand même pas leur lit. *Pis ? Ça achève tu ?* que je lance pour mettre de la pression. Trouver une place au piano. Fermer la porte. L'oublier là et ne plus en entendre parler. Pourquoi ma mère m'a-t-elle fait un coup aussi moche ? Elle habite seule dans une grande maison. Elle pouvait garder le piano dans le cabanon ou l'installer dans une pièce où personne ne le voit. Amélia ne m'a pas envoyé l'instrument pour rien. Ce n'est pas un geste désintéressé. Elle ne pose pas de gestes futiles ou gratuits. Elle me passe un message. Elle aurait pu me le céder avant. Ma grande maison aurait pu abriter l'instrument. Il aurait été plus utile dans mon autre vie.

Il y a près d'une heure que les déménageurs fuckent le chien, au froid, dans le cadre de porte à essayer d'entrer le piano immense dans l'appartement. Après une pause cigarette à discuter de l'équation irréelle de faire passer un piano de vingt-neuf pouces dans une porte de la même taille sans devoir tout démolir, sans pouvoir le plier ou lui donner un angle, l'une des armoires à glace sort de sa poche un tournevis. On démonte les pentures. Plus d'options. Pas le choix.

On est en train de chauffer le dehors. Un dehors novembre qui transperce les os. Par grand froid, pourquoi déménager un piano ? Si ce n'est pas dans l'intention d'en jouer. Dernier essai, l'instrument franchit le seuil.

Je pleure.

Plus d'espoir de le retourner d'où il vient.

Amélia aurait pu ravoir son cadeau empoisonné s'il avait été impossible de le transférer du balcon à l'appartement. Moyennant un autre chèque de quatre cents dollars, les gros bras l'auraient repris.

Pas de budget. Il reste.

Et tous les souvenirs avec.

Rien ne va. Une fois à l'intérieur, le piano ne s'installe pas ailleurs qu'au beau milieu de la place. Je ne l'imaginais pas là. Les déménageurs ont tout fait pour l'amener à bon port. Il gît là. Les corridors ne facilitent pas le projet. Trop étroits. Trop de détours. Il est impossible de continuer la course. Constatant que le cadeau qu'ils livrent n'est pas heureux, les hommes font du mieux qu'ils peuvent pour déplacer le piano dans un endroit neutre. Après quelques essais ratés, ils arrêtent le chemin de l'instrument dans la cuisine, bouchant à moitié le passage vers les chambres, le salon, la toilette. Il encombre tout. Il bloque les mouvements. Il obstrue la fenêtre. Le piano dans la cuisine comme un éléphant dans une boîte à chaussures. Il déborde de partout.

Ressentant la lourdeur de la scène, les déménageurs m'ont fait signer le formulaire de livraison. Ils ont spécifié que la course était gratuite puisque l'expéditrice avait payé. Ils m'ont lancé un regard compatissant, se sont excusés et ont repris la route.

— Si vous voulez qu'on r'vienne le chercher...

Le camion a passé le coin. Je n'ai plus d'issue, plus de possibilités. Le piano est là et il me nargue.

Le piano se portera quand même mieux chez moi. Dans la famille, je suis le seul à en jouer et un instrument muet meurt.

Amélia fantasmait souvent de mettre à mort le piano-forte, de le détruire. Le brûler. Le lancer du deuxième étage. Ma mère me menaçait à chacune de mes visites. Dévisser les clés, retirer les deux cents cinquante cordes et l'achever à coups de masse. À six mille livres de pression sur les cordes, commencer avec la masse serait un geste suicidaire. Elle pourra changer de cassette maintenant et trouver de nouvelles façons de m'intimider. Vendre la maison. Se faire placer. Répéter qu'il ne lui reste plus de temps. Une journée ou deux au plus avant de mourir de sa belle mort, d'un cancer fulgurant ou d'une maladie imaginaire dégénérative. Se plaindre du peu de visites. Se lamenter qu'elle a mis au monde des enfants ingrats et des petits-enfants qui se foutent de leur vieille grand-mère. Qu'elle serait mieux morte et de la laisser crever en paix.

Je hoche la tête devant ce grand barda. Des meubles à bouger, d'autres qui n'ont plus de place, de biais, n'importe où. À donner ou à mettre sur le bord du chemin. Mes enfants n'ont plus de place pour jouer, courir, sauter, faire les fous.

Je me patenterai de l'espace. Ça ne respire plus. J'ai retiré ma robe de chambre, qui couvre mes habits de femme. Je me suis précipitée sur le balcon pour chercher mon air. Amélia est là.

— T'es fou ? Qu'est-cé qu'tu fais su'l'balcon déguisé en guidoune ?

— T'avais pas besoin d'te déplacer. J'ai r'çu ton colis.

Ma mère m'a empoignée par le bras et a voulu me pousser de force dans l'appartement.

— Tu vas m'faire honte ! Y a du monde qui passe dans'rue.

— J'm'en contrecâlisse du monde, Amélia ! J'pense que t'en as assez fait' pour aujourd'hui. Tu peux t'en aller.

La main sur le cœur. Des larmes de crocodiles perlant sur ses joues. Un nez qui renifle pour le faux. Un visage de pitié et de tristesse exagérée. Amélia feint la totale.

— Doris disait vrai. T'as perdu a'raison mon pauv'ti-gars !
T'as just' p'us d'bon sens. R'tourne chez vous, y a d'la place
pour toi pis ton piano.

Le piano vient de me réveiller. Ma mère ne me fera jamais
de cadeau. Elle ne me donnera jamais de chances non plus.
Elle le savait. Elle était consciente de ma situation depuis ses
débuts. C'est clair. Amélia a remarqué en premier la variation
de mon genre et elle n'a rien dit. Lorsqu'un petit bonhomme
d'à peine quatre ans agit comme une fille et demande à sa
mère si le docteur le réparera à chaque visite au cabinet de
médecin, on ne peut pas faire la sourde oreille. On joue à l'in-
nocente, mais on ne peut pas ignorer à ce point.

Mastodonte de bois qui aurait été magnifique dans l'une
des maisons Prestige de mes sœurs. Pourquoi a-t-elle décidé
de me faire livrer ce gigantesque et lourd piano ? Pour me
rappeler ma tentative de suicide ? Elle en serait capable. Je
n'ai pourtant jamais manifesté l'envie de le ravoir. Habituellement, Amélia a de la suite dans les idées. Il y a une raison
pour laquelle elle brise mon confort. Elle s'est fait aider,
sûrement. Elle veut que je retourne chez Doris. Se venger à
grands coups de leçon. Je me résignerai et garderai le piano.
Pas la peine de perdre d'énergie à faire changer d'avis ma
mère. Avec la capacité d'écoute d'une chauve-souris, elle ne
fléchira jamais. Ma mère a inventé qu'elle vidait la maison,
plus capable des vieilleries. Il n'y a rien de vrai là-dedans. Elle
m'a envoyé le piano pour que je sente son regard réprobateur
partout.

Je le prends ou Amélia met le feu dedans. Une Saint-Jean-
Baptiste entière à entendre les cordes de piano péter sous la
chaleur.

Tout noir ou tout blanc.

Une mère sans nuances. J'ai longtemps achalé ma mère
pour faire de la musique et comme elle détestait être dérangée,

elle me servait toujours son *non* autoritaire en guise de réponse. C'est seulement à la suite de ma tentative de suicide qu'elle a accepté. Acheté la paix. Ça lui donnerait un break. Elle saurait au moins où je me trouve, je jouerais du piano au lieu d'errer dans le bois à m'inventer des plans pas d'allure. Les semaines étaient chargées, le temps qui restait pour penser un brin à soi, Amélia exigeait le calme plat. Mes sœurs et mon frère, elle les envoyait jouer dehors. Prendre l'air, ça replace le génie. Pour moi, c'était plutôt le contraire, elle me trouvait des raisons de me garder à l'intérieur ou dans la cour arrière. Moins je me pavanais dans le village, moins les mémères jasaient. Pas question d'inviter d'amis à la maison. Pas le droit de participer aux activités sociales du village. On ne se mêle plus trop à la foule, ni à la fête. J'allais à l'école et revenais au bercail. Ayant compris cela, j'avais demandé, demandé, demandé, demandé le piano de mon père. Ma mère qui détestait les cris, détestait qu'on lui tienne tête, détestait sentir des désaccords, sans écouter, disait non au premier mot. Et même lorsqu'elle disait oui, il était retenu, non senti. Jamais de oui coiffé d'un large sourire. Un oui sec, regard fuyant, yeux plissés, nez retroussé sans but de faire plaisir. Et quand l'écœurement s'était emparé d'elle, elle lâchait un *ben oui, ben oui, fatigant*. Ma mère qui détestait être mère n'avait pas de raisons de faire plaisir. Puis, elle faisait des surprises une fois de temps en temps. Pour être tranquille. Pour obtenir le silence dans la cabane. Pour faire semblant de vivre un moment précieux. Pour se convaincre d'aimer.

Le piano avait muté du cabanon à la maison après *la chose* comme disait Amélia. En plein déni, elle n'avait jamais osé dire les bons mots. *Mon fils a fait une tentative de suicide.* Non, elle parlait de *la chose*. Si elle avait avoué, la machine à commérage aurait démarré. Amélia avait beau tenter de comprendre ce qui clochait avec moi, elle n'arrivait à aucune conclusion cohérente. Son fils était efféminé, il préférait le rose au bleu, les poupées aux jouets de guerre, les après-midis à papoter avec ses sœurs aux sports violents. Ce n'était pas une raison valable de vouloir mourir. On ne parlait pas de suicide, à la maison. Pas dans la famille. Jamais en cent ans. *La chose* avait fini néanmoins par faire le tour du village. On en jasait à l'épicerie Chez Jasmin, au dépanneur Chez Maurice, à la cabane à patates frites au coin de la route principale, au bureau de poste, à l'hôtel de ville, à la bibliothèque, au club de l'âge d'or, au Jardin des Schtroumpfs, dans la cour d'école, au garage Chez Bobby, à la plage municipale, à la salle de danse, à la patinoire, au terrain de volleyball. Partout. Pendant une bonne année. Les mots avaient volé de la bouche de l'un à l'oreille de l'autre. Pesant pour la famille. Honteux pour la maman. Son orgueil brisé l'avait conduit à s'isoler encore plus derrière ses rideaux. Plus de participation au tournoi de ballon-balai, ni de balle molle. Plus d'assistance et de temps de parole aux séances du conseil municipal. Plus de café au dépanneur du coin avec les retraités, les pompiers volontaires, les gars de la voirie en pause ou les chômeurs saisonniers. Elle prenait sa cafetière le matin en silence. Elle partait travailler au champ et nourrir ses oies. Elle a été un bon bout de temps à déjeuner, dîner et souper sans prononcer la moindre parole. Elle en avait son voyage. Amélia contournait les discussions. On ne pouvait plus lui faire d'allusions sur mes tendances à imiter les femmes à la perfection et sur *la chose*. Onze ans, c'est tôt, murmurait le village. La mère, boquée et fière, marchait la tête haute accompagnée de ses trois autres enfants non étiquetés.

Trente ans plus tard, je la déleste du poids rattaché à cet objet. Elle a traîné ses enfants toute sa jeunesse et maintenant elle peut, même si elle a été une mère médiocre, se reposer en paix dans sa chaise grinçante à potiner, à boire des crèmes de menthe et à faire tous les coups pendables qu'elle désire. Le symbole de *la chose* a quitté sa vie.

Comme si je devais lui demander pardon. Je me suis tue.

Elle a pris le camp de Doris. Les femmes ont pris entente. Elles ont calculé leur coup, tout réfléchi. Elles ne m'ont pas fait livrer le piano sur un coup de tête. Amélia veut m'avertir que les hostilités sont commencées. Doris me fera payer. Elle peut se permettre de me faire baver, un désir maintes fois refoulé. Faire exprès, pour se remettre à vivre, pour sentir qu'elle tient le gros bout du bâton. Elles n'ont pas le courage de créer l'électrochoc en personne, elles envoient des goons avec leurs gros bras, leur camion et le piano d'un ancien suicidaire. Une guerre déclarée. Ça fesse dans l'dash.

PORTRAIT

Dernier garçon d'une famille de treize enfants.

Bébé à maman de sa naissance à la mort de celle-ci. Il avait vingt ans lorsqu'elle est décédée. Il n'avait encore rien vécu. Le père retraité n'avait jamais côtoyé réellement son fils et n'avait pas l'intention de le prendre sous son aile. Il ne vieillirait pas veuf avec un vieux garçon sous son toit. Ne faisant que des bêtises pour obtenir l'attention de son papa, il a été mis dehors. Bébé gâté, il est parti habiter chez l'une de ses nombreuses sœurs, trop peu autonome pour s'occuper de lui-même tout seul. Avec huit sœurs, on se trouve une mère de remplacement.

Le treizième était efféminé. On l'avait toujours soupçonné d'être un. Une. Un. D'être comme ça. Les tantes, les oncles, les cousins, les petites cousines de la fesse gauche. On le soupçonnait d'être gai. Sinon, pourquoi ce don pour la couture ? Pourquoi cette fascination pour les poupons, la popote, le monde des femmes ? Pourquoi n'avoir jamais décollé de sa mère ? Pourquoi n'avoir jamais ramené une fille à la maison pour l'embrasser sur le perron au vu et au su du chaperon ?

Le treizième n'est pas gai. Il est femme et cherche l'amour d'un homme.

L'annonce à la famille a été un véritable fiasco.

Ils ont coupé tous les ponts.

Depuis que je l'ai quittée, Doris refuse que je voie les enfants. Pour qu'elle finisse par céder et qu'elle me laisse le droit de parler à mes fils, j'ai joué la carte de la douceur. Doris me fait chanter. En plus de m'exiger des sommes d'argent pour tout et pour rien, elle m'oblige à m'habiller en homme devant Dominic et Maxime. Elle me défend d'approcher nos amis communs ou la famille si je me *pavane dans mes robes du soir*. Elle me tient par les couilles, celles-là mêmes dont je voudrais me départir. Elle me menace d'inventer des rumeurs d'attouchements ou d'autres horreurs pour que je m'éloigne complètement des enfants. J'ai confronté mon ex une fois. La discussion a tourné au vinaigre.

— Et qu'est-cé qu'y va arriver si j'refuse ?

— Je vais t'obliger à annoncer aux enfants qu'tu veux p'us les voir.

Le jour où je ferai de l'air pour de bon, Doris s'occupera du reste. Elle m'effacera de leur habitacle, des garde-robes, de la salle de bain, du sous-sol, du garage, des albums photos, du chalet de chasse à l'orignal, des anecdotes familiales, des souvenirs de jeunesse. C'est ce qu'elle souhaite. Elle consolera les chagrins. Elle mouchera les nez. Elle inventera des réponses aux questions d'abandon et de rejet du père. Elle palliera les manques. Elle rappellera sans cesse aux enfants qu'elle est là, elle, au moins. Elle martèlera l'idée qu'elle a tout donné pour eux. Elle entretiendra le mythe que leur père n'était qu'un égoïste, qu'un sans cœur, qu'un menteur, qu'un salopard. *Il a fait comme son père et il vous a abandonnés.* Elle leur fera accroire que je me la coule douce pendant qu'eux s'ennuient de moi. Elle ne remettra pas les lettres, les cartes de souhaits, les cadeaux, les dessins et ignorera mes envois. Pas question de jouer au facteur, on abolit la profession. Elle mettra le feu dedans et entretiendra l'idée que ni un côté ni l'autre ne veut reprendre contact. Elle oubliera de leur transmettre mon numéro de téléphone. Elle tentera de me remplacer par un autre homme non sans efforts, mais sans succès. Elle feuilletera les journaux, s'inscrira dans des agences de rencontres, fera garder les garçons pour flirter, épluchera son carnet de téléphone pour répertorier les divorcés, les célibataires, les vieux garçons ou les veufs et sélectionnera les hommes à plus fort potentiel.

Les garçons louvoieront dans tout cela, trop petits pour réagir, trop grands pour oublier, mais pas assez pour ne pas se laisser atteindre.

Maxime et Dominic n'accepteront pas si facilement une nouvelle recrue pour me remplacer. Leur confiance sera ébranlée. Ça ne sera pas si simple d'entrer dans leur vie. Il y aura du chemin à faire pour qu'un autre homme significatif puisse interagir avec ces petits. Les garçons se questionneront.

Ils en baveront, eux aussi. Impuissants devant tout ce ravage.

— Quand est-ce qu'on sait si on changera de sexe un jour, maman ?

— Ben on l'sait là, là. T'as un pénis, fait que t'es un garçon. Complique-toé pas plus la vie qu'elle l'est déjà.

— Non mais, papa il avait un pénis lui aussi.

— Si y a pas d'doute que t'es un p'tit gars, ben t'es un p'tit gars.

Mon annonce a tellement résonné fort pour Doris qu'elle a commencé à perdre ses cheveux en grosses poignées. Choc nerveux. Claque dans la face. Trop gros stress. Doris m'en tient rigueur. Elle ne peut pas s'enlever de la tête que c'est à cause de moi que sa tignasse épaisse, longue et noire disparaît dans les tuyaux de la douche. Avec son crâne clairsemé, elle a pris un coup de vieux. Elle ne sourit plus. Une partie de sa confiance en elle a disparu avec sa chevelure. Elle ne se sent plus séduisante. Elle a perdu toute envie de charmer. Elle me blâme en permanence, surtout depuis qu'elle a commencé une démarche chez un psychologue. Qui accuser à part moi, à part elle ? Je suis coupable. C'est ma faute, ma très grande faute et pour cette raison, elle veut m'éradiquer de ses souvenirs. Elle aurait préféré ne pas me connaître. Ne pas avoir passé autant d'années à mes côtés. Ne pas m'avoir aimé. Ne pas m'avoir fait d'enfants. Le mariage, c'est tel que tel. On peut toujours divorcer. Brûler les papiers et l'album de noces. Mais lorsqu'il y a naissance, les liens parentaux nous attachent à tout jamais à l'autre personne. Il faut savoir la choisir. Être certaine qu'on pourra coexister dans l'amour-passion comme dans les creux de vague, mais aussi à travers la séparation et les étranglements. Doris a pensé à tout cela lorsqu'elle s'est mariée et m'a choisi. Elle a pris le temps nécessaire pour peser les pour et les contre et a plongé. L'idée a fait son bout de chemin et Doris est arrivée à la conclusion que j'étais un bon gars avec qui elle serait capable de communiquer dans l'éventualité d'un divorce. Cependant, elle n'a jamais évalué qu'une situation aussi improbable lui tombe dessus. Pour elle, son mari est mort et elle porte les habits noirs du deuil. Sauf qu'en réalité, elle ne peut pas recevoir le soutien d'une veuve ayant perdu son homme à la guerre. Elle se plaint uniquement de mes cachoteries et de mes mensonges. J'aurais voulu qu'on se parle en adultes, de manière mature et honnête. Elle n'en a pas la force.

Jeanne, elle, aurait voulu garder Doris comme amie. Qu'elles se confient. Qu'elles partent magasiner les cadeaux de Noël de leurs enfants ensemble. Qu'elles continuent à organiser des soupers d'amis à la maison familiale comme avant. Qu'elles se donnent des conseils mode, maquillage, coiffure. Qu'elles partagent des secrets intimes, sexuels. Qu'elles s'invitent pour l'apéro de seize heures ou pour le café du matin. Qu'elles restent unies pour l'éducation de leurs enfants. Qu'elles s'entendent mieux une fois séparées et qu'elles entretiennent une complicité réciproque. Qu'elles s'aident à passer les moments difficiles. Qu'elles fêtent ensemble leurs grandes réussites.

Qu'elles soient là l'une pour l'autre et qu'elles cessent de jouer aux enfants.

Il n'y a pas de mort. Pas de grande tragédie.

Il y a que de nouvelles perspectives. De nouvelles règles du jeu.

Effacer Jean.

Éviter de sortir l'album de photos et de ressasser les vieux souvenirs.

Utiliser le prénom Jeanne.

Le pronom *elle*.

La présenter comme femme, amie, sœur, fille.

Accorder au féminin tous les adjectifs.

Défaut ou qualité. Insulte ou félicitation. Sans importance si la syntaxe est bonne.

Gentille. Belle. Généreuse. Amoureuse. Pompeuse. Naïve. Aimante. Déplaisante. Puante. Délinquante. Gamine. Blessante. Rieuse. Mielleuse. Morveuse. Rigolote. Gaillarde. Gaspilleuse.

Adapter son langage.

Si on y pense. Féminiser. Faire attention. Féminiser.

À partir de maintenant. Tout de suite.

Là.

À cette seconde près, c'est le point de non-retour.

Tous utiliseront le prénom Jeanne.

Je ne retournerai plus dans le passé de Jean.

Je m'appelle Jeanne. On dit Jeanne. C'est moi, Jeanne. Je suis Jeanne. Dites Jeanne. Jeanne, que Jeanne. Oui, oui, Jeanne.

PORTRAIT

Un enfant à l'école. Vêtements de petit garçon. Il se sent en uniforme tellement il s'oblige à porter ces habits.

Retour à la maison. Demande à ses parents.

— Je voudrais aller en classe en robe comme les autres filles.

— Mais les garçons portent des t-shirts et des pantalons.

— Mais je suis une fille.

— Tu veux qu'on t'achète des robes pour mettre à la maison ? Si c'est ce que tu veux, tu verras ensuite.

Boule dans la gorge en moins. Un enfant respire mieux. Il a les idées claires pour réfléchir à la suite des choses.

Il sait qu'il n'est pas seul.

J'ai promis à ma famille d'être toujours là pour eux. Sauf qu'ils devront d'abord accepter que Jean soit remplacé. Sans artifices. Sans complications. Sans drames. Sans couronnement officiel. Sans tambour ni trompette. Si elle adopte la bonne réaction, Doris ne se retrouvera pas seule. Je n'ai pas quitté le pays sans laisser d'adresse. Je n'ai pas tout foutu en l'air. Je n'ai pas mis fin à mes jours, au contraire, je choisis de vivre. Je n'ai pas l'intention d'abandonner ma famille à moins qu'on m'empêche d'y accéder. Je suis présent et le demeurerai contre vents et marées.

Pour l'instant, il y a ma mère, Doris, quelques amis et mes enfants qui sont au courant de ma transformation en cours. Une panoplie d'émotions se bousculent dans mon esprit. D'un côté, je désire que les gens qui sont au courant de ma transsexualité comprennent sans arrière-pensées mon état et soient empathiques. Tandis que de l'autre, je fige lorsque vient le temps de sortir, même au dépanneur du coin. Au boulot, c'est encore Jean qui punche. Chez moi, je n'ai même pas encore franchi le seuil de la porte que j'ai déjà dénoué mon nœud de cravate. En entrant, je laisse tomber mon pantalon le long de mes chevilles, je retire ma chemise, mes souliers cirés aux bouts pointus et je cours me grimer, assise à ma coiffeuse.

Je n'en peux plus de trimballer partout mon pénis. Je ne supporte plus d'avoir entre mes jambes un membre qui ne m'appartient pas. Je me ferai opérer.

Par où commencer?

J'ai pris contact avec un groupe de soutien pour transsexuelles. À l'accoutumée, j'ai tendance à m'arranger avec mes troubles. Ça ne m'emballe pas de me rendre à leurs réunions, sauf que j'ai besoin d'entendre d'autres histoires. M'attacher à du semblable. Ça m'oblige à franchir le pas. Je dois sortir en tant que Jeanne. Les premières fois ont été extrêmement difficiles. Il aurait été absurde de quitter la maison en homme et de me changer en cachette dans les toilettes du centre communautaire. Bien que l'association se trouve à quelques rues de mon appartement, je prends ma voiture. Les regards pèsent sur moi. Parfois, je me trouve des raisons de m'absenter du groupe. Une tempête de neige. Un mal de gorge avec toux sèche. Une fatigue extrême. Un téléroman. Une sauce à spaghetti à cuisiner. Je balance entre le besoin d'entendre les témoignages des autres femmes et la peur de me dévoiler pour de bon à la face du monde. En matière de transition, je suis néophyte. Je ressens l'appel, sauf qu'il y a de longues étapes avant d'arriver à la table d'opération et j'ai besoin de les connaître de la bouche d'autres trans. Quand vient le temps de parler, j'hésite. Ne sachant par où démarrer mon récit, j'écoute. Toutes les histoires ont des points communs. À l'école, nous avons vécu de l'intimidation. Comme nous n'étions pas tout à fait de vrais gars et visiblement pas des filles non plus, on nous traitait de tous les noms. En garçons, nous avons toutes joué avec les poupées de nos sœurs. Nos pères n'acceptaient pas de voir leurs petits gars en moumounes. Nous avons toutes été surprises à fouiller dans les vêtements de nos mères. Nous avons toutes manqué de soutien. Les filles nous fascinaient. Comment elles communiquaient. Comment elles dessinaient des cœurs sur leurs *i*. Comment elles jouaient dans leurs cheveux et ceux des autres. Comment les récréations servaient à régler leurs conflits de personnalité et de mémérage. Comment leurs émotions étaient mieux vécues, acceptées. Comment elles pouvaient pleurer sans qu'on les rabroue. Les filles nous intriguaient et les garçons nous émoustillaient. La plupart des femmes du groupe s'imaginaient, toutes petites, en couple avec un garçon de leur classe. En vieillissant, nos histoires devenaient singulières. Certaines se sont révoltées à l'adolescence, d'autres ont tout camouflé. Certaines ont compris jeunes qu'elles souffraient de dysphorie du genre, d'autres viennent tout juste de se l'avouer. Certaines ont tenté de se suicider, d'autres n'y ont pas pensé et quelques-unes en connaissent qui ont réussi. Absentes pour partager leurs expériences. Des destins trop lourds pour marcher plus loin.

Nos rencontres prennent la forme de témoignages. Chaque femme livre son vécu, ses conseils ou ses frustrations. Souvent, l'animatrice impose un thème. La famille. Les amis. Les ex. Les enfants. Le travail. Le quotidien. La rue. La sexualité. L'opération. Les chirurgies. Les trucs beauté. Les hormones et les sautes d'humeur. Les changements physiques et psychiques. Toutes parlent avec confiance et honnêteté, sachant que les jugements sont interdits. Nous en vivons déjà assez à l'extérieur. Ici, c'est le respect.

Être transsexuelle, ça ne peut pas s'inventer. On reconnaît tout de suite les vraies des fausses. Les voyeuses sont démasquées et sorties à coup de pied au cul.

Le cercle est composé d'une dizaine de transsexuelles. Pas une femme ne vit la même chose et aucune d'elles ne partage la même opinion concernant l'identité trans. On ne s'entend pas sur la question de l'opération, de nos droits ou sur l'envie de s'afficher transsexuelle ou pas. Malgré toutes ces divergences, nous nous reconnaissons entre nous, mêmes inconnues. Lorsque j'écoute ces femmes, je remarque que la vie n'est ni toute noire ni toute blanche, mais un long et infini dégradé de gris. À les entendre, il y a de quoi nuancer. On ne peut pas généraliser. C'est du cas par cas.

Autour de la table sont assises des femmes issues de partout.

Une mère qui vient prendre de l'information et trouver des réponses à propos de son fils. Elle manque d'outils. Elle se questionne. À quel âge est-il possible d'entamer des démarches de changement de sexe? À travers quoi son bébé de dix ans va-t-il passer? Comment se fait-il que son enfant soit né comme ça? Serait-il plus sage de déménager? Les spécialistes peuvent-ils agir avant la puberté? De quelle expertise ont-ils besoin avant de commencer la transition? Fatiguée de voir souffrir son garçon, elle a décidé de l'accompagner avant qu'il choisisse d'en finir. C'est jeune, dix ans, pour mourir, quand on a toute la vie devant soi. Son fils l'accompagnera plus tard, lorsqu'elle le sentira assez solide sur ses pattes pour entendre toutes ces histoires. Maman lionne, elle souhaite le protéger. À tout prix.

Un couple de transsexuelles qui, avant de se connaître, étaient des hommes mariés. Au fond d'elles, elles désiraient trouver l'amour avec un homme. Elles se sont connues dans un autre groupe de discussion lorsqu'elles n'avaient pas encore commencé leur transition. Depuis leur première rencontre, elles ne se lâchent plus d'une semelle et s'accompagnent partout, pour tout. Pour l'instant, elles ont pris la décision de vivre en femmes sans subir l'opération. Elles ne ferment pas la porte à la vaginoplastie, mais pour l'instant, elles font le point. Leurs réflexions vont bon train et elles espèrent trouver leurs réponses en échangeant avec des gens comme elles. Les coûts des chirurgies, des interventions, des rencontres chez le psychologue, le sexologue et tout le reste montent rapidement. La facture est salée, il est impossible pour elles de tout défrayer pour deux transitions. Présentement, elles ont peine à couvrir leurs arrérages et les imprévus de la vie. Elles n'ont plus un sou.

Une femme qui a décidé de rester. Elle accompagne sa *maintenant femme*, opérée il y a de cela trois mois. Contre vents et marées, elle a tenu bon. Par amour, oh oui! Par folie, aussi, sans doute. Elle a tout vu, tout entendu, depuis qu'elle a choisi de ne pas partir. Dans son entourage, on la traite de naïve. On dit qu'elle est soumise et sous l'emprise de son mari. On ne la comprend pas d'avoir pris son parti. Malgré tout, elle suit sa femme. Elle tient le cap. Elle l'aime et n'a pas l'intention de la quitter. Elle accepterait que sa femme rompe pour vivre autre chose, mais elle, elle ne partira pas. Elle voit en sa femme un équilibre entre le masculin et le féminin et trouve qu'elle est comblée de vivre avec un être aussi accompli. Elles participent toutes les deux à ces rencontres pour montrer qu'il est possible de traverser la tempête, mais aussi pour qu'elles puissent s'exprimer sur toutes les embûches, les lourdeurs et les blessures vécues par la conjointe lors d'une transition. Ce n'est pas la fête tous les jours.

Une jeune fille mineure. Aux portes de son dix-huitième anniversaire, elle a commencé ses démarches. Elle n'avait pas encore dix ans quand elle a exigé un conseil de famille pour annoncer qu'elle ne se sentait pas garçon. Elle avait un fort caractère. Sa mère disait d'elle qu'elle était déterminée. C'était le qualificatif qu'elle employait le plus souvent lorsqu'elle présentait sa fille. Déterminée. Entêtée et déterminée. Elle n'aurait jamais si bien dit. Ses parents ouverts et anticonformistes de nature ont accompagné leur fille. Sans déménager. En concertation avec ses professeurs, les directions d'école et les intervenants. Tous étaient derrière la gamine, qui se sentait d'autant plus puissante. Cas plutôt rare. Elle voyait enfin le jour de sa chirurgie arriver. Après toutes ces années, elle en parlait encore, elle y rêvait encore, elle ne souhaitait que cela. À sa majorité, elle pourrait enfin faire le saut. Son prénom était changé depuis longtemps, tous ses papiers étaient en règle. Il ne manquait plus qu'à souffler la bougie. Elle sait que sa décision est la meilleure et elle ne changera pas d'idée. Jamais. Pas si près du but. Il y aura bientôt cohérence entre son esprit et son corps.

Une femme militante pour les droits des transgenres. Passionnée. Entière. Gueularde. Elle plaide que l'opération est de la charcuterie, de la vulgaire boucherie et qu'elle n'est pas nécessaire pour se sentir femme. Elle veut que les trans aient les mêmes privilèges que tous les citoyens de la société et qu'elles puissent arborer fièrement sur leurs papiers la lettre T. Ni homme, ni femme. Un genre neutre. Pour celles du groupe qui espèrent se fondre dans la masse, son opinion tranchante n'est pas la bienvenue. Elles ont même peur que cette prophétie s'accomplisse. Être stigmatisées à tout jamais. Refus de l'étiquette. Pour celles dont le souhait le plus cher est d'être comme tout le monde, cette militante parle trop. Pour celles qui veulent effacer leur passé, être marquées au fer rouge demeure la plus grande crainte. Elles ne tiennent pas à être représentées, défendues ou montrées sur aucune tribune, dans aucun média, dans aucune association politique. Les deux clans sont bien réels. Celui des femmes qui, après l'opération, ressentent le besoin d'être invisibles et celles qui désirent se battre, même si ça peut déranger, pour faire avancer la cause. Ces dernières veulent garder leur sexe et arborer le statut de transgenre. Tandis que d'autres demandent à devenir femme et à faire disparaître toute trace de leur corps d'homme. La militante a comme cheval de bataille la Loi 35 qui autorise le changement de la mention du sexe sur les papiers officiels sans avoir recours à l'opération. Cette cause n'est pas soutenue par toute la communauté trans et la divise. Je trouve cela trop compliqué. Je ne me prononce pas. Je veux naître et laisser les autres vivre.

Une collectionneuse. Elle possède tous les livres, tous les films, sans compter les documentaires, touchant de loin ou de près la dysphorie du genre. Elle ne parle que de cela. Lorsqu'elle se présente en public, c'est la première chose qu'elle dit, parfois avant son prénom. En gang, elle vend tout le monde. Même si certaines de ses copines transsexuelles demandent de passer incognito, elle les trahit. On ne dévoile pas l'orientation sexuelle d'une personne au premier contact, pourquoi le faire avec la transsexualité ? On se confie une fois à l'aise. Pour la collectionneuse, le malaise du contact humain la force à dévoiler ses cartes sans préliminaires, par peur d'être découverte avant. Comme si elle ne s'assumait pas encore à cent pour cent. Comme si elle doutait. L'information n'est généralement pas nécessaire pour les personnes avec qui elle parle. Elles discutent d'autres choses et bang, elle fout le sujet sur le tapis. Ses interlocuteurs ne devineraient pas, mais après l'annonce, ils restent là sans trop savoir comment réagir. Ils se demandent s'il faut la féliciter, lui poser des questions, s'attarder au sujet ou l'éviter. La collectionneuse gère mal les réactions des gens. Ses amies, qui désireraient passer sous le radar, lui reprochent de ne pas se mêler de ses affaires. Pour la collectionneuse, fière de son statut, elle accuse ses amies de mentir et de se cacher à la face du monde. Elle ne comprend pas comment on peut omettre de soulever le sujet alors qu'à vrai dire c'est gros comme un bouton sur un nez.

Une nymphomane. Elle ne parle que de sexe, ne pense qu'au sexe, ne veut que du sexe. Déjà, dans les rencontres de groupe, elle surutilise le mot. On n'en peut plus. Elle s'étend sur ses ébats amoureux en longueur. Avec des hommes mariés en voyage d'affaires. Avec des femmes curieuses et soûles en pleine toilette de bar. Lors de soirées où elle devient le fantasme de couples voulant tuer la routine. Avec des gais la trouvant jolie, mais contents de savoir l'organe central toujours en place. Elle aime bien son statut d'objet sexuel et n'est pas prête à l'abandonner. Plusieurs grandes parleuses ne sont que des petites faiseuses, comme dit le dicton, mais pour elle ce n'est pas le cas. Elle aime réellement le sexe et n'a pas comme objectif de s'encarcaner dans une relation de couple stable dans un avenir rapproché. À court terme, elle baisera et baisera encore. La participation de la nymphomane amène un froid dans le groupe. La plupart des transsexuelles présentes ne sont pas prêtes à faire l'amour. Leurs corps ne leur appartiennent pas encore. Elles ont entre les cuisses un engin de trop qu'elles haïssent. Elles refoulent. Certaines ont vécu des abus sexuels, des agressions et n'ont pas envie qu'on leur remette le sexe sous le nez. Avant de s'abandonner nues dans les bras de quiconque, elles devront passer par plusieurs étapes. Elles vont devoir s'apprivoiser et se trouver belles. Du sexe pour du sexe, gratuitement, elles ne sont pas chaudes à l'idée. Elles veulent qu'on les choisisse pour elles et non pas comme une expérience sexuelle excentrique.

La dernière membre du groupe est surnommée, par l'animatrice, la sprinteuse. Depuis qu'elle a commencé à faire ses coming out à son entourage, elle rebondit rapidement sur ses pattes. Il n'y a rien de plus évident pour elle que sa transsexualité. Elle n'attend que le bon moment pour en parler. Elle a l'appui de ses parents, de son frère et sa femme, ainsi que de ses neveux et nièces. La famille proche comprend et ne la reniera jamais. Elle se sent si bien depuis qu'elle s'est enfin libérée de ce poids. Elle fait tout rapidement. Les visites chez les spécialistes, l'annonce au bureau, l'inscription sur la liste d'attente pour l'opération. Elle sait où elle s'en va. Lors des premières séances, son psychologue lui a suggéré fortement de ralentir la cadence, mais il a ensuite compris que la rapidité était vitale pour elle. L'échéancier de la sprinteuse se rapproche. Les tâches qu'elle se donne à faire en un mois s'accomplissent en une semaine. Elle est plus que prête. Elle n'a qu'un objectif. Elle l'atteindra. Pas peur des pépins. Elle n'a plus de temps à perdre. Elle visualise le fil d'arrivée, la consécration, l'opération. Elle ne veut que cela. Elle est toute neuve dans le groupe, mais elle est déjà une inspiration pour toutes. Son positivisme. Son amour pour les autres. Sa détermination. Malgré sa petite trentaine, elle est devenue la mère du groupe. Celle qui rassure. Celle qui écoute les chagrins. Celle qui mouche les nez. Une maman qui colle avec une doudou et qui berce. Celle qui comble les besoins à la seconde près. Celle qui donne son meilleur. Celle qui se bat pour sa progéniture. Celle qui s'inquiète, mais qui continue de croire, toujours.

On aurait dit que nous avions été conçues pour nous rencontrer là. Maintenant. Bien que très différentes, nous nous apportons beaucoup. Nous venons aux rencontres ouvertes et disposées à dévoiler des zones intimes. Nous laissons nos jugements de côté. Nous parlons de nous. Nous nous livrons généreusement, sans réserve, sans s'arrêter trop longuement aux malaises. Malgré l'étrangeté du pourquoi, nous nous retrouvons là à discuter, tout semble si naturel, si fluide. Trop souvent nous avons à nous taire ou à nous cacher, alors dans le groupe, aucun tabou ne peut tenir la route. Tout peut se dire. Si l'exprimer fait du bien, pourquoi le garder pour soi?

PORTRAIT

Violence conjugale.

Une femme frappe son mari. Elle rage. Elle voit rouge. Elle a perdu la raison. Son cri strident pourrait fracasser les fenêtres de la maison. Elle traite son mari de pâte molle. De pea soup. De mauviette. De stupide. De pas logique. De sans génie.

Elle lui tire les cheveux. Le lance dans le mur.

Une femme frappe son homme de plus en plus. Presque à chaque fin de semaine. Elle ne tape pas là où c'est visible. Les blessures sont facilement camouflées par les habits. Une femme a plus de pouvoir que son mari, plus de force et s'en sert allègrement.

Un mari demande le divorce et rompt le secret. Il souffre de dysphorie du genre.

Une femme traîne son ex en justice. Elle veut tout. Elle joue la carte de la victime. Elle invente qu'elle a été violentée. Elle sort les violons. Elle incarne la femme battue à merveille. Elle pleure. Mouille les mouchoirs.

L'ex en transition tente de se défendre. Il avoue que c'est plutôt lui qui reçoit les coups, car elle le frappe encore.

Un juge demande : *Pourquoi vous ne vous défendez pas ? Vous êtes un homme après tout ?*

Un doute persiste.

Une trans demande l'asile dans une maison pour femmes victimes de violence. Impossible. On ne sait pas quoi faire avec « ce genre de femme ». Les bénéficiaires ne veulent pas voir d'hommes en peinture.

J'en suis à mes premiers balbutiements dans un groupe d'écoute. Décontenancée, je ne sais pas encore quelle place je dois prendre. Je me sens étourdie à les écouter. Pour bien tendre l'oreille à l'autre, il faut être présente d'esprit. Ces femmes ont un vécu si lourd, elles se battent depuis si longtemps que j'en ai le vertige. À les entendre, je ne suis pas au bout de mes peines. J'en baverai. La conclusion ne sera pas automatiquement un happy end. Je n'ose même pas penser à ma sortie de la garde-robe totale et définitive. On a beau dire que certaines décisions ne regardent que soi, celle-là va assurément secouer la sensibilité de plusieurs. Juste au bureau, je m'imagine mal parler de la pluie et du beau temps sur l'heure du dîner pour ensuite glisser subtilement dans la conversation : *En passant, je suis une femme.* Entre une bouchée de sandwich aux œufs moutarde baseball et un pouding de marque *no name* au chocolat, une nouvelle comme ça ne passe pas si facilement. Un froid s'installe.

Bien que ma mère soit déjà au courant de mon état, je ne me suis pas avancée avec les autres membres de ma famille. Doris a propagé la nouvelle à mes sœurs. C'est une évidence. À l'habitude, elles me téléphonent aux deux semaines pour ne rien dire et elles ont passé un mois *free*. Pas une sonnerie. Le silence radio. Il n'y a pas de doute, c'est louche. Comme je trouve mes sœurs casse-pieds, je ne suis pas amère de ne plus me farcir leurs potins insignifiants. Mon frère m'inquiète davantage. Malgré nos différences et nos disputes d'enfance, en grandissant, nous avons réussi à nous forger une amitié. Une complicité. Au début, nous avons dû nous créer une routine. Une fois par semaine, nous allons prendre une bière au pub irlandais situé sur l'une des plus grandes artères de la ville. L'endroit est bondé de toutes sortes de monde, il y a un chaos ambiant, mais nous aimons ce lieu. Nous n'y sommes pas seuls. Entourés, nous avons l'impression de prendre part à un bouillonnement humain que nous partageons avec un tas d'inconnus et ça nous plaît bien. Une fois le réflexe de rencontres établi, nous nous appelons pour nous suggérer des sorties. Sans enfants. Sans femmes. Juste entre gars. Ce ne sont pas tout le temps des activités viriles. Nous participons à la vie culturelle de la ville. Des vernissages de photographes de guerre. Des premières de théâtre grec. Euripide et ses tragédies avec une mise en scène lourde de quatre heures sans entracte. Des événements d'art performance. Des sorties de cinéma québécois malgré les critiques chiantes qu'a reçues le film. Des nuits littéraires où l'on découvre des perles de la poésie contemporaine, et où l'on revoit Michèle Lalonde à soixante-dix ans, droite, fière et solide sur ses deux pattes.

De la magie pure.

Une croix à marquer sur le calendrier.

L'histoire qui se passe devant soi. La femme plus que vivante.

Nous aimons être déstabilisés.

Avec mon frère aussi, c'est le silence radio. On l'a averti. Il est en colère. La prochaine fois que nous nous croiserons, il réagira fortement. Ça ne peut pas faire autrement. Comment peut-on accepter que son frère avec qui l'on a fait les quatre cents coups étant petit, l'ami des jours de pluie, devienne une

autre sœur. Une troisième. Je sais que mon frère ne se pro-
mènera plus avec moi dans la rue. Jamais. Ce n'est pas son
genre. Il pousse ses réflexions sur l'identité nationale, mais
il ne mettra pas d'efforts à cogiter sur le sort de l'identité
de sa nouvelle sœur. Je suppose. Mon frère préférera ignorer, sublimer, faire comme si. Par protection, son cerveau
s'inventera une conclusion. *Jean est gai.* Le message était tout
autre. La conclusion. *Jean est gai.* Pour moi, c'est une perte de
plus à ajouter sur ma liste de relations perdues. À reconquérir.
Avec le temps. Je porterai le deuil, mais je ne reculerai pas.
Une autre peine d'amour. La pire, peut-être. Mon frère.

Je ne sais pas trop à quelles femmes du groupe je m'iden-
tifie. À la militante de la cause des transgenres ? Trop occupée
à revendiquer, pas assez à l'écoute. Elle ne me rejoint pas. Le
couple de transsexuelles est difficile à cerner. N'entre pas
dans leur bulle qui veut. Elles vivent leur transition en couple,
se suivent partout et finissent la phrase de l'autre. La nymphomane, je ne pense même pas à me lier d'amitié avec elle.
Même l'animatrice peine à la retenir. Elle est incontrôlable.
Un combat perdu d'avance. La collectionneuse n'est pas très
assumée. Elle a peur qu'on la juge, elle doute de tout. Elle
s'excuse à chaque intervention et justifie toutes ses décisions.
Elle commence toutes ses phrases par *Depuis que je suis
transsexuelle, je...* Elle ne comprend pas encore tout ce qu'elle
vit et tous ces changements se passent trop vite. À chaque fois
que la sprinteuse demande la parole, la collectionneuse se
sent menacée. Elle est convaincue que la sprinteuse dit toujours le contraire de ses propos pour la confronter. Les deux
femmes s'opposent. Si elles n'avaient pas participé au même
groupe de discussion, ces deux-là n'auraient jamais rien
partagé. Bien que je sois sensible à la mère du petit garçon
et que je voudrais la soutenir, je trouve délicat de m'imposer dans la vie de cette maman qui vient demander de l'aide.

Je l'inviterai à prendre un café un de ces quatre. Je la rassurerai en lui disant de se fier à ses feelings de mère comme elle l'a toujours fait. En tant que parent de deux garçons, je reconnais la panique de la maman qui est à bout de solutions. Cette femme a épuisé son sac à essais et erreurs. Elle a passé des nuits blanches à faire des recherches, à résoudre des tas d'hypothèses, mais elle arrive toujours au même résultat. Son fils est transsexuelle. Tout petit et avoir une décision si grande à prendre. Elle ne peut pas se prendre à la légère. Je serrerais cette maman dans mes bras. Je la consolerais en lui assurant que c'est la meilleure chose à faire. Avant qu'il ne soit trop tard. Avant que la puberté ne soit irréversible et que son fils commence à se haïr. Si je finis par me dégêner, je le ferai. Nous nous entretiendrons d'un cœur de mère à un autre. Nous entrerons dans cette zone où l'on n'entend plus rien autour, où le temps ne défile plus, mais où il y a quelque chose qui se passe. À la bonne place, avec la bonne personne, au bon moment. Comme si on aurait dû se rencontrer depuis mille ans. La mère du garçon pourra enfin fermer quelques chapitres. Pas tous. Certains. Ce sera un début. Bien assez.

Quelques-uns resteront en suspens.

Quelque part dans les profondeurs de son fils. De sa fille.

J'admire la jeune mineure. J'aurais voulu avoir son audace et son énergie à cet âge. Elle vient de sortir du monde de l'enfance. On dirait que ce n'est encore qu'un bébé, mais elle est si grande. L'adolescente drive sa vie avec courage et force. Rien ne lui fait peur. Rien ne l'arrête. Elle a tout pour réussir. L'appui de sa famille. La présence d'amitiés fortes. L'assurance. La volonté de changer les mentalités. Le petit air baveux. Le regard qui dit *J'm'en câlisse!* L'adolescente sait où elle s'en va et si on ne la suit pas, c'est bien dommage, elle ne regarde pas les gens qu'elle laisse derrière. Ils n'en valent pas la peine. Elle fait son chemin et continue la tête haute.

Le cœur heureux. L'âme légère. La transformation de la jeune femme est pratiquement chose faite. Elle est magnifique. Après toutes ces années de tranquille transition, ses formes masculines ne paraissent plus. On ne peut faire le lien entre un homme et elle, qui a commencé à prendre des hormones assez tôt. Par angoisse de la mutation et de sa voix grave. Par peur de la pomme d'Adam, ce cartilage gênant. Par dégoût extrême du poil, ne jamais en être couverte, ne jamais voir poindre l'un d'eux sur son doux visage. Les hormones ont bien agi. À l'adolescence, les traits de la jeune fille ne sont pas devenus carrés. En changeant d'école au secondaire, personne ne suspectait quoi que ce soit. Elle est une jolie jeune fille très attachante, drôle, assez comédienne. Elle s'implique partout, on la connaît pour être de tous les feux. Elle est respectée et personne ne se douterait de son passé masculin. Elle a la paix. La seule ombre au tableau demeure son pénis. Lorsqu'elle discute avec ses copines, elle prétend ne pas être pressée sexuellement. Elle ne se change jamais devant personne. Elle évite de s'inscrire dans les cours de piscine. Seulement quelques-unes de ses meilleures amies sont au courant. Elle rejette les avances des garçons intéressés par elle. Après son secondaire, qu'elle lance en blague, lorsqu'elle sera majeure. L'adolescente a envie de découvrir la sexualité comme toutes les filles de son âge, mais elle retarde le jour. Elle veut la vivre avec une vulve. Son corps. À elle. Pour l'instant, elle tolère à peine son sexe et ses réactions, car, connecté à ses envies, son pénis est comme tous les autres. Il bande. C'est dégoûtant. Elle comprend que c'est l'instinct qui contrôle ses pulsions sexuelles et non pas sa raison, mais s'il n'en avait été que d'elle, son pénis n'aurait jamais montré aucun élan de rien du tout. Il serait resté là, inerte, à attendre d'être coupé. Froidement. L'adolescente n'a même jamais découvert son corps. Elle ne s'est jamais masturbée. Son sexe lui est inconnu. Il la répugne. Elle se met dans des colères ini-maginables les matins où elle se réveille détrempée à cause de rêves cochons. Elle s'en veut de ne pas réussir à freiner son pénis. Elle souhaiterait qu'il n'existe pas. Qu'il ne fasse pas de vagues jusqu'au jour de sa mort où, malgré le mal extrême, l'engelure du bas ventre et la dose de cheval de médicaments, elle célèbrera. Elle fêtera la victoire et l'arrivée de son vagin.

J'ai des affinités avec la sprinteuse. Cette femme commu-nique une joie de vivre. Son attitude positive et sa motivation à atteindre son but le plus tôt possible m'inspirent et me donnent envie d'y mettre encore plus d'efforts. On ne peut pas reprocher à la sprinteuse de ne pas être sur sa voie. Elle trace. Elle court en ligne droite à toute vitesse. Il n'y a aucun doute pour cette femme qu'elle se rendra jusqu'à son opéra-tion. Elle espère faire un parcours parfait et, à la suite de son année comme femme à temps plein, être appelée rapidement pour sa vaginoplastie. Elle a déjà perdu trop de temps. Plus elle vit dans ses réels habits, plus elle se demande comment elle a pu attendre aussi longtemps avant de commencer sa transition. Alors elle accélère le pas. Sa cadence effrénée la surprend elle-même. Au tout début, elle s'était dit qu'elle ne bousculerait personne. Qu'il faudrait qu'elle digère une étape avant de passer à une nouvelle. Une bouchée à la fois. Tranquillement, mais sûrement. Sauf qu'une fois que la machine s'est mise en marche et qu'elle a constaté que ce n'était pas si effrayant que cela, la sprinteuse a shifté en deuxième. Elle s'est connectée à elle-même, a relâché du stress et a ressenti encore plus de bien-être. Elle a shifté en troisième vitesse. Des amis l'ont acceptée, accompagnée, aidée, sont restés près d'elle. Elle a shifté en quatrième vi-tesse. On l'appelle par son vrai nom dans une salle d'attente à l'hôpital, on l'interpelle en utilisant le mot *madame*. Elle shifte en cinquième vitesse. Ça goûte bon, cette euphorie d'être elle, d'être libre et intègre. Ne plus mentir. Montrer son réel visage. Dire qu'elle aurait pu toucher au zénith bien avant. Je me plais à regarder évoluer ma nouvelle amie. Je voudrais être aussi déterminée qu'elle. Je m'impatiente d'arriver un jour à ce stade. La sprinteuse s'assume et déambule fièrement. J'apprends beaucoup de cette femme. Elle ne se plaint pas sans arrêt et voit grand.

Je peux comprendre sans trop de difficulté l'envie d'être soi au plus vite. Plus elle pose des gestes la rapprochant de ses objectifs, plus l'ivresse l'envahit. Elle respire mieux. Elle veut passer à l'action, prendre des décisions, annoncer sa nouvelle. C'est pire que de la drogue dure. On y touche une fois. On reproduit l'expérience. On remet ça. On rapproche les occasions pour en prendre. On se crée des défaites pour consommer. On devient accro. Et ça déboule. Et ça déboule. Et ça déboule. Et ça déboule. Comme de la drogue dure, sauf que la dépendance à son genre apporte toujours plus de positif dans sa vie. La béatitude que la sprinteuse ressent ne peut que la raccrocher et non la perdre dans un univers malsain. Nous discutons souvent. Nous nous interrogeons sur nos histoires. Nous nous conseillons des livres, des vidéos, des documentaires à voir. Nous nous apportons des ouvrages scientifiques ou de psychologie. Nous débattons. J'écoute ses conseils, ils sont pleins de bons sens. Je ne doute pas d'elle. Je la trouve crédible, ce qui n'est pas le cas de tout le monde autour de la table de discussion. Il y en a qui surjouent. Il y a des m'as-tu-vu. Une amitié est naissante. Bien que tout ce que la sprinteuse entreprend semble s'accomplir facilement, elle en a bavé. Elle ne s'est pas laissé distraire. Telle une patineuse de vitesse, elle a tout calculé. Son énergie emmagasinée, sa distance jusqu'au fil d'arrivée, sa vitesse pour s'y rendre, ses obstacles, ses rivales, leurs forces et leurs faiblesses. Elle a fixé un point fixe et elle fonce. L'opération.

Pour enfin vivre.
Prendre des notes.
Faire ses leçons.
Déprogrammer la vieille machine.
Remodeler la nouvelle.
Dormir là-dessus et recommencer le lendemain matin.
Là où on a arrêté le boulot la veille.
Travailler dur parce que *pas naturel* encore.
Prendre exemple sur d'autres femmes.
Celles qui sont nées les pieds dedans.
Celles qui ont eu la chance de recevoir les enseignements.

SCÉNARIO CATASTROPHE

Sur les épaules d'un seul petit garçon.
Trop de stress accumulé.
Trop d'ennuis.
Trop de rires contre lui sans être avec.
Trop de volées mangées.
Trop de jambettes *sans faire par exprès.*
Trop de surnoms dévastateurs.
Trop de solitude dans son combat.
Trop d'ignorance.
Sur les épaules d'un seul petit garçon.
Trop de haine et de méchanceté.
Dans les pantalons.
De l'urine échappée par nervosité.
Trop de papa violent en colère contre les enfantillages de son cadet.

Avant de comprendre ce qu'elle vivait, la sprinteuse, Joëlle, a essayé plusieurs avenues. Quête identitaire. Épopée au cœur de soi.

En homme, elle a d'abord eu des blondes en couple hétéro. Elle a ensuite tenté le coup avec des hommes en couple homo. Face à l'échec de ses unions, elle s'est lancée dans les bras d'amants attirés par les transsexuelles non opérées. Elle s'est trouvée comme femme dans ses relations. Un amant, un voyage. Pour Joëlle, l'humain l'aide à découvrir ses limites, ses envies, ses dégoûts. Ces aventures l'arrachent de sa vie d'avant, l'amènent ailleurs.

Malgré ses multiples conquêtes, sexuellement parlant, rien ne faisait. Joëlle n'appréciait pas les contacts sexuels, son pénis lui nuisait. Elle avait mal au cœur juste à y penser. Elle tentait le coup. Elle aurait voulu que ça marche. Se faire à l'idée. Elle priait pour que ce malaise identitaire la quitte comme il était venu. Pour y mettre fin, Joëlle croyait encore aux contes de fées. Elle espérait rencontrer par hasard dans le détour d'une clairière enchantée un homme, ou une femme, qui l'aimerait comme ça et qui réussirait à faire en sorte qu'elle s'aime sans se changer. Mais ce n'était pas le cas. Bien qu'elle ait baisé à gauche et à droite avec plusieurs individus, elle n'est pas tombée sur cette perle rare. Elle n'aimait pas son corps. Lorsqu'elle ramenait une personne dans son lit, elle était irritée. Elle voulait fermer les lumières à tout prix. Se mettre toute nue la glaçait sur place. Elle se fâchait contre les femmes qui la trouvaient *beau*. Elle engueulait les hommes incapables de lui faire l'amour comme à une femme. Elle se rasait de la tête aux pieds pour avoir une peau lisse et douce. Elle se demandait encore si, une fois complètement femme, elle serait en couple avec un homme ou une femme. Elle tombait amoureuse des personnes sans considérer leur sexe. Elle savait comment faire jouir un pénis, mais les vagins l'intriguaient. Elle aimait les découvrir, sauf qu'elle enviait ses conquêtes féminines de les porter. Elle aurait voulu leurs vagins. Avoir le sien. L'inspecter. L'explorer. Le posséder. Aller vers ses horizons lointains. Mettre tout son temps pour l'exciter. Le faire exploser de bonheur. Qu'il lui appartienne. Qu'il ne la quitte plus. Son vagin, à elle toute seule. Son clitoris, ce petit bouton de plaisir, ce grand décollage, ce planage aérien, cette vague à surfer, cette drogue électrisante.

Au fond, elle savait qu'une fois femme, elle chercherait un homme pour partager sa vie. Les femmes ne l'excitaient pas. Elle n'avait pas envie de leur faire l'amour. Elle avait besoin d'un homme viril, qui l'enlacerait dans ses gros bras forts et douillets. Les femmes avec qui elle avait couché avaient servi de tests. Elle prenait des notes sur la mécanique. Après avoir louvoyé dans plusieurs lits, aujourd'hui, Joëlle préfère l'abstinence jusqu'à son opération. Elle n'en peut plus de baiser pour baiser. Tout l'agresse de l'acte sexuel. Il y a blocage. Elle ne peut s'abandonner dans l'amour parce qu'elle craint de bander, d'éjaculer. Dès que son pénis touche la cuisse, le ventre, les fesses de son partenaire, Joëlle se referme comme une huître. La sprinteuse détale. Elle demande à ses amants s'ils peuvent faire comme si son pénis n'existait pas. Elle l'attache, mais ça ne plaît pas aux visiteurs l'ayant suivie pour prendre leur pied jusqu'au bout. Ils n'ont rien à faire de préliminaires de deux heures. Être pénétrés par une femme dotée d'un pénis long et durci est leur finalité. Le summum. Immobiliser et empêcher de jouir ce donneur d'orgasmes est impensable. Grand malheur, Joëlle est dotée d'un pénis d'une taille qui rendrait jaloux tout homme complexé par la petitesse de son engin. Malgré cet avantage flagrant, Joëlle souhaite plus que tout se débarrasser de ce gênant accessoire. Dieu a mis le paquet lorsqu'il a créé son membre. Pour ses amants, il n'est pas question d'investiguer une sexualité plus douce et calme. Quel gaspillage de ne pas utiliser ce pénis à sa juste valeur. Lorsqu'elle était en couple avec une femme, la sexualité était toujours source de discorde. Le couple s'engueulait sur la manière de faire l'amour et Joëlle n'en avait jamais envie. Toujours une bonne raison pour éviter la relation sexuelle. Elle ne désirait pas ses partenaires. Pour toutes ces raisons, l'abstinence était la meilleure des solutions, comme ça, elle n'avait pas besoin de s'épancher sur des explications à n'en plus finir sur le comment du pourquoi elle ne veut pas bander.

Ça passe ou ça casse.

Proverbe des situations pénibles.

Ça passe ou ça casse. Née dans une famille de fonceurs et de gens déterminés, Joëlle a souvent entendu cette marotte. Tous utilisent cette phrase à toutes les sauces. Un mariage mal assorti. Ça passe ou ça casse. Un gros contrat au boulot. Ça passe ou ça casse. L'éducation des enfants. Ça passe ou ça casse. Une querelle de famille. Un malentendu entre amis. Une décision sérieuse à prendre. Un fiancé qui tarde à faire sa demande. Un adolescent qui n'aide pas aux tâches ménagères. Ça passe ou ça casse. Une gamine qui échoue presque son année scolaire. Un grand-père qui refuse de se soigner et qui fuit l'hôpital. Un mari qui ne s'implique pas à la maison. Une femme qui cuisine mal. Une vieille fille trop sélective.

Ça passe ou ça casse. Non seulement cette maxime a été gravée dans la mémoire affective de Joëlle durant sa petite enfance, plus âgée, elle l'a vécue concrètement. Elle l'a mise en pratique. Ses derniers mois en homme ont quasiment eu raison d'elle.

De longs jours à se demander si elle sortirait la tête de l'eau.

Des nuits à accumuler le besoin de dormir.

Des pleurs interminables.

Des yeux bouffis, des lèvres déshydratées, des joues irritées.

Un regard vide.

Des mois souffrants.

Un chemin tragiquement tracé.

Sentir la fin.

Transpirer la mort.

Ça passe ou ça casse. Ça a passé.

Comme toutes les transsexuelles, Joëlle a tendu des perches aux membres de sa famille. Tous se doutaient de quelque chose, mais ils attendaient qu'elle fasse le pas. Par respect, ils voulaient qu'elle soit prête avant de se confier. Au premier abord, ils croyaient que leur garçon était gai. Ils préparaient leurs encouragements, leurs accompagnements, leurs *Si tu veux parler, on est là* ou *T'as pas l'air de feeler ?* Malgré la présence de sa famille, avant de prendre la décision de commencer sa transition, Joëlle a fait quelques tentatives de suicide. Appels à l'aide qui auraient pu être fatals. Elle écrasait sous le poids social. Elle étouffait en pensant aux déceptions que ses parents subiraient à cause d'elle. Ils avaient déjà eu des obstacles difficiles à surmonter tout au long de leurs vies, elle ne voulait pas en rajouter une couche. Elle ne leur donnerait jamais de petits-enfants, ni en homme ni en femme. Ses tentatives de suicide avaient plutôt tourné en mésaventures.

Grosses indigestions. Elle se réveillait dans son vomi en se demandant comment elle avait fait pour survivre à ce cocktail toxique. Plongeon pour rien. Le pont pas assez haut pour provoquer le choc fatal. Dans ses essais, la sprinteuse avait frôlé la mort une fois pour vrai.

Un soir où elle était seule à la maison, un élan de folie s'est emparé de la jeune femme. Elle ne pouvait plus manquer son coup. Continuer comme ça finirait par la mener dans un hôpital psychiatrique et elle n'avait pas envie de terminer sa jeunesse dans une camisole de force à hurler sa vie et à se geler à coups de comprimés. Fréquenter, jour après jour, des gens qui se pètent la tête contre les murs. Entendre des cris dans la nuit. Voir déambuler des âmes en peine et sans couleur, avec juste assez d'énergie pour longer les corridors. Écrire de la poésie en micro caractères pour que personne ne puisse lire le mal-être. Avant que cette prophétie ne se réalise, Joëlle s'est rappelé le proverbe familial. Celui qui pansait toutes les plaies par un bisou magique sans trouver de solution alternative à la situation. Ça passe ou ça casse.

Plus d'espace pour elle ici.

Il fallait que ça cesse, et pour que tout arrête, il fallait bloquer la vie.

Joëlle a sorti la lame de sa pioche. Elle a vérifié sur le bout de son doigt si elle était assez affûtée. Le sang a jailli. Elle a sursauté, mais étrangement elle ne ressentait pas de douleur, plutôt un plaisir. Elle a tourné une catin sur son doigt pour que le sang ne décourage pas son plan. Elle a baissé son pantalon le long de ses jambes. Elle a laissé tomber ses sous-vêtements. Elle s'est assise sur la toilette, elle a regardé la lame et son pénis. La lame et son pénis. La lame. Son pénis. La lame, puis elle s'est exécutée. Elle a entaillé ce membre inconnu. Ce membre indésirable. Nuisible.

Elle s'est évanouie.

Elle gisait par terre depuis quelques minutes quand sa mère est rentrée à la maison. Tableau horrible. Elle n'a pas pris le temps de remarquer quel geste avait posé son enfant. Pas le moment d'analyser. Elle a couru vers le téléphone et a appelé les secours. Elle a attendu, nerveuse, à se ronger les ongles jusqu'au coude, devant la fenêtre du salon. Incapable de retourner dans la salle de bain. Elle avait perdu le souffle et ne le reprendrait qu'une fois les ambulanciers arrivés. Les urgences sur place, aucune parole encourageante n'a été livrée à la mère anxieuse. Ils ne pouvaient pas dire si leur fils s'en sortirait. Les blessures étaient profondes, il avait perdu beaucoup de sang. Il était rare de voir ce genre de plaies ouvertes. Vouloir se couper le pénis. Le geste était isolé. La mère ne reconnaissait plus son enfant. Trop inquiète, elle n'a pas voulu grimper dans l'ambulance.

Situation peu habituelle.

Elle viderait ses yeux de larmes avant de prendre la route de l'hôpital.

Fallait-il alarmer la famille? Que répondrait-elle lorsque tous lui poseraient la question fatidique? Elle ne s'imaginait pas inventer les raisons de l'hospitalisation de son fils. Elle devrait calmer la donne. *Rien de sérieux. Tout est beau. Il ne faut pas s'inquiéter. Ça va aller. On va gérer. Ça passe ou ça casse.* Le suicide, ce tabou.

Son mari. Elle ne pouvait pas tenir dans le secret son propre mari. Il fallait qu'il sache. Qu'il vienne la rejoindre à l'hôpital pour veiller leur fils. S'il ne passait pas la nuit et qu'elle avait décidé de garder le silence, il lui en voudrait pour le restant de ses jours. Les parents aimaient d'amour leur garçon. Ils l'avaient tant désiré, cet enfant. Comment lui annoncerait-elle qu'il avait tenté de se suicider en sectionnant son pénis? Au téléphone, la mère anxieuse avait fait tout son possible pour ne pas exagérer la situation. Elle amoindrissait les faits et tournait les coins ronds.

En plus d'être tragique, le moment était délicat.

Une fois assis auprès du lit de leur fils, les parents ne disaient plus un mot. Ils tenaient la main de leur enfant. Priaient. Attendaient. Écoutaient la folie des corridors. Il n'y avait que ça à faire. Être patients. L'hôpital n'était pas l'endroit pour parler de la blessure de leur garçon. Pourquoi vouloir trancher son pénis ? Alors ils se taisaient et laissaient tourner leurs pensées nerveusement.

À qui la faute ?

Joëlle n'avait pas réussi son coup. Elle était vivante et son sexe, toujours présent. Rien n'avait changé, sauf qu'en plus d'être malheureuse à en mourir, elle était étendue dans une chambre d'hôpital froide sentant la pisse et l'eau de javel. Ses parents, mourants d'inquiétude, la veillaient jour et nuit. Joëlle manquait de force, de courage. Elle ouvrait les yeux, puis les refermait aussitôt. Elle repoussait le moment du questionnaire parental. Son plan initial semblait facile. Couper son sexe. Mourir au bout de son sang. Pas question d'amener son pénis au paradis, ni même en enfer. Elle l'aurait laissé sur le sol de la chambre de bain de la maison familiale et puis elle aurait grimpé parler à Dieu-pis-sa-gang de leur mauvaise blague de l'emmurer vivante dans un corps inconnu. Joëlle se sentait comme un pays assiégé, contrôlé et manipulé par l'ennemi. L'harmonie ne régnait pas pour elle. Joëlle se disait que de là-haut, le spectacle devait être agréable. Voire humoristique. Admirer dans l'arène de boxe, son moi, son surmoi et son ça se défoncer la gueule à coups de madrier, de pelle au visage, de brique, de chaise éclatée dans le dos, de doigts dans les yeux, de masse sur les mains, de scie ronde sur les genoux. Une scène de Bud Spencer et Terence Hill. De la lutte. Du sang. Des claques sur la gueule. Des meubles qui volent. Encore du sang. Des insultes. Bud Spencer tout en subtilité qui arrache une dent à un mécréant de ses mains. Arrêt sur image de Terence Hill impressionné. Et la bagarre reprend.

Après quelques jours de repos et de rencontres obligatoires avec le psychiatre de l'hôpital, la sprinteuse s'est enfin confiée à ses parents. Il était temps. Ils devenaient fous à force de mutisme. Les parents avaient tiré leur conclusion, mais de tous leurs scénarios, aucun ne touchait à la transsexualité. Comme ils préféraient savoir leur enfant vivant, ils l'ont écouté. Ils ont concentré leurs efforts à comprendre leur fille, maintenant. Puis, ils lui ont promis de l'accompagner dans sa transition et de tout faire pour faciliter l'acceptation de leur famille. À partir de cette discussion, la sprinteuse a pu enfin respirer et se sentir libre de devenir la femme qu'elle aurait dû être. Elle mangerait de la misère. Elle vivrait des moments d'enfer, mais elle savait que le soir, lorsqu'elle entrerait à la maison, ses parents seraient là pour elle et qu'ils l'aimaient.

Le monde goûtait meilleur.

PORTRAIT

Elle perd la garde de ses enfants.

Le juge ne la trouvait pas apte à s'occuper des gamins. Il n'est déjà pas pour les mariages gais et les couples homoparentaux.

Comment peut-on prendre soin d'un enfant dans ce contexte ? se demande le juge en analysant la situation. *Les enfants seront mieux avec leur mère normale.*

Au-delà des faits, il y a le jugement.

La justice n'a pas penché en sa faveur.

La justice a jugé.

Au fil des confidences, quelques-unes d'entre nous avons développé une amitié. Malgré les liens pas naturels pantoute, nous partageons un univers commun.

Pas facile de cultiver nos anciennes relations, alors nous en créons de nouvelles. Il faut beaucoup de compréhension et une ouverture d'esprit hors du commun pour oublier l'ancien nom, l'ancien sexe, l'ancienne voix, les anciens gestes, les anciens comportements, les anciennes routines, les anciennes pratiques. Soit les amis détalent au vu et au su de tout le monde par malaise, soit les autres trouvent des raisons bidon de mettre fin à ces longues années de camaraderie. Pourvu que personne ne les accuse de fermeture ou de discrimination. Ceux qui ont eu le plus de difficulté à accepter mon nouveau genre ont été mes chums de gars. Comme si leurs cerveaux ne pouvaient pas transposer l'information d'un sexe à l'autre. Comme si une fois femme, je ne pourrais plus pratiquer les mêmes sports, les mêmes activités avec eux. Comme s'il s'installait une zone de non-dit sexuel pouvant créer des situations d'ambiguïté ou de tensions érotiques. Comme s'ils avaient peur que Jeanne se transforme en chatte en chaleur. Comme si les discussions allaient changer. Ils ne pourraient plus parler de politique. De sport. D'actualité. De chars. Je ne m'entretiendrais que de mes nouveaux ongles vernis et de mes 36C. Rien d'intéressant pour une soirée à la Cage aux Sports.

Puisque pour la plupart d'entre nous, nous recommençons à sortir de notre tanière, nous nous organisons des événements ensemble les samedis soir. Nous désirons reprendre le temps perdu cloîtrées dans nos sous-sols à nous pomponner avec comme seul public notre foutu miroir. Nous avons tant à découvrir de notre ville : les cafés, les bars, les musées, les théâtres, les galeries d'art actuel, les plateaux de tournage d'émissions de variété, les festivals. Nous avons participé à tout cela en hommes, mais n'avons jamais pu errer librement sans le poids de l'imposture sur le dos. Certaines parmi nous, avant de vivre à temps plein en femmes, avaient revêtu robes et souliers à talons hauts lors d'événements, mais nous stressions à l'idée de rencontrer des gens pouvant nous trahir. Nous sortons manger. Nous organisons des fêtes privées pour souligner la date d'opération de l'une, la première année de transition de l'autre. Nous nous inventons des raisons pour nous voir, pour boire, manger et nous coucher aux petites heures.

Avec le temps, des nouvelles connaissances se sont greffées à notre cercle. Une femme ayant été opérée depuis déjà quinze ans, qui vit avec un homme tombé amoureux fou d'elle. Cette doyenne, bien que nouvellement débarquée, tombe à point. Elle a une belle folie, le cœur jeune, elle inspire les femmes qui se trouvent dans des périodes plus ardues de leur transition. Elle conseille. Elle réconforte. Elle normalise. Elle explique. Elle analyse les comportements des gens et dessine des portraits. Elle met en contexte. Elle ramène les filles trop émotives. Elle raisonne les cœurs enflammés. En plus, elle fait du bien à l'ambiance parfois tendue.

La doyenne ne trouve pas sain que les femmes trans restent toujours entre elles. Elles ne se mélangent pas assez au monde. Par peur d'être confrontées à la population ordinaire et de ne pas être comprises, elles rôdent dans les lieux de la communauté. Comme ça, elles savent qu'elles courent moins de risques de se retrouver dans une situation inconfortable. Elles restent au chaud dans leur zone douillette et neutre. La communauté gaie, lesbienne, bisexuelle et trans a déjà une longueur d'avance sur la question. Ils sont habitués de côtoyer des transsexuelles en début de transition, donc la plupart des gens du quartier n'en font pas un plat et les soutiennent. L'élan de solidarité est là. Nous ne nous sentons pas assez fortes pour sortir de la communauté, et la doyenne nous encourage, pour les bienfaits de la cause des transsexuelles, à parler à tout le monde. Elle nous pousse à ne pas figer devant les gens qui nous démasquent, mais à leur répondre, à aller vers eux et expliquer. Je me sens prête. Je veux sortir de ces frontières. Je souhaite vivre une sociabilité vraie. Je ne me marginaliserai pas toute seule.

La doyenne ne fait pas l'unanimité dans le groupe. Elle déteste voir les personnes rester dans de vieux patterns. Elle exige des gens qu'ils se dépassent et qu'ils sortent des formules toutes faites. Les *ç'a toujours fonctionné comme ça* ou les *j'suis d'même pis c'est tout'*. La doyenne force la réflexion, bouscule les femmes emprisonnées dans leurs préjugés, car elles aussi se font des idées sur les gens. Certaines d'entre elles se justifient de ne pas sortir de chez elles en blâmant la population qui ne comprend pas leur histoire. D'autres sautent aux conclusions en affirmant, sans place au débat, que tout le monde est fermé à elles et qu'elles sont seules à se battre. La doyenne défait les mythes. Elle rocke la casbah. Je l'adore. Sans avoir le même parcours, nous avons le même âge. Les références de la doyenne me parlent. Nous avons connu les mêmes époques, les mêmes engouements, les mêmes modes. Nous avons vécu notre crise identitaire dans un contexte semblable. Une famille catholique où l'enfer n'était jamais loin. Des traditions conservatrices où la réussite se couronnait d'une femme, d'enfants, d'une maison, d'une voiture et d'un téléviseur couleur.

Je regarde se mouvoir la doyenne. Elle rit. Elle parle fort d'un ton assumé. Elle dégage une sagesse de longue date. Tout cela me rassure. La doyenne est heureuse.

Le bonheur se peut à long terme.

Il y a de ces rencontres qui font du bien.

PORTRAIT

Une transsexuelle marche dans la rue la nuit.

Elle retourne à la maison.

Trop bu, elle voulait cuver son vin à pied. Ciel étoilé. Vent chaud d'été.

3 h 37. Petit matin.

Une bande de gars sortent d'un bar.

Trop soûls.

Ils abordent la dame avec rudesse. Ils la brusquent. Ils lui demandent combien elle charge. Ils veulent tirer sur sa jupe. Ils rabaissent le tissu de son chandail pour caresser ses épaules. Ils vérifient la couleur de son soutien-gorge. L'un deux passe son bras autour de sa taille. Il la tripote. Il la bécote.

La femme ratisse les lieux. Pas d'autres marcheurs. Un taxi. Appeler un taxi maintenant.

La femme s'impatiente. Elle précise pour une dixième fois que son corps n'est pas à vendre et que son amoureux l'attend à la maison. Invention, dans l'espoir d'une fuite imminente. Les hommes rient. La femme plonge son regard dans les yeux de l'un d'eux, lui suppliant de ramener à la raison sa bande de macaques. L'homme baisse les yeux. Il n'a pas de pouvoir dans le groupe. Il ne peut qu'avoir honte et être témoin de cette scène dégradante.

La femme se fâche. Les hommes montent le ton. Ils l'insultent. Ils la battent. L'homme sans pouvoir se retire de la scène maintenant violente. Ils la tripotent encore. Une voiture arrête sur le bord de la rue. On crie de stopper l'élan. On se jette sur les agresseurs. L'homme sans pouvoir vomit, accoté sur le coin d'un immeuble. Les autres sont neutralisés et embarqués dans le panier à salade. Des policiers ramènent la femme chez elle. On lui demande si elle veut porter plainte.

Elle n'a pas la force. Elle a sommeil.

Une lettre par courrier recommandé.

Doris me poursuit en cour. J'entrevois à l'horizon de longues démarches sans queue ni tête qui finiront de déchirer ce qui reste de notre famille. Un épisode avec fin affligeante où l'on retrouvera des blessés. Relisant ces froides lignes, où il est impossible de trouver un lieu d'entente et de compromis, je sens mes forces me quitter. Maxime n'a certainement pas demandé à ce qu'on me traîne en justice. J'en suis convaincue. Jusqu'à présent, je me demande comment j'ai fait pour tenir le coup. Mon garçon vient me visiter. Maxime. Nous parlons des heures en sirotant notre Canada Dry sur glace. Nous rions. Nous échangeons des moments intimes, des sentiments sérieux comme nous réussissons, en toute légèreté, à discuter de choses et d'autres. Depuis le début, mon garçon le plus jeune a été de loin le plus mature et le plus ouvert. Aucune amélioration pour les autres.

Abattue, je ressasse. De la première soirée d'automne où la nature s'endort jusqu'à la renaissance du printemps, il y a cent cinquante nuits où je pourrais m'enlever la vie. Je voudrais être femme de fer. Être endurcie. Pas si fragile. Une carapace d'acier, pas de laine, pas de cachemire. Une structure lourde faite de pierres. Que du roc indestructible. Mais je suis faite sur un frame de ouate. Fluffy, fluffy. Je sais que si ça continue ainsi, je ne pourrai plus mettre un pied devant l'autre. Je sais que je finirai par me balancer du plafond. Visage bouffi et bleu. Pieds lourds comme du plomb. On me retrouvera par l'odeur qui se dégagera de l'intérieur de mon appartement. Pas assez souvent de visite pour surprendre quelqu'un. Je commence à peine à vivre et la mort devient une option. Je dois réagir.

Quelques mois se sont écoulés depuis notre séparation et c'est maintenant que Doris met sa menace à exécution. Elle agit pendant qu'elle a encore le contrôle. Quand elle aura gagné, elle vendra tout et déménagera loin dans le nowhere.

Pas question de perdre mes fils.

Pas question de perdre le lien.

À la guerre comme à la guerre. Je me suis effacée et j'ai laissé digérer tranquillement mon ex-femme, là, ça suffit. D'un geste décidé, j'ai pris le téléphone et j'ai appelé une nouvelle copine rencontrée à l'association des trans et qui se trouve dans la même situation. Éveline. Avec quelques procès à son actif, Éveline est passée par plusieurs chemins avant d'avoir gain de cause. En homme, elle se retrouvait toujours avec des conjointes germaines et violentes. Les agressions faites aux hommes sont taboues. Honteuses. On encaisse le coup et on se tait.

Réponse d'un ami : *Tu te laisses frapper par une femme ?*

Réponse de la police : *Un homme battu, vous avouerez que c'est souvent le contraire ?*

Réponse d'un parent : *Elle est si douce, ta copine. Parlez-vous !*

Réponse de la femme : *Si tu me dénonces, je dis aux flics que c'est de la légitime défense et que c'est toi qui me bats.*

Éveline a toujours des contacts avec sa famille, ses amis. Depuis sa transition, elle attend impatiemment la date de son opération. Elle a peine à se réjouir lorsqu'une de ses amies a sa date à l'agenda d'un chirurgien. C'est compréhensible, elle en a bavé. Procès pour violence conjugale où il a fallu convaincre le juge jusqu'à la dernière seconde que sa conjointe la battait. Procès pour la garde de ses enfants où elle a dû prouver sa lucidité et où sa grande fille a ni plus ni moins que renié sa mère pour prendre son parti. Procès pour la séparation du patrimoine : la maison, les biens et la cidrerie, leur entreprise dont elle était copropriétaire. Toutes ces aventures judiciaires ont duré une dizaine d'années. Cela a mis sur la glace bien des projets et l'a affaiblie. Trop de gens observent ses faits et gestes et n'attendent que la moindre petite erreur pour tout lui reprendre et repartir en procès. Avec les années, Éveline est devenue la référence de la communauté transsexuelle pour les questions de justice. Elle connaît les étapes. Elle voit les pièges à éviter. Elle a tellement goûté à cette médecine qu'elle étudie maintenant en droit.

Je m'informe sur la séparation du patrimoine. Pour faciliter la tâche à Doris et ne pas trop la brusquer, je suis partie sans faire de vagues. Je lui ai tout laissé comme pour mettre un baume sur la plaie. *Au moins, elle a la maison, les voitures, les meubles et tout est fini de payer.* Ma gentillesse se termine là. Je ferai appel à mes avocats. Je transformerai mon désespoir en bataille. Le sablier a terminé de s'écouler. Doris aurait dû comprendre avant. Je ne fais plus de cadeau. Je ne lui donnerai plus raison. Je ne lui prémâcherai plus ses réponses. Je réponds à l'agression. Je prends les armes et j'ai besoin d'Éveline pour ça. Je veux savoir à quoi m'attendre. Les coups de cochons. Pour Maxime, pour Dominic, je me bats pour eux.

J'écoute les conseils d'Éveline et prends des notes sorties tout droit de son récit. Avant de pouvoir poursuivre ses démarches d'opération, elle doit régler ses procès. Éveline n'a toujours pas terminé de payer ses déboires juridiques. Elle ne souhaite pas le même scénario pour moi. Elle espère que je signe une entente à l'amiable ou un règlement hors-cour.

J'aurai besoin d'un bas de laine bien garni si je veux accéder à toute la gamme des chirurgies qui me permettront de ressembler à l'image qui me plairait. Éveline, elle, a tout brûlé en frais d'avocat, elle a dû mettre son projet d'opération sur la glace. Sait-on jamais? La médiation pourrait nous aider à mettre un terme à cette guerre ouverte. Doris s'est métamorphosée en vache de la pire espèce. Elle se sert des enfants pour obtenir ce qu'elle désire de moi. Elle menace de me mener à la rue. Elle colporte des mensonges sur moi à nos amis. Elle monte la tête de tout le monde. Elle médit. Doris est tentaculaire.

Je rase les murs au bureau. Je me fais petite dans ma famille. Je m'efface aux yeux de mon ex-femme. Je n'existe plus pour Dominic. Je fais honte à ma mère. C'est beau, là. Suffit.

Désormais, je me tiendrai droite.

Je m'assumerai totalement. J'exigerai le respect. Je ne plierai plus devant quiconque.

Je n'ai pas l'intention d'en baver davantage.

On m'a donné le pied au cul nécessaire au combat.

PORTRAIT

Dans le dos d'un père, une mère s'informe sur les démarches de transition de son fils.

Elle lit des articles scientifiques. L'âge où il peut être opéré. Les hormones qu'il devra prendre. Elle dévore tout ce qu'elle trouve de témoignages de parents. Elle explore la possibilité de déménager et de recommencer sa vie ailleurs. Vider la maison sans avertir le père et partir. Elle cherche des solutions. Elle commence à se pratiquer : *Ma fille. Je vous présente ma petite dernière. Elle s'appelle...* Elle se confie à des personnes qui abordent le sujet par hasard.

D'autres enfants vivent cette réalité.

Dans le dos d'un père, une mère prend un rendez-vous avec un spécialiste de la dysphorie du genre.

En sens inverse. Dans le courrier, une autre lettre.

Doris a ouvert l'enveloppe avec un léger sourire de satisfaction, elle croit avoir gagné. Certaine que je lui lèguerai la garde des enfants sans défense, elle plane glorieusement. Elle prend bien son temps pour savourer le moment.

Cachée à quelques pas de la maison, je regarde la scène. J'aurais voulu lui remettre la lettre en mains propres. *Ça fait plaisir*, lui aurais-je déclaré. Ne voulant pas envenimer les choses et donner plus de pouvoir à mon ex, j'ai déposé l'enveloppe avec son courrier du jour et j'ai attendu qu'elle la découvre comme une bonne petite femme raisonnable.

Séparation du patrimoine. Je demande cinquante pour cent de tout. La maison. Les voitures. Les économies. Les fonds de retraite. La garde complète de Maxime accompagnée d'une allocation : elle gagne plus que moi. Doris est sur le cul. Elle s'est assise sur le banc de quêteux dans l'entrée de la maison pour relire mes demandes. Si je gagne, elle devra vendre la maison et se trouver un minuscule appartement. En ville, pour avoir un espace aussi grand, il faut acheter un bloc de trois étages, en habiter deux et en louer un. Ça coûtera une fortune.

Je ne me laisserai pas lyncher sans me battre. C'est mal me connaître. Peut-être que Jean s'écrasait devant sa femme, mais Jeanne ne lèchera le plancher pour personne. Je suis prête à donner une chance, à être sympathique, voire à laisser toute la place, sauf qu'en retour, il faut avoir l'ouverture de ne pas détruire ce que je peine à construire. Si Doris avait eu la finesse et l'élégance de me respecter, je lui aurais tout laissé sans dire un mot. Mais pour toutes les femmes qui se sont battues avant moi, qui ont gagné de petites et grandes batailles, je ne baisserai pas les bras. Pour toutes les trans qui luttent pour leurs droits, je me joindrai à leur combat contre l'injustice. Plus question de me mettre la tête dans le sable. Plus question de m'excuser d'exister. Je suis là et je m'appelle Jeanne.

Le tonnerre gronde à deux pas. On entend les chevaux de la colère arriver en trombe. Il y a toute l'artillerie lourde. Les clairons retentissent. Les tambours roulent. Les premiers cavaliers prêts à faire feu se tiennent à l'affût des mouvements de l'adversaire. Je ne ferai pas de cadeaux. Doris fantasme de m'égorger vive. Il y a là l'esquisse d'un long combat à venir.

Avec les rencontres chez le psychiatre et le sexologue, j'ai écoulé le coussin monétaire que j'avais de côté pour les jours plus difficiles. Le monde juridique est dispendieux, pas le choix, j'appelle ma mère. La matriarche croule sous les économies, elle est la banque à pitons de la famille. Je compte beaucoup sur elle pour m'aider à gagner ma cause. Je sais que je devrai passer à travers son interrogatoire de police avant même de pouvoir penser à obtenir une cenne de sa part. C'est une vieille malcommode, mais même si elle devra piler sur son orgueil pour me soutenir, elle ne me laissera pas tomber. Du moins, je l'espère.

— Maman, a va m'prendre mes fils si j'me défends pas !

— Mon pauv'ti-gars ! Mais y où c'que t'es rendu dans tes affaires simp'es ? T'aurais dû réfléchir avant d'faire tes niais'ries.

— Fais pas comme si tu l'avais jamais su.

— Penses-tu vraiment qu'le juge va pencher par-devers toi ? T'étais ben, là, une maison, une femme, des beaux enfants pis y a fallu que tu scrapes tout' pour tes lubies.

— J'veux juste que tu m'prêtes de l'argent.

— J'jette pas mes avoirs dans l'feu, tu sauras, mon garçon ! C'est tout l'temps les mères qui ont la garde des enfants. Vous allez vous arracher les yeux pour rien. Y peuvent choisir qu'est-cé qui veulent. Pis moé à leu'place, j'prendrais la mère parce que t'as l'air perdu, mon p'tit gars.

Ma mère refuse de me voir depuis que j'ai commencé ma transition. Nous parlons d'interminables heures au téléphone, mais lorsque notre conversation ne ressemble pas à un long monologue où ma mère se plaint de ses multiples bobos, des effets secondaires de ses médicaments ou du malheur de vieillir, nous nous engueulons sur ma transsexualité. Amélia nie les signes évidents que tous et chacun voyaient lorsque j'étais enfant. Elle feint des blancs de mémoire, l'*ailzaïmeur*, qu'elle dit. Elle me crie dessus pour que je cesse de lui parler avec une voix de femme. Quand j'étais petit, plusieurs personnes avaient fait des remarques à ma mère sur les étranges comportements de son garçon. Elle n'avait écouté personne, ni mes professeurs, ni les directeurs d'école, ni la parenté, ni la bonne sœur, ni monsieur le curé, ni mes amis et encore moins les voisins. Lorsqu'on lui suggérait de consulter des spécialistes de la petite enfance, les bonnes âmes étaient automatiquement mises à la porte. Ma mère était habituée à ces manèges, elle les sentait venir de loin. L'un m'avait vu me promener dans le village avec le maillot de bain de mes sœurs sur le dos. L'autre venait déclarer le vol d'une poupée et d'une poussette jouet que j'avais commis dans la cour du voisin. Un autre venait poser une question anodine : *Comment se fait-il qu'il veuille qu'on le nomme Lili lorsqu'on lui demande son prénom ?* Mon professeur demandait une rencontre de parents, car je désirais jouer le premier rôle dans le ballet Casse-Noisette, celui de Clara, au lieu de choisir un petit soldat de plomb comme tous les garçons de ma classe qui détestaient la danse et les spectacles de Noël. Le directeur s'inquiétait : *Jean n'a plus d'entrain, il fait des crises pour qu'on lui prête des vêtements de fille dans les objets perdus et lorsqu'il bouge c'est pour se battre car ses amis le traitent de fifi.* Tout l'entourage de la famille Martin se posait des questions. Quelques-uns, regardant par la fenêtre, cachés derrière le rideau, jugeaient la manière qu'avait Amélia d'élever son garçon. D'autres étaient bourrés de bonnes intentions et auraient eu envie de faire partie de la solution, mais ma mère n'entendait rien. Ni la raison. Ni la tristesse de ses enfants. Seule à éduquer les quatre, elle en avait par-dessus la tête. Elle époussetait les photos familiales en faisant comme si tout était parfait. Aveugle.

Amélia ne s'est pas améliorée avec le temps. Elle a empiré. Toujours sur ses positions bornées, elle cultive ses préjugés. Elle argumente même avec moi dans le but de sauvegarder son garçon. Malgré que je sois devenue Jeanne, elle proteste encore et déclare que ce n'est qu'une passade. Je connais trop bien ma mère. J'ai beau lui expliquer pourquoi il est important de me faire ce prêt, elle ne démordra pas. *D'mon vivant, voir mon gars en robe, jamais!* À moins de m'endetter et de payer ma bagarre judiciaire pendant quinze ans à des taux d'intérêts exorbitants, je ne vois plus d'autres avenues. Triste constat, je n'ai plus qu'à prier pour que la solution me tombe du ciel, que Doris débarque de ses grands chevaux ou que l'affaire se règle d'elle-même.

— Si j'te d'mandais d'témoigner, Amélia ?

— Pour leu'dire quoi ?

— Que j'ai toujours pris soin d'mes enfants, que j'ai toujours été là pour eux. Pour leur dire que j'suis un bon parent.

— Si j'vas là, j'vas leu'dire que j'te connais pas. Moi j'ai mis au monde Jean Martin, pas un semblant de femme qui sait p'us qu'est-cé inventer. R'trouve ta raison, mon gars, pis j'vas t'aider.

Il n'y a pas là grande surprise, la vieille joue son rôle de chipie. Même lorsque nous étions petits, Amélia nous terrorisait bien plus qu'elle ne nous consolait ou nous entourait d'amour. Ses propres enfants. Cette femme était un passage obligé pour nous. On ne choisit pas sa famille. On y grandit et une fois qu'on en est sorti, soit on s'y colle à vie, soit on bûche à gagner notre autonomie pour s'en sauver. On choisit encore moins sa mère. Une mère n'est pas de manière innée une confidente, une copine, une figure rassurante, une releveuse de peine d'amour, une cuisinière de soupe de malade ou de sauce à spaghetti de premier appartement, une personne avec qui on passe de bons moments. Une mère, ça peut être chiant. Ça peut être irresponsable. Ça peut être l'enfant de la famille. Ça peut être méprisant, absent, nourri par la honte, bourré de complexes, traumatisant. Une mère n'est pas automatiquement le plus beau de tes souvenirs d'enfance, il peut être pénible. De l'amour inconditionnel, ça se gagne et se mérite à grands coups de bisous, de compromis, de sacrifices, de raz-de-marée de câlins, de rires, de temps offert sans compter, de nuits blanches à veiller le malade, de répétitions de la même consigne plate, de sang-froid et de cochon, de fierté, d'émerveillements, de patience, d'encouragements sans pression, de blagues complices, de regards approbateurs, d'enseignements pour son bien, de non, de oui et de n'oui, de bons choix pour l'enfant, de petits matins en pyjama à regarder les bonhommes en buvant du lait, de siestes à deux collés et d'efforts de bœufs couverts de sueur parentale.

Ma mère a subi son état, elle n'a pas pris la décision de porter des enfants. À cette époque, quand une femme demandait pourquoi elle devrait faire des enfants, on lui répondait *C'est la voie que Dieu t'a tracée. C'est d'même pis c'est tout'!,* sans plus de détails. C'était la famille ou le couvent, et comme ma mère n'était pas plus catholique qu'il faut, elle a opté pour le moins pire. Prendre époux et fabriquer des enfants. Sans savoir sur quel numéro elle allait tomber. Avec un verre dans le nez, Amélia racontait souvent la même histoire dans les rassemblements des fêtes familiales. Elle répétait à tue-tête que si elle avait pu lire dans l'avenir et qu'elle avait vu son quotidien, son flanc mou de mari qui les a abandonnés, ses enfants pas de génie, sa maison toujours sale et sens dessus dessous, elle se serait cloîtrée au couvent avec les nonnes. Bête de même. Trois, quatre prières, du ménage, quelques corvées et la paix.

Prendre du recul. Juste pour une fois. Au lieu d'être mère.

Pourtant, jusqu'à mon départ de la maison, ma mère n'a pas dormi une seule nuit complète. Toujours la tête pleine. Toujours à s'inquiéter. *Pourquoi il n'est pas rentré ? Avec qui il est sorti ? Sa toux n'augure rien de bon. Il n'a pas pris la meilleure décision.* Amélia n'avait pas l'air de tenir à ses enfants, elle ne laissait jamais rien paraître, mais elle se faisait du mouron sans bon sens. Elle en avait une boule dans l'estomac, une autre dans la gorge, un pincement au cœur, les mains engourdies, les bras lourds et comme une envie de souffrir à leur place. C'est pour cette raison qu'elle nous haïssait en plus de nous aimer. Pour toutes les crises d'angoisse que nous lui faisions vivre. Jusqu'à mon départ, il n'y avait pas un repas qu'elle avait digéré. Mangeant rapidement sur le coin de la table dans l'espoir que tout se passe bien, que tout le monde soit confortable. Les bouchées se suivaient dans son gosier et les brûlements n'étaient jamais bien loin. Trop de stress. Elle ingurgitait les aliments à peine mâchés. Jusqu'à mon départ, elle organisait son temps en fonction de nos horaires. Elle pensait à tous les rendez-vous chez le médecin, à chaque rencontre avec les professeurs, chez le dentiste, aux fêtes familiales, aux vacances, à l'anniversaire de chacun, à la visite de matante Chose, de grand-mère Misère et de mononcle Merde-Alors. Elle était un calendrier sur deux pattes. Une agente de développement en projets spéciaux. Jusqu'à mon départ, elle a compté les jours avant de retrouver le calme et la sérénité d'esprit. Elle collectionnait les calendriers. En plus d'y écrire la météo et la visite passée à la maison, elle les marquait de croix pour compter les jours avant ce fameux dernier départ, le mien.

Elle espérait que je parte jeune. Hors du nid me jeter, sans savoir si je savais voler.

Après chacun des accouchements, elle n'avait jamais cessé d'avoir mal. Aux blessures physiques s'ajoutait la fatigue. Elle avait beau se concentrer et regarder le bébé qui venait de naître, elle était incapable de l'accueillir avec bonheur et amour. Elle nous rejetait, nous repoussait. Une chance jouait en notre faveur, à cette époque, car il existait les relevailles. Les sœurs d'Amélia et sa propre mère s'occupaient de nous pendant que la nouvelle maman se reposait et assimilait le choc. Un autre gamin s'additionnait à sa lignée. Juste à penser qu'elle devrait s'occuper des autres, qui demandaient le retour de leur mère, en forme, en grande forme, Amélia descendait aux enfers.

Dieu. Elle ne l'avait pas choisi et lui en voulait de se venger de la sorte. Dieu. Quel Dieu oblige les femmes à donner naissance au péril de leur santé, de leur vie ? Dieu. Dieu. Dieu. Elle attendait qu'il réagisse. Créer un bourdonnement permanent à ses oreilles. Elle lui parlait tout haut, tout bas, partout puisqu'il s'y trouvait. Elle ne le lâchait pas pour lui montrer combien il était injuste avec elle et que ses enfants ne lui retournaient pas tout ce qu'elle accomplissait pour eux. À la face du monde, elle se montrait croyante acharnée, mais au fond d'elle-même, elle le haïssait, Dieu, d'avoir donné la vie, d'avoir démarré le bal. C'était trop demander, d'avoir cinq minutes pour elle. Arrêter le *cri-cri-cri* des criquets trop fort, bien trop fort. Couper les cordes vocales du cabot de la voisine d'en face. Éteindre la radio pour un mois, six mois, deux ans. Couper le sifflet du train. Poser une sourdine sur tous les enfants du quartier, en particulier les siens qui ne faisaient que pleurer, crier, hurler et chigner.

Du silence.

Du calme.

Il était marginal de rester vieille fille à son époque, mais si elle avait écouté son cœur, elle aurait fait ce choix. Comme mère de famille et tenancière de maison, elle avait volé de déception en déception. L'amertume l'avait envahie, elle cherchait un coupable et elle avait mis la faute sur nous, ses gamins, qui tiraient tout le jus de son existence. Célibataire, seule et libre, elle rêvait de faire campagne. Se présenter dans son comté. Une femme mairesse sans tablier. L'énergie était là, il suffisait de la canaliser dans le débat. On la décrivait comme farouche, fougueuse, ambitieuse et tête brûlée. On colportait qu'aucun homme ne la prendrait pour épouse, et cela la réjouissait. Elle n'avait aucune envie de sacrifier son potentiel dans le seul but de récurer des chaudrons de ragoût croûtés, de rapiécer des chaussettes, de modifier l'habit usé pour qu'il fasse au suivant et de traire les vaches au lever du soleil. On entendait partout : *Amélia, elle est dure !*

Et la famille a fait pression. Et un homme a demandé sa main. Et la mère n'a pu tenir sous les menaces du père qui voulait voir partir sa fille. Et la vieille fille qui est passée de folichonne à femme respectable. Et la même femme qui a perdu sa flamme, ses ambitions, ses rêves et sa passion. Et le temps qui l'a rattrapée.

Comme mère, elle s'est mise à bourrasser. Des rides sévères se sont creusées sur son visage encore jeune. Elle ménageait ses rires. Les joies d'une vie familiale ne savaient pas la combler. Elle voyait dans ce fardeau le symbole de son emprisonnement et non de l'exploration de nouveaux horizons. Lors de rares moments où elle se retrouvait seule, elle imaginait sa vie si elle avait pu se lancer en politique. Il n'y avait que le silence qui lui procurait la concentration nécessaire pour y arriver. Elle voulait la paix. Elle criait pour l'avoir. Et si elle avait eu un mari qui avait aspiré à se présenter à la mairie, elle serait devenue mairesse par la fesse gauche et l'aurait conseillé sur l'oreiller. Mince prix de consolation, mais heureux défi.

Je n'ai jamais connu ce qu'est une mère qui a espéré ses enfants. Cela ne me surprend donc pas qu'elle ne m'appuie toujours pas à l'âge adulte. Le contraire m'aurait cloué au tapis. Sans empathie, ma mère n'a jamais su se mettre dans la peau de ses enfants et ressentir notre tristesse. Je protégerai mes arrières autrement ou j'abandonnerai ma cause. Tant et aussi longtemps que je ne recevrai pas la date de l'audience rien ne presse, mais j'explorerai les avenues de la défense.

Je ne laisserai pas l'orgueil démesuré de mon ex-femme gagner le procès qu'elle entame uniquement pour consoler son amour-propre blessé.

Ai-je des chances de le gagner?

Je m'informerai auprès d'autres femmes de mon groupe de discussion, je n'aurai pas assez d'un seul avis. Les seules femmes n'ayant pas eu à passer par la justice n'ont pas d'enfants. Il n'existe pas de séparations faciles, mais lorsqu'il n'y a que les meubles et le compte conjoint à partager équitablement, l'exercice semble moins déchirant, moins émotif. Les insultes pleuvent, mais aucune oreille chaste d'enfant n'entend les échanges de colère avec armes de destruction massive. Celles qui fuient la chicane se contentent de quitter la maison et tout laisser derrière.

Enterrer le passé, visualiser ses propres funérailles, effacer le carnet de téléphone, changer de ville et recommencer.

La fuite est plus légère sans responsabilités. Personne pour suivre nos traces.

J'espère un arrangement à l'amiable.

SCÉNARIO CATASTROPHE

Deux sœurs crient.

— Papa! Il arrête pas!

Deux sœurs veulent décider de tout.

— Toi, dans l'histoire, tu es le papa qui rentre de travailler. Tu es fatigué et tu veux pas que les enfants se chicanent.

Deux sœurs se mettent en colère contre leur frère qui veut jouer le rôle de la maman à la maison. Deux sœurs crient.

— Papa! Dis-lui que c'est pas drôle et qu'il faut qu'il arrête de niaiser. On peut pas jouer!

Deux sœurs refusent de s'amuser. Elles boudent. Elles protestent. Pas question de continuer à s'amuser avec un petit frère entêté. Deux sœurs mettent dehors le petit frère dur de comprenure et s'organisent sans lui.

Un père qui place son fils dans le coin en le traînant par le runner.

AVANCE RAPIDE

Bataille agressive en justice. Les coups ont volé bas. Témoignages des enfants avec questions abusives. Témoignage d'Amélia, trahison face à face. Épuisement des garçons. On leur impose un verdict. Je perds gros. Maxime est sous bâillon. Dominic est soulagé de ne plus être obligé de me fréquenter. Papiers à l'appui.

Puis, des semaines ont passé, des mois, des années. Les enfants vieillissent et je les vois à peine. Des années à payer des frais d'avocats. À mettre mon opération sur la glace. Quand les garçons seront prêts, me suis-je répété chaque jour.

Je me sens libre d'un côté et j'étouffe de l'autre.

Un hiver long comme la lune.

À démoraliser.

À éviter tout contact avec la vie d'avant.

L'isolement des pays nordiques. Une fois la saison rude installée, on s'emmitoufle, on s'encabane, on ferme les volets, les portes à double tour, on couvre de plastique les fenêtres, on ajoute des couvertures sur le lit, on chauffe la truie jusqu'à ce qu'elle soit rouge, on se frictionne à l'alcool et on prend un petit coup à partir de novembre. Au chaud, on ne bouge plus. On stay at home. J'ai une motivation de plus pour stagner chez moi. À l'appartement, je vis librement dans mes plus beaux atours. Dès que je quitte le foyer, je reprends mes allures de Jean. Cette hypocrisie me donne de plus en plus mal au cœur. Pour éviter de me mentir en pleine face, je ne mets plus le nez dehors en homme. Puisque je n'ai pas encore le courage de déambuler dans la rue en femme, une fois rentrée du boulot, j'hiberne. L'hiver est une bonne défaite pour refuser les invitations provenant de l'extérieur du cercle de mes amies transsexuelles.

Il fait trop froid.

Les routes sont trop glissantes.

Le vent fouette.

Engelures au nez, aux joues.

Dehors toute la journée. Ce soir, reste encabanée.
Peur de la conduite d'hiver.
La poudrerie réduit la visibilité.
Le temps est trop calme, ça va dégénérer.
Les pneus d'hiver sont sur la fesse.
La voiture ne décolle pas. Besoin d'un survoltage.
Les trottoirs glacés empêchent de se rendre à pied.

Je suis branchée en permanence sur le canal météo et j'analyse tous les changements pour les quatorze prochains jours. La petite dame devant l'écran bleu annonce toujours une veille de tempête hivernale ou de verglas ou des vents violents ou trente centimètres de neige ou un moins quarante, il y a de quoi s'enfermer. Ce n'est jamais certain, mais cet hiver, on saute d'une alerte météo à l'autre. Que du sale temps. J'ai en masse de jus pour justifier mon caractère casanier.

Pour ceux qui suggèrent de me rendre visite, j'ai aussi prévu le coup. Mon téléphone est doté de l'afficheur. Je trie mes appels. Si c'est un ami qui n'est pas au courant de mon état, je ne réponds pas. Surtout lorsque je ne me sens pas en mesure de trouver les mots et l'énergie pour faire un énième coming out.

Je suis malade comme un chien. Elle est maline, la grippe. Ça vire en pneumonie.

Tu tombes mal, je popote pour la semaine. La cuisine ressemble à Hiroshima.

Tu es allergique aux chats, toi? Je garde le matou de mon voisin.
Gros dossier au travail. Je bosse.
Jour du marché.
Rendez-vous chez le médecin.
On va faire le pied de grue pour des billets de concert.
Déjà des invités, la maison est pleine.
Paperasse à régler avec mon ex, c'est pas la joie ici dedans.

Je dois faire une gymnastique mentale pour réussir à me débarrasser des gens que je redoute de voir. Ce n'est pas si facile, comme manœuvre. Tout d'abord, je me rappelle le mensonge employé pour éviter la personne. Ensuite, j'invente un nouveau scénario. Cette mascarade devient aliénante et m'isole de plus en plus, puisqu'après deux ou trois rejets, mes amis se disent que je ne suis plus très fiable et pas joignable depuis mon divorce. Ce sera à moi de faire les premiers pas la prochaine fois.

Les personnes qui connaissent réellement ma situation ne demandent pas à me voir. Ils savent que je traverse une période sauvage où je refais peau neuve avant de reconnecter avec le monde. Je reçois, de peine et de misère, la visite de Maxime une fin de semaine sur deux. Je me bats avec Doris. Dominic rage toujours contre moi.

Même si je sais pertinemment que mon ex me mettra des bâtons dans les roues jusqu'à la fin, j'espère encore recevoir l'approbation de mes fils avant de passer au bistouri. Je déchante. Mes soucis viennent en partie d'elle et de sa façon de me faire payer ma décision. Doris souhaite encore que j'oublie mes folies et que je sauve notre couple. Elle n'acceptera jamais la situation, se plait-elle à répéter. Elle menace toujours de quitter le pays avec les enfants sans laisser d'adresse.

J'ai envoyé une lettre à ma mère lui demandant de nouveau de m'aider financièrement. Mes garçons ont besoin de plus d'espace. Ils ont passé l'âge de dormir ensemble. Les appartements plus grands coûtent trop cher. Je ne peux pas payer davantage pour me loger. Les dépenses reliées à ma transition s'accumulent, et plus tard, ce sera encore pire. Je compte plusieurs milliers de dollars si je me rends jusqu'au bout de mes démarches de changement de sexe. Ma mère a répondu. Tout croche. Fidèle à elle-même. Elle m'a appelée pour m'engueuler.

— T'as pas d'fierté ? Tu m'demandes encore de l'argent ?

— Laisse tomber, maman. J'veux juste que mes gars soient bien chez-moi.

— Si c'est c'que tu veux, r'tourne avec Doris. A fait une dépression à cause de toi.

— Blâme-moi pas pour ça. Doris a toujours été vulnérable à la déprime saisonnière.

— Si tu penses que j'vas t'prêter d'l'argent pour que tu puisses t'greffer un vagin, tu peux oublier ça. Reviens sur terre, Jean !

— Amélia, fais un effort, c'est Jeanne !

— J'haïs ça quand tu fais simp'e de même !

J'ai raccroché au nez de ma mère. Amélia a encore réussi à me mettre le poids du monde sur les épaules. Je culpabilise. Avec le recul, je me trouve vachement seule. Plus de famille. Ma femme, mes enfants, ma mère, mon frère et mes sœurs, tous ont déguerpi. Plus d'amis. Ils ont choisi le camp de Doris.

Et cette solitude ne fait que commencer.

La semaine dernière, au boulot, j'ai entrepris les démarches avec les gens des ressources humaines pour qu'ils puissent établir une stratégie d'exécution du plan. *Accompagner les employés à accueillir, après un congé de quatre jours, Jeanne qui, à vrai dire, est Jean, leur collègue de plus de dix-sept ans d'ancienneté.* Pas si simple comme mandat.

Réunion d'équipe. Point au varia. *Point 6.1.2. Jeanne.* Les gens se demandaient qui est cette Jeanne. La responsable des ressources humaines n'a pas lésiné sur les détails, elle a fait ses recherches. Elle a traité mon cas comme son plus gros dossier à vie, le pic de sa carrière. Après un bref moment de stupéfaction, de *Jamais j'aurais pensé que...* et de blagues idiotes, tous ont retrouvé leurs esprits et ont réagi avec maturité. *On sera là pour toi, Jean... ne.* La responsable a demandé de commencer par une procédure bien simple : porter attention à utiliser mon nouveau prénom dans les communications verbales et écrites. *Ce ne sera pas un réflexe, mais avec le temps, vous vous adapterez au changement.* On a entendu des *Quel courage!*, des *Oui, oui, oui, tout s'explique* et des *Je me doutais qu'il... elle cachait quelque chose d'étrange.* Le soutien psychologique ne sera pas nécessaire. Les employés sont ouverts. Une dépense de moins. Tous sont partis pour le long congé avec cette information spéciale et lorsqu'ils reviendront, la rivière aura repris son cours normal.

Dans les corridors. On potine. *Au fond, on se trompe toujours sur les gens qu'on croit connaître.* On suppose. *Jean n'a jamais eu de père.* On doute. *Va-t-il faire une belle femme?* On laisse sortir les véritables réactions. *Ça sera bizarre de travailler avec.* Toujours se méfier des conversations de cadre de porte. Les gens prennent leurs positions, dévoilent leurs stratégies.

J'ai gardé le nom de Jeanne. Le baptême naturel de Maxime m'a touchée. Son geste spontané a eu assez d'importance pour me convaincre d'adopter ce prénom officiellement. Le choix d'un nouveau nom à l'âge adulte n'est pas chose simple. Il ne suffit pas d'aimer un prénom pour le porter. Il y a plusieurs facteurs à considérer avant d'en prendre possession, l'époque, par exemple. Je ne voulais pas détonner de mon temps, décaler de ma génération. Quand on est né dans les années soixante-dix, on ne s'appelle pas Mahéva ou Léa-Love, on n'invente pas. Quand on a grandi dans une famille québécoise au cœur d'un village, on reste classique. Julie. Maryse. Stéphanie. Christine. Isabelle. Marie-Ève. Marie-Josée. Marie-Pierre. Marie-Lise. Marie tout court ou toute autre composition de Marie. Mon plus jeune a tranché. Au départ, je ne voulais pas simplement féminiser mon prénom d'homme. Je me disais qu'il fallait tirer un trait radical sur cet univers, mais par la suite, je me suis ravisée. Il y a des gens autour de moi, des personnes qui partagent ma vie. Pour mes enfants, il sera plus facile d'utiliser un nom semblable à mon ancien pour mieux assimiler. Ça prendra moins de temps à intégrer. Bien que je n'aime pas les Luc devenant Lucie, Yvonne devenant Yvon, j'utilise mon prénom fièrement, comme un symbole de l'acceptation par l'un de mes enfants.

Toute jeune, à la dernière page du livre *Les malheurs de Sophie*, j'inscrivais des prénoms de fille que je voudrais porter lorsque je changerais de sexe. Lili. Suzie. Nadia. Vickie. Mon frère et mes sœurs détestaient ce livre, je pouvais donc en noircir les pages comme un journal intime. Ils ne viendraient jamais fouiner là. Je demandais conseil à ma mère qui changeait automatiquement de sujet. Amélia, adepte de psycho pop, avait lu dans l'une de ses revues moralisatrices et infantilisantes que pour modifier le comportement d'un enfant, il fallait l'ignorer. Elle avait donc mis mes questionnements identitaires dans le même panier qu'un enfant qui se fouille frénétiquement dans le nez. Elle évitait les malaises liés à mon sexe et ne répondait que par des grognements et des *T'es ben tannant* à une question comme *Maman, est-ce que tu trouves ça joli, le nom Lili?*, car elle savait qu'elle serait suivie de près par *Quand je serai grande, je m'appellerai Lili!*

J'ai commencé. Je change de prénom. Moment-clé de ma transition. Je dois déchiffrer les papiers, lire et comprendre de longues procédures et remplir les demandes sans rien oublier. Lorsqu'on s'informe sur les procédures à suivre pour effectuer cette manœuvre, l'état civil explique: *Vous désirez changer votre prénom, votre nom de famille. Cela signifie en quelque sorte adopter une nouvelle identité. Il s'agit d'un geste important. C'est pourquoi il faut avoir un motif sérieux pour demander un changement de nom.*

Ça donne le ton. Grave.

Pour porter officiellement mon nouveau nom et l'arborer fièrement sur mes cartes d'identité, je me motive à passer à travers la paperasse qui traîne dans le plat de fruits qui me sert de vide-poches. Je vois ça compliqué. Je n'ai surtout pas envie que ça se prolonge à cause de niaisages dans mon dossier. Ça repose entre les mains du directeur de l'état civil qui juge des motifs à notre demande de changement. Il faut que ce soit assumé et argumenté, comme choix. J'attends ce moment depuis longtemps, celui de pouvoir lire partout, sur tous mes papiers, *Jeanne*. Dire et répéter *Bonjour, je m'appelle Jeanne*. Les papiers sont plates, mais l'excitation est si grande que je me contiens à peine. L'attente sera trop longue avant le jour J. Une fois ma demande acceptée, il ne restera que le détail de publier l'annonce légale de mon changement de nom dans les journaux locaux, mais c'est vraiment pas rendu là. Juste à prier que Doris ne tombe pas par hasard sur la petite annonce et qu'elle ne pète pas une nouvelle coche. Doris m'a bien défendu d'exposer au grand jour ma *maladie*. Elle ne veut pas être mêlée à ça et que nos fils soient vus d'un œil soupçonneux. J'entends déjà en trame de fond mon ex me hurler par la tête. Les gens jugent. Les gens passent des commentaires. Les gens tirent des conclusions. Les gens conseillent. Les gens inventent des problèmes là où il n'y en a pas. Les gens aiment bien savoir qu'il y a d'autres gens plus malheureux, plus fous, plus désorganisés, plus mal amanchés qu'eux. Ils s'exclament. Ils s'esclaffent. Ils parlent dans le dos. Ils colportent toutes sortes de trucs ailleurs, jusque dans leurs foyers. Ils perdent leur temps à inventer des faussetés. Ils se comparent et trouvent qu'ils ne sont pas si fous que ça.

Ça rassure de savoir que la folie appartient à quelqu'un d'autre qu'à soi. C'est toujours rassurant de voir les autres qui se comportent comme des fous, tandis qu'on gère bien, au moins en partie, sa vie. Ça normalise. Ça réconforte. Ça offre à notre cerveau une explication à l'inexplicable.

Doris a peur de devenir la téléréalité de ses amis, de ses collègues, de son quartier, de sa banlieue. L'attirance pour le spectacle de la vie des autres, ça ne se contrôle pas comme ça. C'est plus fort que tout. Une vraie vie à notre portée qu'on peut commenter, observer et analyser à souhait, ça n'a pas de prix. C'est mieux qu'au grand écran, on l'a dans notre cour, ça se passe chez la bonne femme d'à côté. On veut absolument savoir qu'est-ce qui est vrai dans l'histoire. On regarde l'animal de foire. La saveur du mois. Le potin de service. On fait messe basse et on tire nos conclusions. Loin du réel. Près du film.

Film d'horreur pour la personne qu'on analyse. On invente même des passages non écrits.

Je me souviens que trop bien de mon enfance à être la risée de tous et chacun. Je faisais parler tout le village à cause de mes manières efféminées, de mes jeux de filles, de mes habits roses, de mon maillot de bain à fleurs et de mes poupées volées à mes sœurs. J'ai peur que ça recommence. Je n'ai pas envie d'être à l'avant-plan, sur une scène. Au contraire, je veux devenir invisible dans les foules. Être femme et que personne ne sente mon passé. Pas de regards soutenus, de coups d'œil insistants. Pas d'enfant qui crie *Maman, est-ce que c'est une fille ou un garçon?* Pas de serveur au restaurant qui hésite. *Bonjour Monsieur... euh... Madame?* Plus de scène humiliante en public où on entend quelqu'un demander à son ami, sans subtilité, si l'homme est déguisé en femme. Pas de vieux cochons sur la rue qui cherchent un travesti et qui demandent mes services. Une vie normale. Sans questions indiscrètes. Sans caméra vingt-quatre heures sur vingt-quatre, sept jours sur sept. Sans projecteur.

M'ennuyer dans une routine plate de gens ordinaires, me bercer et fermer ma gueule.

Je suis prête.

Dans la gazette, on pourra lire : *Prenez avis que Jean Martin, dont l'adresse du domicile est 177, des Érables, présentera au Directeur de l'état civil une demande pour changer son nom en celui de Jeanne Martin.*

Et la machine à potins démarrera en force. Un char d'assaut qu'on ne pourra plus arrêter. Après cette missive, plus question de reculer. Il faut tout modifier. Carte d'assurance maladie. Permis de conduire. Passeport. Carte d'assurance sociale. Certificat de naissance. Carte magnétique qu'on porte au cou pour entrer au bureau. Tout et partout. Faire le changement pour les comptes : téléphone, électricité, Internet, télévision, banque.

Je m'obstinerai avec les téléphonistes qui demanderont l'autorisation formelle de monsieur Martin pour faire ce genre de manœuvre. Elles exigeront de lui parler de vive voix. Je leur répondrai que je suis madame Martin et que ça fait pareil. La téléphoniste répètera que monsieur Martin doit les aviser lui-même du changement au compte, car il est la personne responsable et que même si je suis son épouse, je ne peux avoir accès à ces informations. On se méfiera du vol d'identité, on criera à l'arnaque.

Je n'entre pas dans une case. J'apprends à ne pas déranger la quiétude des gens, à me faire oublier et à prier pour que personne ne me pose de questions. Pour monsieur et madame Tout-le-monde qui ne se donnent pas la peine de comprendre qui je suis pour vrai, je suis *spéciale*, prononcé en étirant bien chacune des syllabes.

Il y a un monde au-delà des murs. Je sens qu'on veut me catégoriser pour se réconforter et expliquer l'inexplicable. Lorsqu'une situation pète les limites, passe au-delà, on cherche une réponse logique. Par survie, le cerveau humain en fait la demande formelle. Il faut que tout ait du sens. Tout doit être inscrit dans un tableau, définissable ou compréhensible. Il ne faut pas sortir des limites émises. Le cerveau humain tend toujours à créer des ensembles fermés. C'est plus rassurant de rester dans les lois établies. Les règles de l'art.

Il y a un monde au-delà des murs et je souhaite que la baraque casse. Que les frontières sociales explosent et que tous échappent à leur ennui. Que tout se mélange. Que les couleurs deviennent pétantes. Qu'il y ait confrontations, bousculades. Que le monde soit toujours en mouvance. Que ça vive. Que ça évolue. Jamais ne stagne. Pour le meilleur sans connaître le pire. Il y a un monde au-delà des murs érigés par les conventions conservatrices qui obligent à appeler un chat un chat et qui n'autorisent pas à aller voir ailleurs, à courir plus loin sur le gazon plus vert du voisin. Il y a un monde au-delà des murs et surtout, d'autres murs toujours à déconstruire pour laisser triompher, enfin, l'ouverture à l'autre.

Mon prénom. Premier combat, et ce n'est que le début. Ensuite, j'entamerai ma première année en femme pour arriver à changer la mention « sexe ». Pendant un an, les gens seront maladroits en bafouillant sur le *monsieur* ou *madame*. Pendant un an, on se trompera de prénom, on sursautera à voir mon visage. On lira mes cartes d'identité et ce sera inscrit monsieur Jeanne Martin. Pas étonnant que tous se poseront des questions.

SCÉNARIO CATASTROPHE

Devant la maison sur le balcon, l'enfant porte les maillots de bain de ses sœurs. Son père se fâche. Il le prend par le bras, le pousse vers l'arrière-cour en lui criant : *T'as pas fini de nous faire honte ? T'es pas fatigué de jouer à ton p'tit jeu ? Ta mére pis moé, on sait jus' p'us quoi faire !*

L'enfant, tellement habitué aux insultes et aux cris, n'entend plus rien. Le volume est coupé. Seul un bruit sourd reste. Des lèvres bougent, mais rien ne lui parvient. Pas de voix de papa qui hurle encore.

Pour résister. Par résilience, l'enfant s'est construit un mur bien haut, bien solide et il se protège. Pour résister, il s'est barricadé dans un monde sourd, muet et aveugle. Ne plus entendre les mots durs. Ne plus pleurer en parlant, blessé de ne pas être compris. Ne plus voir les réactions des autres qui le prennent pour le fou du village.

Comme si dans la vie, il fallait se résigner à.

Depuis que j'ai quitté Doris et les garçons, je souffre de crises d'angoisse. Bizarrement, ma rupture m'a libérée de quelque chose, et là, un nouveau poids pèse lourd. Lorsqu'on pose les yeux sur moi, je perds le souffle, j'ai les bras engourdis et ma vue se trouble. Une sorte d'étouffement social. C'est plus fort que tout. Il n'y a rien à faire. Je me sens coupable de brusquer, de bousculer les gens que j'aime. Dans ma famille, au boulot, dans la rue, les réactions ne sont pas égales et les verdicts tombent durement. Les chocs ne s'encaissent pas tous de la même façon. Ce n'est pas parce qu'on se décrit comme une personne ouverte en théorie qu'on peut mettre ce principe en pratique dans le monde concret. *Entre c'qu'on dit pis c'qu'on chie...*, disait ma mère devant la visite. Les bourdes se multiplient à gauche et à droite. Je suis tolérante, je ne peux pas demander l'impossible. L'idéal pour moi aurait été que Jean meure. Qu'il meure dans un accident d'auto, d'avion, de bateau. Qu'il tombe à la guerre, criblé de balles. Qu'il se noie. Qu'il s'étouffe dans son sommeil et que sa femme se réveille à côté d'une planche de bois aux pieds glacés. Qu'il se perde dans le désert du Sahara, qu'il se déshydrate et qu'il se fasse bouffer par les vautours. Le plus simple aurait été qu'il n'ait jamais existé, mais on choisit ses combats. On met de l'énergie là où on a du pouvoir. J'aime la vie. Je l'aime d'amour, la vie. Il y a longtemps que j'ai cessé de vouloir mourir. Au contraire, je demande à naître, à croquer dans la vie et la bouffer à pleine bouche. En faire sortir le jus savoureux, slurper la moelle et être en extase, enfin, devant tout, sans me retenir, sans demi-mesure, sans me comporter en homme réfléchi et neutre. Être, être une femme de cœur, extériorisée, excentrique, exaltée. Sortir de moi-même, de mes gonds. À présent, refuser d'être calme. Fuir les normes sociales qui demandent de me tenir droit et prendre une première puff d'air. De la vraie marie-jeanne. Cette puff qui me revient et que je retiens depuis le jour de ma naissance.

C'est dans les yeux des autres qu'il est ardu d'accepter Jeanne. Le concept est abstrait.

Plus mon moule se perfectionnera, plus le naturel reviendra au galop.

La pilule s'avalera un jour ou l'autre. De force ou de travers, mais dans quelques années, elle finira par passer.

Malgré mon presque-pas-tout-à-fait-jeune-âge, j'en suis à mes débuts comme femme. On remarque tous mes défauts.

La perruque mal ajustée.

J'ai trop brossé mes cheveux sur le présentoir. Les poils ont tant été peignés qu'ils sont devenus rêches. Ça ressemble à des crins de cheval. Une perruque moulée à ma propre tête, ça coûte la peau du cul. Déjà gâtée. Ajouter un bandeau pour que les cheveux paraissent moins faux.

Le teint grisonnant.

Me raser chaque jour. Une corvée exigeante pour ne pas avoir de repousse de barbe voyante. Une ombre apparaît sur mes joues plus la journée avance. J'étais un homme poilu. Les hormones m'aideront à adoucir l'effet. Pour le reste, j'utiliserai le laser sur tout le corps. Je m'attaquerai à mes jambes, mes bras, mon dos, mes fesses, mon visage, mes sourcils, mon nez, mes orteils. Les ravages de la puberté et la génétique m'ont transformée en homme velu. Du poil mal réparti. Je serai quelques mois à fuir le soleil. Le laser et le soleil, ça brûle la peau et ça crée des crevasses.

La pomme d'Adam.

Cette saloperie qui dévoile tout. Elle est là, encore là, qui monte et descend à chaque mot. J'ai un fruit coincé dans la gorge. Il ne s'avale pas. Il ne se dissout pas. Il ne se décompose pas. Sa présence ne fait que mettre un accent. Considérée comme un attribut sexuel secondaire, la pomme d'Adam différencie le mâle de la femelle comme les couleurs des oiseaux ou la crinière du lion. Rien de plus. Elle n'aide en rien à la reproduction, c'est un ornement. Une décoration perceptible à des kilomètres. Un cartilage de plus qui fait conclure au genre masculin. Ce mont Everest miniature aurait fait douter de l'authenticité de Marylin Monroe comme sex-symbol féminin si on l'avait vu poindre à sa gorge. Ma pomme d'Adam s'est pointée un jour de novembre, mois des morts, en même temps que le poil dans mon pantalon. Je la ferai réduire de volume. Chondrolaryngoplastie. La pomme d'Adam sera limée. Bosse honteuse.

La voix.

Adolescent, j'ai espéré que la nature recule, mais la pomme a surgi de nulle part et a accordé mon ton. Au départ, le son de ma voix était devenu dissonant, passant de grave à aigu à grave, très grave, aigu et baryton. Puis le cartilage s'est placé bas et m'a donné une voix basse, qui ne se compare pas à celle de Leonard Cohen ou de Tom Waits, mais qui se trouve non loin derrière. Une basse sensuelle. Une basse à faire mouiller ces dames. Les Marguerite Duras et les Jeanne Moreau de ce monde me font espérer que je passerai dans la société comme une femme au timbre suave, oui, mais aussi comme une beauté ténébreuse et envoûtante.

La mâchoire.

Ça va de soi, je possède un visage large et plutôt carré. Sans courbes. Mes traits sont durs, sauvages. Pour que ma mâchoire prenne la forme désirée, le chirurgien se faufilera à l'intérieur de ma bouche par les gencives pour la limer. Il la fracassera et la replacera.

Le nez.

Il est trop gros. Je le veux petit. Ce n'est plus pensable de voir la copie du nez de mon grand-père au beau milieu de mon visage. Insupportable. J'ai magasiné mon nez. J'ai regardé des centaines d'images. Il doit paraître naturel. Ma femme Doris a un nez parfait. Je pense à apporter une photo d'elle pour montrer l'exemple au chirurgien, mais mon ex m'arracherait la tête si elle découvrait cela. Les relations sont déjà assez tendues comme ça pour que je pousse plus loin les hostilités en lui plagiant son nez.

La posture.

Les jambes croisées, la main sur une cuisse avec le poignet cassé. J'en mets trop. J'en deviens théâtrale, personnage exagéré qui cherche à placer son corps dans l'espace. Tout bon professeur d'art dramatique m'enverrait comme réplique : *Assume-toi, joue assumée !* Habituée de personnifier un homme, je ne connais pas encore toute la retenue des gestes d'une femme. Retenue même dans l'extravagance, même dans l'exubérance. Toujours un cran d'arrêt. Un mystère. Je regarde des films. J'analyse les dames dans les cafés, au supermarché, dans la rue, dans le métro. Comment les femmes se penchent avec une jupe et des talons hauts. Comment les femmes replacent une mèche de cheveux sortie de leur chignon. Comment elles croisent leurs jambes en adoptant la pose cavalière. Comment elles mangent leur soupe en n'effaçant pas leur rouge à lèvres. Comment elles se lèvent d'une chaise tabouret. Comment elles marchent en se déhanchant en forme de s. Comment elles rient en cachant leur bouche. Comment elles cambrent le dos lorsque des caresses les émoustillent et qu'elles veulent que ces gestes érotiques continuent.

Les mimiques.

Comment elles deviennent sérieuses devant une demi-vérité insultante. Comment elles roulent nerveusement leur couette de cheveux en boudin pour séduire un homme. Comment leurs yeux se mouillent lorsqu'un commentaire les blesse. Comment leurs regards sourient lorsqu'elles tombent amoureuses. Comment elles font la moue lorsqu'elles taisent une colère explosive et qu'elles ne veulent pas pleurer. Comment elles penchent la tête, ferment les yeux et sourient doucement lorsqu'elles sont satisfaites.

Je pratique tous les détails et tente de placer ma corporalité dans l'espace en laissant mes réflexes d'homme. Il faut tout désapprendre pour réintégrer de nouvelles bases. Depuis ma naissance, j'ai été programmée à agir en garçon, parler en garçon, me mouvoir en garçon, ressentir les situations en garçon. On m'a habillée en bleu. On m'a offert en cadeau des voitures, des Tonka, une collection de dinosaures et des petits soldats verts. J'ai dû me forcer pour jouer toute mon enfance avec ça. On m'a tapé sur la tête comme on tape sur les doigts d'un gaucher pour qu'il prenne la bonne main. Ma mère me menaçait : *Et si ton père revenait ? Il te forcerait à prendre le bon sexe, lui. Habitue-toi !* Pour vivre mes émotions, penser et être en action, elle exigeait que je sois un homme. Il fallait faire les bons choix, dire les bons mots. *Hors de question qu'il nous fasse honte*, répétait toujours Amélia. *On a déjà assez de troubles à cause de lui*, ajoutait-elle, comme si la première affirmation n'était pas assez blessante.

Je n'ai pas encore la dextérité d'une femme. La minutie. La délicatesse. Mes gestes grossiers me trahissent et cela me gêne. Quand je stresse à l'idée d'être découverte, je deviens pire que tout. Un calque. Une caricature. Un cartoon. Jusqu'à ce que je sois à l'aise avec mes mains, mes jambes, mes bras, ma tête, je continuerai à pratiquer des scènes du quotidien comme au théâtre. J'intègrerai naturellement les gestes des femmes, avec le temps. Je décortiquerai chaque mouvement frame par frame pour analyser les moindres détails et le métier finira par entrer. Comment salue une femme. Comment sourit-elle à un homme. Comment enlace-t-elle son enfant, ses amis, son amoureux. Quel visage a-t-elle inquiète. Impatiente. Enjouée. Surprise. Hâtive. Figée. Prise au piège. En beau joualvert.

Plonger dans les subtilités.

Au même titre qu'un musicien qui ne connaît pas les techniques de base de son instrument ne peut déconstruire la musique et improviser, je dois manœuvrer mon corps avant d'atteindre le laisser-aller désiré. Lorsque je sortirai de ma tête et emprunterai le chemin du senti, de l'instinct, je toucherai à cette liberté d'action. Plus de quarante ans à démanteler en quelques mois.

La parole. L'intonation de la voix.

J'ai la voix grave. Les hormones ne transformeront pas mon ton, légende urbaine, je ferai des vocalises pour abandonner mon baryton. En ville, les démarches de changement de sexe sont moins rares, alors on trouve des spécialistes pour tout. Pour la voix, j'aurai recours à un professeur qui, avec des exercices de diction, de modulation et de rythme, m'aidera à trouver ma voix de femme. La voix, ce n'est pas tout. Il faut adopter le spectacle aussi, parce qu'une femme, quand ça raconte une histoire, ça exagère, ça récite en parlant fort, en parlant gros. Une femme, ça ne dit pas que ça fait *deux fois que tu ne ramasses pas ton assiette*, ça dit que ça fait *mille fois* et qu'elle commence à en avoir *plein mon casque de toujours torcher et de ne jamais avoir d'aide de personne*. Une femme ça prend de la place en ajoutant de grands gestes quand ça donne les détails d'une anecdote. Ça raconte debout, les bras dans les airs et ça accapare toute l'assemblée. Une femme en présence d'autres femmes qui racontent d'autres histoires, ça concourt. Ça ne parle plus, ça crie et ça cherche l'attention en mettant encore plus de gras autour de l'os. Une femme en présence d'autres femmes qui racontent d'autres histoires, ça veut clouer le bec de toutes les autres avec son récit plus fou que tous les autres. Une femme en présence d'autres femmes qui racontent d'autres histoires, si ça boit en plus, ça prend le plancher et ça enterre tout l'auditoire. Tout sera une question de travail. Une fois que j'aurai intégré les leçons de vocalise, le rythme de narration et le show tout autour, je pourrai facilement passer incognito. Je cesserai de me faire appeler *monsieur* au téléphone. L'idéal serait qu'on arrête de me prendre pour un travelo.

Le regard. Les yeux.

On pense qu'une femme, ça parle beaucoup, mais en réalité, souvent, ça évite. Ça fuit. Ça cache quelque chose. Ça amène son public sur une fausse piste. Ça passe des messages entre les lignes. Ça remplit un vide. Et ça pense que personne n'a compris son manège.

Les secrets, tous les secrets sont dans les yeux d'une femme. Les globes oculaires sont à contrôler pour ne rien laisser transparaître. Il y a des subtilités à connaître pour y arriver. Des vérités à ne pas laisser échapper, surtout. Si les yeux en disent trop, les femmes flanchent, se font embarquer dans des plans impossibles, se font manipuler. Plus le regard est indéchiffrable, plus la femme est courue, plus on se l'arrache, plus elle est puissante.

Je ne suis pas affublée des yeux bleus des canons. Les miens sont bruns. Il y a des mythes entourant les yeux bruns. On me dira que je semble mystérieuse. Qu'on ne sait jamais ce que je pense. Que j'ai l'air de posséder un passé trouble. Que les femmes aux yeux bruns sont envoûtantes, ensorcelantes. Mon mascara épais étirera mon regard jusque dans l'ombre.

Tous plongeront dedans. Ils le soutiendront et tenteront de deviner. Mais avec une femme, le chemin n'est jamais simple. Quand on croit avoir deviné la combinaison, on se fourvoie. Une fois sur deux, on reste dans le doute parce que le regard est accompagné de longs silences qu'on ne peut décoder. Un silence qui n'appuie pas les propos. Un silence sorti de son contexte. Un silence qui change la conversation de bord, qui joue aux énigmes, qui utilise son miroir et renvoie la balle dans le camp adverse.

J'apprendrai à saisir les femmes en interrelations. Ce n'est pas chose facile. Je devrai décortiquer chacun de leurs gestes et mimiques pour comprendre l'essentiel du message. Ensuite, j'appliquerai mes apprentissages. J'utiliserai les regards pratiqués.

Accusateurs. De pression. De séduction. De jugement. De mensonge. De trahison. Amoureux. Enchantés. Intéressés. Manipulateurs. Pensifs. En câlisse. Cachotiers. Frustrés. Dépassés. Heureux. En paix. Endormis. Enthousiastes. Passionnés. Illuminés. Comiques. Insistants. Pas d'accord. Sévères. Incompris. De dégoût. Hypocrites. Incrédules. Ébahis. D'incompréhension. Réprobateurs. Surpris. Exaspérés.

La féminité ne se résume pas à des yeux cochons et une bouche en moue. Il faut s'avancer plus loin dans la compréhension de l'être pour faire le point sur son état. Plus la femme aligne des mots sans prendre son souffle, plus ce qu'elle cache est gros. Dans un cas comme ça, si on pose la question *comment ça va*, tout éclate. On sort les mouchoirs. Il suffit de savoir lire. C'est une connaissance à acquérir. Savoir. Savoir être. Savoir faire. Savoir lire. Et plus précisément savoir lire la femme.

Plus les yeux sont noirs, plus le secret est grand.

C'est un fait.

Je ne connais pas encore tous les rouages. En me collant à cet univers, je les apprendrai selon la générosité et l'ouverture des femmes qui se retrouveront sur mon chemin. Fréquenter un groupe de femmes commence souvent par une chaleureuse camaraderie, puis ensuite, lorsque les bases sont fixées, lorsque toutes les femmes ont pris leur place, ça se gâte. Le monde des femmes est dur. Il y a la compétition, l'hypocrisie, la méfiance, le doute, les jugements, les commérages, le chialage, le contrôle. Avant d'entrer dans la vie de l'une d'entre elles, il faut surmonter plusieurs obstacles, passer avec succès de nombreux tests et franchir les étapes une à une en gagnant sa confiance. Une porte s'ouvre lorsqu'on réussit, mais elle peut se refermer n'importe quand. Une fois l'accès sans limites, le monde des femmes est beau. On y découvre des perles aussi. Des amitiés sincères qui dureront toute la vie. Il y a l'entraide, la solidarité, l'empathie, l'écoute, l'accueil, la maternité, la douceur, la tendresse, l'amour inconditionnel, la lutte, l'ouverture, l'espérance, la patience.

Je commence à peine à avoir accès à toutes ces subtilités. Il y en a tant. La complicité et la solidarité entre femmes, mais pas tout le temps. Les sous-entendus. Les lois non écrites. Les dix commandements. Dans la peau d'un homme, j'ai pu comprendre leurs neurones, leurs logiques. Bien que l'univers des hommes renferme ses secrets, il me semble moins compliqué à comprendre. Le monde des femmes est plus clos, n'entre pas qui veut. L'accès est limité et il faut donner le bon mot de passe. Je devrai faire mes preuves pour dépasser la frontière de l'espionne. L'amie trans n'est pas perçue comme l'ami gai. L'ami gai est une relation faite de confidences avec un homme sans ambiguïté ni malaise. L'amie trans est une amitié au départ avec un homme, où l'on parlait de sujets d'hommes et où l'on agissait en se gardant une petite réserve. Cette relation bifurque, du jour au lendemain, vers une amitié au féminin où il faut ajuster sujets de conversation et comportements. Le contact, pour un temps, est moins naturel et il faut apprivoiser la nouvelle amie. Il y a un doute persistant. Celui de la voyeuse qui joue sur deux tableaux. Sur quel pied danser?

Tranquillement, inspirer confiance.

Je vis en femme le week-end et les soirs après le boulot. Lorsque mon cadran sonne le lundi matin, j'enfile mes habits d'homme et pars au bureau. Maintenant que les ressources humaines ont présenté le plan de mise en œuvre de ma transition, je suis prête à foncer. On m'a assuré que je serais bien accueillie. Je sais que je dois faire le grand saut avant que les bavassages commencent à prendre trop d'ampleur dans les corridors et que tous se mettent à inventer des histoires. Laisser libre cours à l'interprétation et à l'imagination n'est pas une option. Il faut démontrer des faits pour que le concret de la chose apaise les peurs.

Les perceptions versus mes sentiments.

Ce que je ne suis pas. Un homme déguisé en femme. C'est plutôt l'inverse. Je me dissimule sous des costumes d'homme depuis toujours. Ce que je ne suis pas. Un homme qui veut *devenir* une femme. Je ne le deviens pas, je le suis depuis ma naissance, je le suis, le serai et le resterai jusqu'à ma mort. Manque plus que des ajustements. Ce que je ne suis pas. Il, lui, Jean, ça. Par respect, pour éviter la méchanceté gratuite, je ne suis pas un animal de foire, je suis une *elle* à part entière. Ce que je ne suis pas. Un fantasme qui cherche des sensations fortes. Ce que je suis présentement. Une transsexuelle en transition qui doit apprendre au jour le jour et en quelques mois ce qu'une femme née femme apprend depuis sa tendre enfance. Ce que je ne serai pas à tout jamais. Une transsexuelle. Un jour, je serai femme, que femme, une grande dame. Le transit terminé, le voyage du point A au point B achevé, je n'aurai plus d'étiquette. Ce que je suis. Une femme simple et vraie. Ce que je suis avant tout. Un être humain au même titre que sept milliards d'autres gens.

SCÉNARIO CATASTROPHE

L'enfant rêve d'être riche. Avec son argent, elle achète une baguette magique. Et sa baguette fait apparaître encore plus d'argent. Pour tout avoir. Ce qu'elle n'a pas. Elle saute d'un côté, elle change une fleur en grosse décapotable rose. Elle saute de l'autre côté, elle transforme l'arbre en château de mille étages avec quarante douze mille pièces lumineuses. Avec sa baguette, elle donne des souris à volonté à son chat, elle mange des gâteaux forêt noire double crémage, elle n'a plus jamais de devoirs à faire, elle se tricote un tapis volant, elle gèle les mouvements de ses voisins et va se baigner dans leur piscine, elle saute l'hiver pour gagner tout de suite le printemps. Avec sa baguette magique, elle peut tout faire. Tout sera en or. Tout autour d'elle, de l'or, de l'or, de l'or, de l'or, de l'or, de l'or. Sa baguette est magique, c'est la plus forte. Elle peut tout changer sauf une chose.

L'enfant est un garçon.

L'enfant n'a pas de papa.

Un beau petit garçon aux traits lisses et délicats pas de papa.

Elle aurait aimé mieux naître laide. Une fille laide, mais fille.

Elle aurait voulu connaître son père. Juste pour voir s'il aurait aimé sa fille.

Au lieu de cela, elle était un beau petit garçon pas de papa.

Sa mère lui dit que c'est mieux ainsi. Un garçon sans papa, parce qu'en fille, son père l'aurait haïe à en mourir.

Un garçon. Fierté de maman.

Long week-end passé.

Jour prévu au calendrier.

J'arriverai à découvert. Bien que j'espère ce moment depuis longtemps, ce dévoilement est pire qu'une mise à nu. Je préfèrerais de loin me foutre à poil, ce geste est banal de nos jours. Je tremble juste à y penser. J'ai le trac. Un gros trac. Pourtant, c'est dans mon corps d'homme que j'interprète un personnage, mais l'idée de me montrer telle que je suis me stresse plus que tout, plus que ne l'a fait la naissance de mes garçons. Dans mes habits d'homme, je me protégeais des coups. Je me mettais à l'abri des tempêtes. Pendant les prochaines semaines, je serai la saveur du mois, le goût du jour. Je serai sous les projecteurs. Je serai celle dont on parle dans le dos. Partout. On scrutera chacun de mes gestes, chacune de mes manières de faire. On comparera avec l'unité de mesure Jean. *Jean ne clignait pas des paupières aussi frénétiquement. Jean ne parlait pas autant. Jeanne est extrovertie tandis que Jean était impénétrable.*

Malgré tous les ragots dont je serai le centre, je suis décidée. Une fois la longue fin de semaine achevée, je commence mon année complète en femme. L'opération est mon but, mais avant de pouvoir passer au bistouri, je n'ai pas le choix. Je dois vivre ma réalité pour vrai. J'habiterai mon corps. Je gravirai les échelons jusqu'à l'étape finale. Pour cela, je consulte une psychologue et un sexologue pour avoir leurs avis. Si je veux y arriver, je ne peux pas me passer d'eux. Il faut s'assurer du bon diagnostic. Les spécialistes jugent du sérieux de ma démarche et valident les étapes que je franchis. Parfois, ils me trouvent trop rapide. La prise d'hormones. Les coming out. Les chirurgies.

Je me meurs d'intégrer ma vie.

Maintenant, Dominic accompagne Maxime lors de ses visites. Je les vois de temps en temps. Les garçons deviennent grands et beaux. *On va chez notre mère numéro deux*, dit Maxime en rigolant. Dominic veut qu'il se taise et que tout redevienne comme avant. Doris n'a pas réussi à les obliger à rester à la maison et à me renier. Le plus vieux se force pour son frère, il ne veut pas qu'il soit seul avec moi. Je suis trop étrange. Jusqu'à maintenant, lorsqu'ils venaient chez moi, les enfants retrouvaient Jean. Comme avant. Pas de changements visibles. Pas de modifications à l'humeur, à part un état de liberté d'avoir quitté Doris. Sauf que je les prépare. La dernière fois que j'ai accueilli mes fils, je leur ai remis une lettre. Dans cette missive, beaucoup de vérités sont dites. Des grosses. Des petites.

Cher Dominic, cher Maxime,

Les prochains temps seront remplis de nouveauté. Je sais que tout ça peut vous paraître bizarre, mais je suis heureuse avec les choix que j'ai faits.

Vous êtes assez grands pour comprendre. Cependant, je ne peux pas vous forcer à m'accepter telle que je suis. Ce n'est pas évident pour vous. Depuis votre naissance, vous me connaissez comme votre papa.

À votre prochaine visite, je serai en femme. Lorsque nous sortirons manger, que nous irons marcher, skier, faire l'épicerie, que j'irai voir vos matchs de hockey, je serai en femme.

Mes sentiments pour vous ne changeront jamais. Je serai toujours là pour vous. Si vous me faites une petite place. Si vous avez besoin de temps, je vous attendrai.

Je vous aime plus que tout au monde.

Jeanne XX

À la maison, Doris a lu la lettre. Elle semble en être tombée en bas de ses souliers. Elle ne peut se calmer. Le spectacle continue.

Doris a l'intention de m'en faire baver jusqu'au bout. Jusqu'à ce que je capitule et que je sorte de leur vie. Son but est que je perde tout, que je me retrouve sur la paille et que je souffre. Elle veut frapper là où ça fait mal. La maison, les meubles, le compte conjoint, tout le matériel, Doris savait que je n'aurais pas bronché. Tout se rachète. Je n'ai pas besoin de tout cela, mais de mes fils, ça, oui. Doris est prête à utiliser tous les trucs, toutes les tactiques pour me casser. Elle retournera devant les tribunaux. Faire parler la cour et entendre comme verdict que Jean Martin est maintenant inapte à s'occuper de qui que ce soit, ça la fera jouir. Je n'ai rien manqué de l'éducation des garçons. Je leur ai tout donné. Je les aime d'un amour surhumain. J'ai cousu les costumes des spectacles de l'école. J'ai passé de maison en maison pendant les fêtes de l'Halloween. J'ai mouché les gros nez et n'ai pas dormi durant plus de trois semaines lorsque les petits étaient souffrants. Je me suis inquiétée quand leurs notes chutaient. J'ai consolé les chagrins d'amour et les grosses peines d'amitié. J'ai joué aux blocs à partir de 5 h 27 le matin pendant que Doris dormait à poings fermés jusqu'à 10 h 30. J'ai passé le journal en voiture avec les garçons par temps froid, à moins 30. J'ai dit non, j'ai corrigé les comportements, j'ai établi la discipline, la politesse. J'ai passé pour la méchante en refusant des permissions. J'ai dit d'aller dans le coin pour redresser. C'est moi qui les ai moulés, sculptés, façonnés. Tandis que Doris courait les cinq à sept, les cocktails et les soirées de représentations professionnelles, je changeais des couches et restais avec les petits. Ça lui faisait une belle jambe, à Doris, lorsqu'elle racontait qu'elle s'était dégotée un homme au foyer, mais maintenant, la blague ne se rit plus. Tandis que Doris travaillait tard le soir, qu'elle faisait du surtemps, qu'elle partait en colloque, je conduisais les garçons à l'aréna tous les samedis, les accompagnais aux fêtes d'enfants et remplissais la maison d'amis pour qu'ils s'amusent et qu'ils n'aient pas de temps mort. J'avais tout le poids familial sur les épaules. Je gérais l'horaire. Je m'occupais des tâches ménagères. Je prenais soin de l'émotif, du mental et du physique des garçons. Ils auraient pu se croire seuls au monde, sans figure maternelle, mais je coiffais les deux chapeaux aisément.

Doris est consciente de tout ça. Elle s'en fiche. Elle est persuadée qu'elle aura la garde complète et définitive de ses fils et elle tentera le tout pour le tout pour y arriver. Elle a recommencé sa campagne de salissage. Depuis le retour des garçons, elle parle de leur père comme s'il était moins que rien et que tout était de sa faute. Elle dénigre tout ce que j'ai fait pour eux et rapetisse tous les accomplissements. Chantage émotif, manipulation, culpabilité... en plus de descendre leur mère numéro deux, Doris fait douter ses enfants de mon amour.

Aliénation parentale.

Je descends dans l'estime des garçons.

Maxime tente de tenir bon.

SCÉNARIO CATASTROPHE

La voiture du père se gare dans l'entrée. La fillette joue dans la cour arrière. Elle prépare des potions magiques avec de l'eau, des cailloux, des sauterelles noyées, de l'herbe, des pissenlits et des pétales de marguerites. Le père sort de sa bagnole et se dirige vers la maison. La petite fille court vers son papa d'amour qu'elle n'a pas vu depuis l'aurore pour lui sauter dans les bras et tourbillonner de joie. Le père freine son élan.

— Va m'enlever c'te déguisement de catin si tu veux que j'm'occupe de toi. C't'assez le niaisage !

La larme à l'œil, la fillette prend son courage à deux mains et retourne jouer sans donner d'importance à la réaction de son père. Ce n'est pas la première remarque qu'elle encaisse, sauf qu'il y en a qui blessent plus que d'autres.

Un père, en plus d'être le plus fort aux yeux d'une petite fille, c'est le plus beau. Il protège de tout. Il rassure. Il enveloppe. Il ferait n'importe quoi pour défendre son enfant.

Un père, ça ne rejette pas sa fille avec des mots qui pincent autant que la fessée.

Je suis sortie du lit à 5 h 30 pour préparer mon entrée en scène. Je ne dors plus depuis deux heures. Peut-être plus. À vrai dire, je ne sais pas si j'ai fermé l'œil réellement. Lors de moments importants, il n'y a pas de temps à perdre à dormir. L'action est la meilleure des solutions. Faire. Faire n'importe quoi, mais faire. Pour contrer le stress. Pour faire évaporer les pensées. Tout le contraire de mon ex qui tombe dans un sommeil profond lors de situations angoissantes. Coma réparateur.

Je sais qu'à la minute où je passerai le seuil de la porte, je ne pourrai plus revenir en arrière. Toute la nuit, j'ai choisi mes vêtements. Pas de jupe à pois ni de talons hauts roses, j'opterai pour un chemisier noir et un pantalon palazzo de la même couleur. Des souliers chics sans être extravagants : j'aimerais qu'on ne bloque pas au tissu. Je maquille mes yeux, un coup de crayon, du mascara, du fard à paupières. Tout est calculé. Il ne manquera rien à ma première tenue de sortie.

Aujourd'hui, je fais la coupure entre l'homme que j'ai été et la femme que je suis et que je serai. Jamais je ne reculerai. Jamais plus. Pour personne.

Pas d'appétit, j'ai mangé de force quelques bleuets et une énorme fraise californienne. Ça ne passe pas, je me sens nauséeuse. Malgré tout, je pèse sur le bouton de la cafetière espresso pour me faire couler un macchiato. J'aime voir valser les nuances du lait à travers le verre, ça me détend. Petit bonheur que j'ai découvert depuis que je vis seule. Calée dans mon sofa, je relaxe et savoure. Respire, respire, respire. Relaxe et savoure. Respire, respire. Savoure la journée à venir. Je sais que c'est le premier pas qui sera le plus difficile à enclencher. Une fois déclouée du sol, je pourrai marcher, marcher, marcher vers ma voiture. Sans regarder les gens dans les yeux, de peur d'être découverte. Je partirai d'un pas effréné et espérerai n'avoir à arrêter nulle part, craignant de rebrousser chemin si je freine mon élan. Cette scène, je l'ai visualisée cent fois, voire mille. Quand on espère voir un rêve se réaliser, on imagine ce que serait notre vie si on prenait le taureau par les cornes et on fonçait dedans sans réfléchir. Laisser aller la corrida.

7 h 12, je prends la route. Surtout ne pas être retardée par le trafic et les bouchons de circulation. Je pèserai sur le champignon. *Un, deux, trois, allez Jeanne, ouvre la porte et fais face à la musique.* Mon voisin de perron fume une cigarette sur le balcon. Il est père d'un jeune bébé de dix-sept mois et son amoureuse ne tolère plus de boucane dans l'appartement. Sourire courtois, pas de réaction démesurée, seulement un regard suspicieux, mais sans plus. Il m'a saluée. Ça y est, la mascarade commence. Il est impossible que l'acceptation soit si facile. Est-ce l'effet de la surprise ? Une sorte de *c'est pas d'mes affaires* ? De l'hypocrisie ? Une absence de mots ? J'ai une boule à l'estomac.

Si on n'en parle pas, ça n'existe pas. Évitement partiel ou en totalité.

Une personne à la fois.

Rencontres en montagnes russes. La première journée sera la plus dure à supporter. Il faut bien s'encourager quelque part. *Ça va bien finir par finir, tous ces yeux sur moi.* Plus les regards des étrangers sont fuyants, plus mes pas accélèrent.

Voyeurs, ils ne sont jamais sortis plus loin que le coin de la rue, on dirait.

Une femme naît femme. Un homme naît homme. On ne peut être une femme si on est né homme. On ne peut être un homme si on est né femme. L'équation facile. Sans réflexion. Sans exploration. Sans recherche d'information. On juge. Un homme en femme est un fou, un désaxé. C'est plus facile comme ça. La réponse simple. Ça rassure, ça ne bouscule personne et on continue notre vie.

Prise de panique de me faire dévisager, je ne retrouve plus ma voiture. Je cherche. Je ne me rappelle plus l'endroit où je l'ai garée. Je suis pressée de m'y cacher. Conduire. Fixer la route. Ça vide la cervelle. Comme dans un cauchemar, j'ai l'impression d'avancer en faisant du surplace. Mes voisins m'ont bien gâtée en réagissant si délicatement devant mon changement d'apparence. Les marcheurs dans la rue ne m'épargnent pas. Ils baissent la tête sur mon passage. Ils raclent leurs gorges, toussent très fort, gloussent et me pointent du doigt. Ils passent des commentaires blessants d'un ton assez fort pour que je les entende dire d'aller me rhabiller et de ne pas exposer mes fantasmes sur la place publique. *Le sexe doit rester dans la chambre à coucher.* Comme si les gens font un lien direct entre la transsexualité et la sexualité, alors qu'il est question d'identité profonde. Pendant que je suis l'objet de causerie du matin de tous les habitants du quartier, j'arpente chaque centimètre de la rue pour trouver ma voiture. M'arrêtant pour reprendre mon souffle, l'emplacement de stationnement m'est revenu. Près du dépanneur tenu par le Belge, le paradis de la bière. Je l'ai laissée là en revenant du boulot le jeudi du long congé, puisque je voulais m'acheter suffisamment d'alcool et qu'il faisait si beau. Je suis entrée à pied à la maison. Plus de panique, j'ai trouvé. À ce moment précis, je me suis remise à respirer calmement. J'ai ralenti le pas et j'ai pris le temps de saluer avec grand soin chaque passant que je croisais sur mon passage. Plus question que des inconnus me rendent honteuse. Ils ne partageront ma vie que pendant cette fraction de seconde, après tout.

Large sourire. Dents blanches. On dit bonjour avec fierté et bonheur matinal. On plonge notre regard dans celui de l'autre jusqu'à ce qu'il se soumette.

Je prends conscience que mon attitude joue pour beaucoup dans les réactions des gens. Je reprends de la puissance en m'assumant.

J'ai une bonne heure à rouler sur l'autoroute avant de rejoindre le bureau. Après quelques lumières et sorties, j'avance vers le boulot et mes collègues qui, je l'espère, ont eu le temps d'assimiler la nouvelle durant les derniers jours. Plus les kilomètres défilent, plus mon point dans l'estomac grossit. La boîte où je bosse comprend douze départements d'une vingtaine d'employés. Nous sommes près de trois cents personnes à fourmiller dans les corridors de l'entreprise. Pour m'asseoir sur ma chaise, j'ai un long trajet à parcourir. Je prends la porte 5, tourne au corridor A.4, monte l'escalier ou prends l'ascenseur jusqu'au troisième étage, tourne à gauche en sortant, tourne à gauche au corridor C.3, passe une série de neuf cubicules et enfin, j'arrive au mien. Il est impossible, à moins d'une intervention du Saint-Esprit, de ne croiser personne sur mon passage. Je m'attends à rencontrer une trentaine de personnes juste sur cette route. Plus une quinzaine à l'espace café. Une dizaine aux toilettes. Une dizaine de plus pour le photocopieur. Je calcule tout pour ne pas avoir trop de surprises, pour m'attendre au meilleur comme au pire.

Arrivée à la guérite, ma nouvelle carte magnétique ne fonctionne pas. Premier imprévu. Obligée de faire appel à la sécurité.

— Vous êtes une nouvelle employée ?

— Une employée vieille de vingt ans.

Je lui tends ma carte avec peu d'entrain pendant qu'il me fixe gravement. *C'est simple, je suis Jeanne Martin et ma nouvelle carte ne fonctionne pas.*

Il a un malaise. Je suis bloquée à l'entrée. Je me gare sur le côté et j'attends. Je suis enragée. Le gardien finit par me faire signe de circuler. Pour s'excuser, il me complimente sur le chic de mon manteau. J'ai juste hâte que cet épisode finisse.

Étape un accomplie, non sans efforts, mais accomplie.

La mésaventure réglée, je me suis garée, j'ai pris une grande respiration et j'ai sauté dans la gueule du lion. Je suis sortie de la voiture et, d'un pas rapide, je me suis dirigée vers la porte 5. C'est le festival de l'émotion. Au lieu des bonjours routiniers et des politesses d'usage, je récolte des sourires remplis de malaise, des regards qui font semblant de ne pas m'avoir vue ou de ne pas me connaître, des pouces en l'air, des rebonds de surprise, des visages de contrition ou de fausse compassion. Des hommes qui me parlent à l'habitude ne m'adressent pas la parole, feignant être occupés. Les réactions se suivent, mais ne se ressemblent pas. Le même rituel dure depuis vingt ans et on dirait que tout le monde a désappris à être. Tous se forcent et se comportent comme de mauvais comédiens.

Enfin arrivée à destination, j'entends au bout du corridor : *Bonjour Jeanne, tu es radieuse !*

Je ne m'attendais pas à un comité d'accueil. Je n'en demandais pas tant. Mes collègues ont préparé un petit déjeuner de bienvenue. Beignes. Muffins. Café-crème. Des fleurs et des ballons pour l'ambiance. Je ne savais que dire de l'attention. Ils surjouent ou l'intention est sincère ?

— Une crème, un sucre Jean... ne, comme d'habitude ? demande l'un de mes collègues, hésitant sur mon prénom.

Ça a créé un froid. Les organisateurs de la fête d'accueil essaient de rattraper la situation pour ne pas que l'ambiance fasse patate et moi, je feins n'avoir rien entendu. Pour prouver mon bon vouloir, j'entretiens l'assemblée et parle sans arrêt. Une anecdote après l'autre, j'agrémente mes histoires de détails, de gestes exagérés et de blagues. Mes collègues m'écoutent comme s'ils découvrent une tout autre personne. L'homme qu'ils côtoyaient n'avait pas autant de jasette, disait l'essentiel et ne se mêlait pas à l'équipe pour festoyer. La femme qu'ils ont sous les yeux ne ressemble en rien au Jean d'il y a à peine quelques jours. C'est le jour et la nuit. J'occupe le temps, remplis le silence. Je sais pertinemment que si je cesse de parler, je devrai répondre aux questions embarrassantes. *Depuis quand sais-tu que tu es une femme ? Pourquoi n'as-tu pas fait le move avant, es-tu certaine de ton coup ?*

Drôle d'instant à passer, mais nécessaire pour briser l'épais brouillard en forme d'interrogation sur le visage des personnes présentes. Pour casser les préjugés, répondre au questionnaire.

Entre deux conversations, je me suis dirigée vers les salles de bain pour soulager ma vessie. J'ai pris le corridor habituel, mais cette fois-ci, j'ai poussé la porte des femmes. Les femmes qui s'y trouvaient sont restées figées sur place. L'une cherche le regard de l'autre qui cherche le regard de l'autre afin de savoir si elles sont normales de trouver la situation bizarre. Un froid à couper au couteau. Les femmes ont échangé avec moi quelques mots d'usage et ont déserté en bloc les chiottes. J'ai senti l'ambiance tourner. J'ai effrayé quelques personnes plutôt fortes sur les conventions. Pour elles, il n'est pas normal qu'un homme se transforme en femme et qu'il chamboule la nature des choses. À la rencontre informative concernant mes démarches, elles ne se sont pas vantées de défendre ce point de vue. Elles ont joué la carte des femmes compréhensives, ouvertes et rassurantes. Elles ont dessiné de beaux oui de la tête prouvant à la direction qu'elles coopèreraient et accepteraient mon choix. Une fois sorties de la salle de réunion, elles se sont réunies dans les toilettes pour bavasser. C'est là que ça se passe. Les toilettes. *Jean qui devient Jeanne. Ça ne peut être réel. Jean est un mâle pur et dur. Il reluque les stagiaires. Il plonge les yeux dans le décolleté des femmes. Il parle de hockey, ne manque aucun match et connaît toutes les statistiques. Jean est un bel homme charmeur.* Certains potins ont couru à mon sujet à l'effet que j'avais fait des avances à quelques-unes des employées de l'entreprise, les complimentant sur leurs vêtements, leur coupe de cheveux ou leur beauté générale. Ces femmes n'ont sûrement pas rêvé. Me voir débarquer dans les toilettes revient à devoir ouvrir la porte aux forces ennemies sur leur propre terrain. Elles croient que je leur fais une blague et que si elles me laissent partager leur intimité, j'irai rapporter tout ce qui se passe du côté des hommes. Si j'utilise les toilettes des dames, elles se retiendront toutes de parler, de se confier et de se livrer aux autres. La toilette des femmes est un monde fermé et exclusif. Je sors des toilettes, il n'y a plus personne à la station de café. Tous ont repris leur routine et sont partis se réfugier derrière leurs paravents. La fête est finie. Ils ont fait leurs efforts. Le naturel revient au galop. L'étage bien silencieux a des airs du Far West avant un duel. Pas une âme qui vive dans les corridors, tout le monde est barricadé dans son bureau et les boules de poussière roulent. Personne ne circule devant mon cubicule aujourd'hui, comme s'il était miné. Les lieux étouffent sous une lourdeur partagée. Le téléphone sonne. La responsable des ressources humaines me demande une rencontre. Il y a eu un malentendu. Gants blancs enfilés, elle a récité un long préambule parlant de limites de chacun et de temps d'adaptation. Je ne comprends pas où elle veut en venir. Après lui avoir demandé d'aller droit au but et de ne pas prendre tous ces détours, elle lâche le morceau. *Utilise la toilette individuelle à l'avenir.*

— Celle qui se trouve deux étages plus bas à l'autre bout du corridor?

— Tu comprends, moi je n'ai rien contre les gens comme toi, mais il y a des employées qui ont de vieilles mentalités et qui ne sont pas capables d'accepter qu'il y ait un homme qui pisse à côté d'elles. Et si tu continuais comme avant?

— Pourquoi mes collègues masculins seraient plus à l'aise avec une femme qui s'assoit dans leur urinoir?

— Tu es opérée?

Il y a des détails intimes qui n'appartiennent qu'à soi. L'opération n'a rien à voir avec cet insignifiant débat de toilettes. Je n'ai pas à me justifier, je veux pisser. L'opération viendra tôt ou tard, avec l'acceptation de mes garçons. Pour l'instant, ça ne regarde personne. Pas question de fournir des preuves, ni de se faire un nœud dedans.

Je suis sortie en claquant la porte. L'hypocrisie me tue. Je n'ai pas besoin de grand-chose. Une cuvette et une chasse d'eau. Je n'ai pas de temps à potiner sur l'intimité de tout le bureau et de faire le procès de tous aux toilettes. Je veux seulement savoir qu'il est possible de pisser quand j'en ressens le besoin sans devoir aller me cacher comme une paria ou une femme impure. Je continuerai à utiliser les toilettes. Je sais qui s'est plaint d'une telle niaiserie et je ne lui donnerai pas raison. Pas question de laisser la honte et la peur de l'autre gagner la partie.

Qu'elle m'aime ou qu'elle ne m'aime pas, cette femme peut aller se rhabiller. Son règne de terreur est terminé, je m'en fais le serment.

Je n'alimenterai pas la colère et le malaise des gens, mais je ne me plierai pas à leurs exigences intolérantes non plus. Le compromis est mère de l'adaptation à l'autre. Il faut mettre de l'eau dans son vin et quitter son confort pour se rapprocher de la différence. Sans curiosité, sans ouverture, mieux vaut rester chez soi à écouter de vieilles reprises de *Dallas*. Comme ça, il n'y a pas de danger d'être dérangé. Le statu quo est là et ça ne bougera pas. Ni les toilettes, ni rien du tout.

La solidarité féminine.

Je l'avais observée de loin, mais je ne l'avais pas encore vécue en vrai. Pas de l'intérieur. Quand les femmes l'expliquent aux hommes, elles assurent qu'il n'existe pas de compétition et de trahison entre femmes, seulement de l'entraide et de la compréhension. Devant les hommes, les femmes du bureau se vantent souvent que les femmes sont toujours là les unes pour les autres dans toutes circonstances. Tissées serrées. Elles se pavanent main dans la main dans les corridors, mais dans leur dos, elles se lancent des couteaux, se tirent des roches et se visent au bazooka. Il n'y a pas d'obligation de solidarité lorsqu'une femme est absente de la basse-cour. Les collègues masculins fuient comme la peste les cancans de bureau et s'organisent des cinq à sept clandestins, sans elles. Ils en profitent pour lâcher leur fou et, lorsqu'ils ont dépassé les limites de l'acceptable, ils cogitent sur des solutions pour sortir de la merde ceux qui sont fourrés dans le trouble jusqu'au cou. Sinon, ils parlent de la pluie et du beau temps, de sport ou d'un nouveau show d'humour et cela les contente.

Choses simples, la vie est déjà assez compliquée de même. Telle est leur devise.

Je m'ennuie de ces conversations anodines. Mes collègues masculins sont sans prétention. Ils se montrent sous leur vrai jour. Pas de bullshit, pas de menteries, ni de vantardises. Pas de temps à perdre. S'il y a un conflit, au bout de dix minutes, le litige est réglé sans rancune. Petite tape sur la gueule qui finit en tape dans le dos. Le monde des hommes a ça de bien, une ambiance décontractée. Pas besoin de séduire. Pas besoin d'impressionner. Pas de pression d'être aimé à tout prix. Une bière pis on relaxe.

Depuis que je suis passée dans l'autre camp, je n'ai pas encore ressenti l'appui légendaire des femmes du bureau. Je les trouve plutôt distantes, secrètes, toujours à faire des messes basses, une main sur la bouche pour qu'on ne puisse lire sur les lèvres. Des airs de chattes de gouttière, mesquines. J'ai l'impression de devoir constamment surveiller mes arrières. Je feele paranoïaque. Le confort est précieux. Lorsque quelqu'un ose déranger le quotidien des gens, pour se protéger, la première réaction est de s'attaquer à éliminer l'élément perturbateur. L'éléphant dans la pièce. Je crains qu'on se ligue contre moi, que l'une saute sauvagement, telle une féline, sur la proie la plus faible d'un troupeau. Je sens qu'on veut ma peau. Autour de moi, les femmes jouent au téléphone arabe et se donnent le mot pour m'éloigner de leurs dossiers, de leur univers.

Les femmes du bureau commencent à penser que je joue un rôle. La situation est trop improbable pour qu'on y croie. Langues sales, plusieurs ont parlé et ont demandé ma démission. On cherche la bête noire. Un petit rien du tout pour inscrire des blâmes à ma fiche d'employée. Il y a anguille sous roche. Je travaille bien. Je ne fais pas de vagues. Je suis toujours prête à faire du temps supplémentaire, à travailler la fin de semaine ou à remplacer quelqu'un en congé de maladie. Exemplaire, on ne peut me reprocher quoi que ce soit et il serait illégal de me congédier sous prétexte de changement de sexe. Les femmes du bureau le savent, donc elles utilisent la ruse et les coups par-dessous pour arriver à leurs fins. Me voir partir.

Le monde des femmes est dur. On ne fait pas de cadeaux. On ne s'épargne pas. Aux hommes, on pardonne tout. On leur fait attention. On passe l'éponge. Les femmes, elles n'ont qu'à réfléchir avant d'agir, avant de parler. On n'efface pas l'ardoise aussi facilement. Les hommes, ce n'est pas de leur faute s'ils sont si maladroits, s'ils ne pensent pas à tout, si leur travail n'est pas parfait, si leurs habits ne sont pas repassés ou bien nettoyés, si leur coiffure manque de gel ou de vagues calculées, s'ils sont mal rasés. Une femme n'a pas d'excuses. Elle est née femme et doit défendre son rang, sa place. Un bourrelet de trop est un boulet au pied. *Ça ne va pas à tout le monde, ces vêtements. Elle gagnerait en charme si elle se maquillait, un petit fond de teint pour masquer les imperfections.* On juge l'extérieur. Le superflu. *Jupe trop longue. Trop courte. Décolleté trop gueulant. Elle fait sainte-nitouche. Avec sa robe, une vraie prostituée. On dirait qu'elle sort d'un chantier. Souliers trop sportifs. Des jeans, ça fait garçonne, ce n'est pas très professionnel. Trop de bleu sur ses paupières. Ses boucles d'oreilles sont exagérées. Ses ongles sont écaillés. Son collier est enfantin, pas assez bling-bling. Du poil sous les bras, une aberration. Ne prends pas exemple sur elle, elle est toujours mal prise. Ne te tiens pas avec cette femme, une folle. On sait bien, elle, elle est trop parfaite. Si elle est montée si haut dans la compagnie, c'est qu'elle couche avec les bonnes personnes. Son mari doit être bien malheureux, elle a l'air d'un glaçon. Cette couleur ne lui va pas du tout. Elle rit trop fort, on n'entend qu'elle. Tu l'as vu se déhancher, elle fait exprès?* Tout et son contraire méritent un commentaire. Le poids du jugement des autres plane lourdement au-dessus de la tête de chaque femme dans un milieu féminin. Pas besoin des hommes pour les descendre, les femmes le font très bien entre elles. Je suis en état de choc. Elles vivent par comparaison. On dirait que savoir qu'elles sont plus ceci ou moins cela qu'une autre les rend plus vivantes. Je préférais de loin l'amitié des hommes. Il y avait moins de manigances, moins de preuves à faire.

Je suppose qu'en développant de réelles amitiés avec des femmes qui m'accepteront, je n'aurai plus à me prouver. Le temps sera mon meilleur allié.

Au bureau, je fuis une bande de femmes comme la peste. Elles se sont unies pour des raisons bizarres. Elles font la loi dans les corridors. Ces cinq quadragénaires protègent leurs fesses de peur d'être dépassées dans le détour par des petites jeunes ou toute autre employée plus productive qu'elles. Le groupe contrôle une partie des femmes de l'entreprise et fait en sorte qu'elles ne dérangent pas leur plan avant leur retraite. Elles connaissent les faiblesses des femmes et savent comment arriver à leurs fins par des moyens douteux. Avant de frapper, elles étudient leurs victimes, répètent leur rôle et passent à l'acte subtilement. Elles sont si discrètes que la direction est incapable de savoir comment la situation s'est envenimée à ce point et de qui cela est parti. Il n'y a aucun moyen de les pincer ou de les dénoncer. Elles ont des radars partout. Elles ratissent large, mais leur pouvoir ne se voit pas à l'œil nu. Elles usent de subtilité. Elles sont maîtres de cet art.

La chef a pris le contrôle naturellement. Son charisme remplaçant sa beauté discutable, elle a développé un sens de l'influence et de la domination. Elle frappe là où ça fait mal, sournoisement, sans que ça ne se sache. Regard suspicieux, elle ne donne pas sa confiance, il faut la gagner à la sueur de son front. Une fois dans son giron, on se transforme en soldat de plomb entraîné pour lui obéir. Il faut devenir comme elle. Choisir son camp, avec ou contre elle, cette règle est claire dès le début de cette amitié fourbe. Elle réussit toujours à exécuter ses plans. Son passé trouble et pénible lui vaut le respect des autres femmes désirant l'épargner.

— Si j'avais vécu tout ce qu'elle a vécu, je serais morte !

Les quatre autres femmes gobent les âneries de leur chef. Ces femmes prennent position selon l'humeur et les opinions bien arrêtées de leur leader sur les gens, les événements, l'actualité, le monde, la mode, le bon goût. Si elle n'aime pas quelqu'un, personne ne l'aime. On l'imite. On adopte les traits de sa personnalité. On se range de son côté, car l'avoir à dos fait mal, blesse, tue. Ne pas être acceptée par la chef isole les individus et les met à l'écart des gens à la page. L'ultime honneur est d'être choisie l'amie vedette du mois. Exclusive, elle est toujours bien entourée, mais une seule personne a le privilège d'être l'élue qui l'accompagne partout. Jusqu'à ce qu'elle en choisisse une autre, plus branchée. Je ne joue pas à ce jeu de pouvoir. J'en ai rien à foutre d'être *in* ou pas. Je vois clair dans la tactique de cette femme et je la trouve immature. Elle monte la tête des autres pour se donner de l'importance, par pure jalousie. Je lui tiens tête. Erreur fatale. Elle me déteste. Déjà qu'il est difficile de développer des relations avec mes collègues féminines, j'ai cloué ma propre tombe. Je ne veux qu'accomplir mon travail, sauf qu'affronter ces femmes peut nuire aux avancées du boulot. Les dossiers ne se rendent pas. Elles ralentissent les efforts pour mettre dans l'eau chaude la personne qu'elles ciblent comme *à éliminer.* Elles lancent des commentaires sournois semant le doute chez les collègues. Elles s'en prennent à la qualité du travail. Elles montent un dossier complet de plaintes. Le port de la jupe et du soutien-gorge comporte son lot d'avantages et d'inconvénients. Je crains que ces femmes ne viennent à bout de ma réputation. Elles m'intimident. Le poids devient insupportable. Elles s'intéressent à moi par stratégie.

Elles me voient comme une bête étrange du cirque des monstres. Elles jugent à partir des premières impressions, sans plus. Elles ne sont pas outillées pour aller plus loin. Elles ne cherchent pas plus. Je n'ai pas fini de répondre aux questions de tout un chacun. Je devrai toujours préciser aux curieux. Bien que les différences soient évidentes, pour les femmes du bureau, malgré les multiples tentatives d'explication, je serai toujours un homme qui s'habille en femme. Pas une femme. Point final.

Malheureuses au travail, malheureuses en amour, malheureuses partout, ces femmes se construisent une fausse vie parfaite et la racontent à tous ceux qui tendent l'oreille. Elles cherchent à créer de l'action dans leur vie comme lorsqu'on se pince pour se sortir d'un mauvais rêve ou pour se prouver qu'on existe. Elles manquent de stimulation. En réalité, elles envient les personnes assumées, car ces dernières possèdent un but, une mission. Elles prétendent me comprendre, mais elles sont remplies de préjugés et restent bouchées à l'idée de m'inclure dans leur univers.

— Il faut que tu comprennes que nous, ça nous dérange pas que tu sois comme ça, mais il y a du monde d'une autre génération qui ne sont pas habitués à travailler avec des gens comme toi.

— Et c'est quoi des gens comme moi ?

— Tu sais bien. Des hommes comme toi prêts à perdre leur privilège de pisser debout.

J'ai commencé la prise d'hormones. J'ai des sautes d'humeur. Tant que ma dose n'est pas adaptée, mon médecin m'a avertie : *Ça va t'frapper su'l'système. Tes proches vont manger ça chaud.* Du SPM à longueur de journée, voilà comment on m'a décrit le début des hormones. Je comprenais plus ou moins ce que le syndrome prémenstruel pouvait avoir de si terrible, maintenant j'ai plus qu'une idée de la chose, j'ai les effets dans la peau. Incontrôlables. Comme une sorte de monstre qui s'empare du gouvernail du corps pour trois, quatre jours. J'ai de la compassion pour mon ex-femme qui voulait m'arracher la tête deux jours avant ses règles. Déjà que j'ai enfoui une partie de ma personnalité très loin et qu'elle ressort avec vigueur, mes émotions sont intensifiées par une minuscule pilule responsable de me transformer en bête féroce. J'essaie de me calmer et d'apprendre à gérer mes nouvelles vagues de sentiments féminins, sinon je finirai par me mettre tout le monde à dos. La solitude pèse déjà lourd. Sans le vouloir, je fais le vide autour de moi et j'ai la chienne. Mes nouvelles sautes d'humeur n'aident pas mon caractère. Je veux être entourée, mais il y a certaines personnes dont je ne peux pas supporter la présence plus de dix minutes en ligne. Tout ce que je ressens se multiplie. Des effets inconnus m'effraient.

Je suis faite en montagnes russes.

J'ai envie de pleurer et de rire en même temps. Sans savoir pourquoi, juste comme ça. Puis deux minutes plus tard, je me tape une montée de lait, une colère horrible. Sans crier gare. N'importe où. Je braille parfois deux heures, bouton d'évacuation à *on*. Inconsolable. Je souffre de déprimes passagères et rien ni personne ne peut me remonter le moral. Ça ne s'arrête pas comme ça. Je sombre tellement loin que ça me mène à des crises d'anxiété aiguës irrécupérables. Je ne comprends pas ce qui m'arrive. Lorsque j'ai demandé l'avis d'une de mes amies, elle m'a répondu tout naturellement : *Bienvenue dans l'merveilleux monde du SPM. J'ai d'jà sacré un sapin d'Noël dans l'mur parce qu'les criss de glaçons voulaient pas s'enlever assez vite. Mon chum m'a obligé à aller prendre une marche à moins 40 c'te fois-là.* Je n'y crois pas. Pourtant, les hormones me font réellement vivre cette sensibilité.

Je n'ai pas seulement envie de pleurer à tout bout de champ. J'ai faim. Je mangerais un bœuf entier ou du lait condensé sucré à pleine cuillère, un pot de chocolat à tartiner, une canne de sirop d'érable. Du sucre, du sucre, du sucre, une crise de sucre. Je m'empiffrerais du festin d'Obélix dans les douze travaux. De l'éléphant accompagné de la biscotte. Des chameaux. De la vache et de son veau. J'en rêve. Je prends du poids.

Lorsque je ris, ce sont des cris qui sortent de mon gosier à m'en faire exploser les amygdales. Puis des larmes. Rire jusqu'à en pleurer parce que la vie est trop belle mais qu'elle reste dure. Chialer parce que ce n'est pas si facile, mais me sauver par le rire qui tue toutes les emmerdes. Une girouette, je tourne d'un bord et de l'autre, fragile au vent. Il n'y a qu'à souffler sur moi pour que je vire à sens inverse. Une fraction de seconde. Des grands hauts et des bas profonds. Jusqu'à ce que mes hormones se soient stabilisées, les nuances, si précieuses à mes yeux, auront un dégradé moins subtil.

J'ai envie de faire l'amour avec tout le monde, pendant des heures comme une nymphomane insatiable ou, au contraire, c'est le néant. Aucun désir. Le désert. La sécheresse définitive. J'ai les yeux d'une prédatrice féroce. Cachée, accroupie dans l'herbe, prête à sauter sur sa proie. La journée d'ensuite, je longe les murs et je me promets d'éliminer la sexualité de ma vie. J'ai envie de battre quiconque me faisant de l'œil. Up and down sexuel.

Je me regarde dans le miroir, je trouve que mon corps a changé, mais ce n'est pas encore ça. Je me vois grosse. Je prends des rondeurs. J'ai l'impression d'élargir du bassin et ça me déstabilise. Je prends du poids dans le ventre, les cuisses, les joues, le gras de bras, les fesses, mais mes seins restent plats. De légers boutons pointent pour amorcer un début de croissance mammaire. Sans plus.

Depuis ma prise d'hormones, je ne dors plus une nuit complète. Je tourne d'un côté puis de l'autre sans fermer l'œil, à trouver les minutes longues en fixant les chiffres rouges de mon cadran. De 22 h à 4 h 44, c'est long sans sombrer dans les bras de Morphée. Je n'ai jamais été insomniaque et là, mon horloge est déréglée. Les pilules me font marcher la patate à vive allure. Lorsque je me concentre sur les battements de mon cœur, j'ai peur. Peur de péter au frette. Moins je me repose, plus je passe des journées lourdes, plus je suis anxieuse. Il y a là une roue. Pour remplir mes nuits de loup-garou, je fais un peu de tout. Je joue de la musique, pianotant à notes feutrées pour ne pas déranger les voisins. Je cuisine pour la semaine. Je repasse les actualités du jour en revue. Je répare mes vêtements. J'écoute de vieux vinyles. J'apprends par cœur les réponses de quiz intellos. J'écoute des émissions de voyage et des téléréalités en rediffusion sur le câble. Je peins à numéros. Je joue à la patience sur mon portable, car avec de vraies cartes, je triche. Je pense à la journée du lendemain, à ce que je répondrai si on me demande ceci, à comment je réagirai si on me regarde comme cela. Je pratique ma voix et surtout mes gestes pour qu'ils deviennent de plus en plus gracieux et naturels. Je remplis le temps, car la nuit, une heure en vaut trois. Quand on ne dort pas, les minutes de nuit s'écoulent par le trou d'un sablier bouché. Parfois, elles partent de reculons. Si on a le malheur de s'attarder sur 3 h 43, le temps arrête là. La noirceur est prise, le temps est lourd. Il est 3 h 43 pour le reste de la nuit. Ensuite, chaque fois qu'on se bute à cette heure, le scénario se répète et on peut mourir avant que la minute ne change. Je dors au gaz le jour et je joue à la clé de bras avec le sommeil la nuit. Celui des deux qui plantera l'autre sur le tapis gagnera. Je perds souvent.

Je me sens comme un beau ramassis de contradictions. J'ai vécu en homme, je me suis mariée à une femme et j'ai eu deux enfants. Expliquer aux gens que j'ai toujours été une femme, que je divorce d'une femme pour rencontrer un homme, relève de l'exploit. Je suis hétérosexuelle. En homme, je me suis unie à Doris, car les conventions de l'époque le demandaient, mais aussi pour rassurer ma famille que mes jeux de petit garçon en robe étaient bel et bien terminés. Pour la maman, il fallait que je me marie. À vingt ans, le désir d'avoir des enfants me brûlait le ventre. Je savais que je ne pourrais jamais être enceinte, je me suis résignée à devenir un gars-gars et à jouer le rôle du père. C'était mon unique but en épousant Doris. Avoir des bébés.

Ma psychologue a tenté de me réconforter : *Donne-leur une saison, peut-être deux, pour s'adapter et ensuite, ils t'oublieront.* Elle a raison, mais pour l'instant, l'hiver n'en finit plus de finir.

Je me suis toujours mêlée de mes affaires. Je n'ai jamais remis en question les choix de quelqu'un et je n'ai jamais sauté aux conclusions. Je ne suis pas une moralisatrice. Je n'ai pas de jugement. Je suis toujours embêtée de servir un *Moi à ta place* et un *Tu devrais* alors que je ne suis pas dans la peau de l'autre. Je pratique le plus possible la tolérance. Certaines personnes se plaisent à conseiller à qui mieux mieux. Je préfère ceux qui écoutent. Après tout, à ceux qui me cherchent des poux, j'aurais pu répondre que ma vie n'a rien de trépidant. Elle est bien ordinaire. Je me lève, me lave, me prépare, déjeune, travaille huit heures, dîne une heure, retourne à la maison, passe acheter une bonne bouteille de rouge, cuisine, écoute la télé, joue sur mon piano désaccordé, dors trois heures, suis insomniaque le reste du temps et me lève, et me lave, et me prépare, et déjeune, et retourne travailler. Rien d'excitant. Le monde a son mot à dire sur tout. En passant des commentaires sans même connaître le contexte ni l'individu derrière l'événement, souvent, des préjugés gros comme la lune sont émis sans faire attention. On croit bien faire. Sauf qu'on casse les pieds. On gâche la vie d'autrui.

Ondes de choc. Je n'ai plus assez de doigts et d'orteils pour compter toutes les situations blessantes que j'ai vécues depuis les débuts de ma transition. Une chance que mon équipe de travail a affirmé être prête à m'accueillir en tant que Jeanne, qu'est-ce que ç'aurait été sinon ? Ma nouvelle a créé tant de vagues que les réactions ne sont que variations sur le thème du malaise. De la part de ma mère, mon frère et mes sœurs, Doris, mon plus vieux, mes collègues, d'inconnus dans la rue, à la poste, à la boulangerie, à la cabane à patates du coin, au comptoir de la quincaillerie, sur mon balcon en provenance du trottoir, sur la piste cyclable, au restaurant, dans un café de la Petite Italie, dans un concert de musique classique. En public, il n'y a pas un endroit où j'aie la paix. La vraie. Ne serait-ce qu'un semblant de tranquillité où je croirais être comme tout le monde. Puisque je n'ai pas encore l'apparence d'une femme sans traits masculins, je suis le centre d'attraction partout. Je me bute sur des visages en point d'interrogation partout. Je sens des reculs. Je remarque des regards qui m'évitent. J'entends des ricanements. Le groupe de discussion que j'ai rejoint est le seul endroit où je suis paisible. Je ne livre pas réellement mes émotions et je ne m'étends pas sur mes obstacles, mais je m'y rends pour prendre conscience que je ne suis pas seule.

Chaque jour, je dois me battre contre l'envie de m'isoler. Mon appartement se métamorphose en petit nid douillet où je m'enferme à double tour. Une fois rentrée du travail, pas facile de bouger de chez moi. Moins de soucis comme ça. La vie extérieure me brasse trop, alors j'évite encore quelques endroits. Lorsque je sors faire mes emplettes, j'achète des vivres comme si on annonçait une guerre nucléaire. Comme ça, je peux sauter quelques semaines sans avoir à me frotter au monde. Sous mes lunettes noires, je marche dans les allées et remplis mon panier à craquer. Des muffins géants. Des sacs de chips plus gros que nature. Des paquets de papier hygiénique de quarante-huit rouleaux double circonférence. Des pots de sauce tomate grosseur improbable. Des repas prêt-à-manger format famille de douze que je congèle. Des produits ména-gers jumbo qui durent un an. Une douzaine de rasoirs vendus avec leur mousse adoucissante et vingt-quatre lames jetables. Que du gros qui dure longtemps, pas pour économiser, mais bien pour me terrer à la maison. Pour m'économiser, moi.

J'ai attendu si longtemps pour sortir de ma tanière cor-porelle et enfin errer dans le monde la tête légère de tout. Je ferme la porte derrière moi et je la verrouille. Pour réfléchir. Pour prendre une pause. Pour me plaindre. M'apitoyer.

Je me sens chuter. Non pas pour longtemps, seulement pour faire le point. À cause de ma transsexualité, j'ai été malheureuse, élevée par une mère qui n'avait aucune intention de m'accompagner. Une mère dans le déni. Un père invisible. Une crise identitaire multipliée par une crise d'adolescence, pas étonnant que le suicide ait fréquemment rôdé dans mes pensées. Il habite une grande majorité de trans. À l'âge adulte, j'ai refoulé tout ça bien loin, le plus loin qu'il fallait pour être en mesure de jouer le rôle de ma vie, celui de Jean. Un papa. Pour ne pas laisser transparaître une seule faille, j'ai menti à tout le monde. Au grand bonheur de ma famille, en cachette des autres. J'ai mené deux vies parallèles parfaitement orchestrées. Je sortais Jeanne des boules à mites lorsque je me retrouvais seule. À la maison. En voyage d'affaires. Lors de fausses parties de pêche, quand ma femme partait dans sa famille avec les enfants. Les fins de semaine où les enfants allaient défendre un tournoi de hockey et que je faussais compagnie à la délégation de jeunes sportifs. Les soirs, parfois, je me sauvais dans un coin de la ville où je savais que je ne connaissais personne. Je louais une chambre d'hôtel où je me préparais lentement en savourant l'instant et je partais marcher dans la rue. Juste comme ça. Les yeux fermés. À flâner sur le trottoir. Écoutant mes talons hauts marteler le sol. À m'asseoir sur un banc de parc. À montrer mon doigt d'honneur aux passants qui m'injuriaient et à sourire aux plus polis. Ces escapades m'évitaient des crises de panique où je cessais de respirer. Aujourd'hui, Jeanne est là pour rester. Je ne la quitterai plus jamais.

Je lutte chaque jour et me démerde tant bien que mal pour faire comprendre à mon entourage que la transsexualité existe, que ce n'est pas un problème de santé mentale. Un combat obligé, imposé. Tant qu'à être dans le bateau, vaut mieux ramer dans le bon sens, pour tous, comme ça je deviendrai un moteur pour mener la barque à bon port. Mon destin ne sera pas vain. Je ne serai pas née dans le mauvais corps pour rien. J'aurai dit. J'aurai parlé. J'aurai informé. J'aurai expliqué. J'aurai débattu. J'aurai fait prendre conscience. J'aurai été dans l'action. Je n'aurai pas subi. Je ne me serai pas tue. J'aurai pris part.

Rien de plus transparent qu'une minorité visible. On la dévisage, mais on ne la considère pas. Elle ne pèse pas lourd dans la balance du *monde normal*, du monde en général.

Après tout, ma quête est bien banale. Le bonheur. Être bien sans me casser la tête. Rien de plus commun et d'inaccessible à la fois. N'est pas heureux qui veut.

PORTRAIT

Froid d'hiver. Une famille profite du temps clément. Jeux en plein air et alcools chauds. Construction d'une forteresse pour les enfants et d'un bar de glace pour les adultes. Tout le monde habillé comme des oignons, on frappe dans nos mains pour se réchauffer, on boit du vin chaud épicé, des cafés espagnols, et pour les enfants, on fait fondre du vrai chocolat qu'on mélange à de la crème. Un petit bonhomme parle à sa grand-mère en traçant de son corps un ange dans la neige fraiche.

— Grand'moune, c'est quand j'serai une fille ?

— Pourquoi tu demandes ça ? T'es un p'tit gars.

— Mais non, grand'moune, mais non... j'suis une fille comme toi.

Accoudée sur le bar de glace, une grand-maman rejoint son fils pour discuter. Buvant son quatrième verre de vin, un père ne veut rien entendre et demande à sa mère de se la fermer. Deux adultes s'engueulent.

— C'est un jeu de petit garçon !

— T'as entendu souvent des enfants de cet âge demander à tout le monde de l'appeler Émilie ? Réveille, mon gars ! T'as le droit d'être en colère, mais ton enfant, c'est ton enfant, gars ou fille.

— Tu veux l'prendre chez vous ?

AVANCE RAPIDE

Des garçons qui vieillissent, grandissent, se définissent, étudient, se moulent, se révoltent, reviennent dans le droit chemin. Des garçons qui s'éloignent de maman 2 et prennent soin de maman 1 parce qu'elle est plus fragile, parce qu'elle ne s'est pas reprise en main, parce qu'elle s'est laissée sombrer, parce qu'elle jouait à la victime, ça l'occupait. Des garçons qui jouent aux parents obligés.

Parallèlement, j'ai vécu ce que je devais vivre. Seule. Je n'avais que ça à faire. Vivre, apprendre à me connaître et me réinventer.

Une guerre ouverte entre Doris et moi a fait rage. Longtemps. Traînant à n'en plus finir. Des avocats, des juges, de l'argent qui brûle. De la brume. Des tempêtes. Un ring de boxe. Du sang. De la manipulation gros comme le bras. Du pas propre. Doris a joué toutes ses cartes. Pour garder mes garçons près de moi, j'ai dû menacer de dénoncer un enlèvement si Doris déménageait au loin. Mauvaises vibrations. Communication nulle. Plus d'élastique. Il nous a snappé dans la face.

Des garçons qui maturent, qui découvrent, qui lâchent les bancs d'école, partent en voyage, partout, juste pour la fête, qui reviennent, recommencent les études, choisissent des métiers, n'aiment plus, se réorientent, travaillent, partent à l'étranger étudier, reviennent, donnent des nouvelles par intermittence à leur maman 2.

Je sens que j'ai perdu beaucoup.

Avec les années, Doris m'a dévoilé un côté d'elle que je n'avais jamais vu. Elle ne me pardonne toujours pas. Un os pogné au milieu de la gorge en permanence. Bien qu'elle essaie de se raisonner, elle n'y arrive pas. Tout est de ma faute. Le mensonge dans lequel elle a vécu ne s'avale pas. Je ne suis qu'un salaud. Elle n'a rien vu venir, aucun signe. Elle est en colère et le pardon semble bien loin. Nos enfants ne la reconnaissent plus. Elle veut reprendre le temps perdu. Trop tard. À leur âge, ils ne pensent plus à suivre leurs parents ou à partager de beaux moments avec eux. Dominic fait la fête, rentre tard, boit, fume et embrasse des filles, jamais les mêmes de soir en soir. Il étudie quand le cœur lui en dit, investissant son temps et son argent à jouer dans un band de garage. Il construit des camps dans le bois pour amener les filles frencher quatre saisons. Il apporte des quatre litres de vin à l'université qu'il laisse dans sa case pour boire le jour. Il fume des joints dans la bagnole de ses amis. Il n'entre pas souvent dormir à la maison et s'il y va, il emprunte la porte du sous-sol pour ne pas croiser Doris. Il ne vient pratiquement plus me visiter. Il ne m'adresse plus la parole. Il change de trottoir lorsqu'il me rencontre dans la rue avec ses amis. Il n'a plus de père. Maxime, quant à lui, se terre dans sa chambre. Quand il en sort, sa mère lui casse les oreilles. Doris sait que notre benjamin me préfère. Elle n'a plus que lui comme lien familial, alors elle s'acharne sur son cas. C'est voulu, par esprit de vengeance, Doris essaie de frapper dans l'émotif. Le garçon s'enferme et augmente le volume de sa radio lorsqu'elle lui crie de descendre souper. Il n'est pas intéressé à servir d'appât, ni de médiateur entre Doris et moi. Il est majeur. Il n'en a plus rien à foutre d'être le tampon. Plus petit, on s'en est trop servi. Doris a abusé de sa douceur et de son côté raisonnable. On a enseigné à nos enfants à se parler comme du monde et nous, on ne s'est jamais assis comme deux personnes matures pour régler nos conflits. Maxime est libre de ses choix. Pendant son adolescence, il a voulu vivre avec moi, mais il savait que s'il faisait la demande à Doris, elle aurait repris ses jérémiades. Il ne peut plus sentir sa mère. Oui, elle est sa mère, elle l'a mis au monde, mais c'est bien tout ce qu'elle a su lui donner. Maxime a pleuré sa mère de longues nuits à la réclamer pour se coucher sur son cœur, pour qu'elle le réconforte, lui caresse la nuque et lui souffle à l'oreille *Dors, mon coco, dors, maman est là...* L'attente glace le sang lorsqu'elle s'éternise. Maxime a comblé son manque auprès de son papa. Je l'accompagnais partout, l'écoutais, le cajolais, comprenais tout, le rassurais, lui enseignais à être une personne honnête, respectueuse, généreuse, patiente, bonne, sociable, douce, bien dans sa peau. Maxime a attendu sa mère tellement longtemps qu'aujourd'hui, il en a deux et la deuxième supplante de loin la première. Ce qui rend folle Doris. Elle sent que son garçon vit mieux en ma compagnie et elle ne sait plus quoi inventer pour que Maxime me délaisse. Dominic étant convaincu que je suis folle, Doris n'a pas à manœuvrer pour qu'il l'aime plus. Elle concentre ses énergies sur Maxime. Chantage émotif. Aliénation parentale. Culpabilité. Manipulation. Mensonges. Potins. Violence verbale. Tous les coups sont permis, elle voit rouge. Elle ne réfléchit plus aux impacts de sa déraison. Maxime tente de garder les liens vivants entre moi et Dominic. Il lui donne de mes nouvelles et l'encourage à venir me visiter. Doris met en garde Maxime chaque fois qu'il parle d'aller vivre avec moi.

— Si tu vas trouver ton père, je te déshérite.

— Tu es pathétique, maman.

— Sais-tu ce qu'il m'a fait vivre ? De quoi j'ai l'air, maintenant ?

— Les gens ont mieux à faire que de parler de nous.

— Crois-tu ? Les gens cherchent toujours plus malheureux que soi pour comparer leur misère. Pour se dire « Ah ! On est pas si pire en fin de compte, il y a Doris l'autre bord de la rue qui s'est faite laisser par son mari qui est devenu une femme. »

— Si ça peut consoler les gens. Jeanne est la même personne qu'ils ont connue, il y a dix ans, vingt ans, trente ans. Je sais que c'est difficile de faire le switch dans ta tête, mais essaie au moins de ne pas lui nuire si c'est hors de tes forces de lui faire du bien.

Maxime, bon de nature, caresse le rêve de nous voir nous réconcilier, ça se voit. Il reste enfermé dans sa chambre parce qu'il est las de nos batailles. Je me suis épanouie et Maxime veut que Doris finisse par s'en réjouir. En homme, je passais de longs moments à ne rien dire dans mon coin à écouter la télé ou à feuilleter les circulaires de spéciaux des quincailleries. Aujourd'hui, je suis à l'aise. Ce n'est plus comme à mes débuts où je fuyais le monde. Je sors boire un thé chaï dans n'importe quel café, le premier du coin, où je flâne et m'éternise à parler avec les voyageurs. Je veux tout savoir de leurs origines, leur séjour, leur destination et de leur route future. Je ne suis toujours pas opérée, alors je ne possède pas encore de passeport. Je voyage à travers les aventures des backpackers de la ville. En homme, je me couchais à 21 heures, dans ma chambre à lit simple, et on ne m'entendait plus jusqu'au lendemain matin. En femme, je danse dans les bars jusqu'aux petites heures de la nuit les week-ends, je vais à la rencontre de nouvelles personnes, et la semaine, je me rends au bar du coin pour prendre un pot avec des voisins sympathiques. En homme, je mangeais ce que Doris me concoctait, demandais le sel, le poivre sans me lever de table, tenais des discussions d'usage avec ma famille et remerciais ma femme une fois le repas terminé. Des mijotés. Des plats en sauce. Des légumes surcuits. Des patates et des betteraves. En femme, je prends plaisir à découvrir les meilleures tables de la ville peu importe le prix. Au diable la facture, je me régale ! De l'Indien, je mange le poulet shahi korma. De la cuisine italienne, ses fameux spaghetti alla puttanesca. Je me délecte de tajine à l'agneau Makfoul du Marocain du coin. Je cuisine à la maison des banh trang chuôi, galettes à la banane thaïlandaise. Tous les plats épicés guatémaltèques me transportent en Amérique centrale et me confirment que je descendrai y faire un tour un jour. Des Japonais, je me régale du poisson frais et des soupes de miso. Des Libanais, je retiens la recette des falafels. Les restaurants grecs m'attirent pour la bouffe, pour l'ambiance familiale et bordélique, pour les assiettes fracassées au sol. Je m'y reconnais. Je me réserve une place au comptoir chaque fois que je peux chez Ouzeri pour savourer leur fromage flambé à l'Ouzo et leur pieuvre grillée. De l'Afrique, bien que des milliers de recettes traditionnelles se cuisinent d'ethnie en ethnie, j'aime bien partager avec quelques copines une assiette commune de poulet sauce arachides ou des dambun nama du Nigéria. Jamais de grandes chaînes, toujours des fourchettes du pays. Avec mes nombreux essais et erreurs de restaurants, j'ai appris que j'adore les moules, que les sushis doivent être haut de gamme pour que je les apprécie pour vrai, que le poulet yassa de Keur Fatou est jouissif, que je ferais un mile à genoux pour une bouchée de tartare de chevreuil, que grignoter des tapas avec du bon vin, c'est mon truc et que je bave devant un bol de chanterelles à la crème accompagnées de lardons. Parallèlement à toute cette orgie de bouffe et ces rencontres de chefs, j'ai commencé des cours de cuisine les soirs pour me désennuyer et maîtriser les bases. Bien que les autres étudiants me regardent drôlement et semblent se poser des questions, je m'en fous, j'ai appris. Maxime m'a confié qu'il voudrait que Doris voie tout cela. Sans jugement. Sans idées préconçues. Sans conclusions. Sans dernière chance. Elle verrait là une preuve de mon émancipation et ressentirait peut-être un début de fierté.

Maxime est viscéralement bon et souhaite que tout le monde le soit. Sa sensibilité et sa foi en moi me touchent.

Il ne peut imaginer comment le mal se fait. Ça ne lui entre tout simplement pas dans la tête. Son cerveau n'a pas été conçu pour le côté sombre du monde. Vulnérable, il ne s'est bâti aucune protection.

Il n'arrive pas à comprendre comment on peut en venir à haïr quelqu'un qu'on a tant aimé. Idéalisation de l'amour.

Il est naïf. Maxime nous croit capables de s'entendre, de se respecter et surtout, de ne pas se faire la guerre. Dans les faits, Doris veut m'arracher les cheveux et moi, je réagis à ses agressions constantes. Je comprends que la pilule a été difficile à avaler, mais l'eau a coulé sous les ponts et elle a eu le temps d'en revenir. Elle me crie à la gueule que ma vie est facile. Pour elle, je n'ai eu qu'à mettre le feu dans mon passé de mâle. Je suis partie et j'ai recommencé à neuf tandis qu'elle est restée dans le vieux. Doris me blâme de lui avoir volé ses meilleures années, la laissant derrière maintenant qu'elle ne se trouve plus dans la fleur de l'âge. Sa période de choc s'étend sur un éternel et interminable calendrier. Je lui ai proposé de l'amener chez ma psychologue. Sa réponse n'a été que cris et lamentations. Je ne sais pas quand elle entendra raison. Peut-être lorsqu'elle aura placé les pièces du casse-tête ensemble et qu'elle se sera rendue à l'évidence. *Mon mari portait un lourd secret qui le plongeait dans un état mou et muet*, expliquera-t-elle sereinement un jour. Tellement que depuis le début de notre relation, Doris a décidé de tout pour moi. Elle a parlé pour moi. Elle a décidé si j'aimais tel ou tel plat. Elle m'a habillé sans que je puisse donner mon opinion ni sur le look, ni sur la couleur. Elle a géré tout ce qui concernait la maison. Je me suis tue et je l'ai laissé prendre le plancher. Elle a cru qu'elle me connaissait comme le fond de sa poche. Après avoir organisé ma vie à l'horizontale et à la verticale, Doris était convaincue que toutes les décisions qu'elle avait prises pour moi traduisaient la vérité incontestable. Peine d'orgueil.

Doris a été blessée dans son amour-propre lorsqu'elle a compris mes cachoteries. Je les lui ai avouées à quelques reprises, lors de soirées bien arrosées, sauf qu'elle n'a pas su m'écouter. Le lendemain, elle avait oublié sa veillée par trop d'alcool. Pour se protéger de réalités bouleversantes, le cerveau se scinde et dissimule la vérité. On ne peut lui en vouloir, c'est instinctif, purement animal d'éviter la souffrance pour se protéger des coups durs.

Complexité des personnages.

Communication de sourds.

Une histoire était bien mûre pour finir là.

Elle aurait pu surmonter le pire, mais n'a pas su vivre le meilleur.

Quand le meilleur de l'un fait le pire de l'autre.

Doris n'aurait pas su continuer à m'aimer.

Je ne suis pas lesbienne, je cherche l'amour d'un homme.

Peine d'orgueil.

SCÉNARIO CATASTROPHE

Chez un psychologue pour enfant, un père parle au spécialiste pendant qu'un garçonnet joue dans un coin. L'enfant donne la suce à son bébé pour qu'il cesse de pleurer, il change sa couche, il le rassure d'une douce voix, *Viens voir maman!*, lui donne le biberon. Dans son monde, il n'entend pas la conversation des adultes qui l'observent. Absorbé dans son temps d'enfant. Là où l'important est de jouer, de rire, d'être bien, de manger, d'être cajolé.

Un père : *C't'enfant-là, on l'a élevé en gars tant qu'on a pu. On a changé ses couches, on l'a lavé, on l'a soigné pis on l'a aimé en gars. Vous comprenez? Que vous me dites que c't'une fille j'y crois rien que pas! Sa mère y laisse faire tout c'qu'y veut.*

Un psychologue : *Ne blâmez personne, ce n'est pas une bonne solution. Au contraire, votre famille devra s'épauler plus que jamais pour accompagner votre fille dans ses démarches de transition avant qu'elle n'atteigne la puberté.*

Un père : *Arrêtez de l'appeler « elle », vous allez l'encourager dans son niaisage !*

Un psychologue : *Pourtant, le sexologue que vous lui avez fait rencontrer avant de venir me consulter est catégorique. Votre enfant est une fille.*

Un père dépose sa tête dans ses mains. Il regarde son enfant s'amuser avec sa poupée. Un psychologue écoute le silence. Un enfant sourit en berçant son bébé.

Un père agrippe son garçon par le fond de culotte, le prend en dessous du bras et l'embarque dans le char.

— J'ai pas de félicitations à t'faire, mon p'tit gars!

AVANCE RAPIDE

Les garçons sont devenus des hommes. Je n'ai rien vu aller. Doris a gagné. Elle a remisé le père dans un gros sac de boules à mites.

Je remercie la vie pour chaque instant volé avec l'un de mes fils. C'est si rare. La solitude a fini par me transformer intérieurement. À me demander si tomber amoureuse est encore un besoin que je souhaite combler. Je peux sûrement substituer cet état par une autre passion.

La douleur d'être quittée par tant de personnes comme je l'ai été ne s'explique pas. Comme si on voyait tous nos êtres chers jeter une petite pelletée de sable sur notre tombe de notre vivant. J'ai appris à me protéger des autres. Je m'occupe seule.

Je pianote seule à la maison. L'instrument, objet de mes angoisses depuis son arrivée, est maintenant un allié des jours gris. Je pianote en réfléchissant à Dominic.

Je suis rentrée du boulot, le répondeur clignotait. Personne ne m'appelle. *P'pa, faut qu'j'te parle.* Je stresse. Un ton grave, Dominic. *J'passe chez vous à soir.* Il a raccroché sèchement. C'est plutôt une mauvaise soirée pour entamer un dialogue. J'ai passé une journée rush au travail. J'aurais imaginé une soirée relax.

Je pratique mes gammes et quelques accords. Quand je m'ennuie, je pousse *Let It Be*, seule chanson que je connais au complet. Chanter m'exerce le ton, le timbre. J'essaie d'atteindre les sons les plus aigus sans forcer. Bien que le piano sonne bien, quelques notes sont toujours étouffées. Le temps a abîmé l'instrument et je n'ai pas encore pris le temps de chercher un accordeur.

Les minutes passent et mon garçon n'a toujours pas donné signe de vie. Dominic a sûrement accepté une autre invitation et il a oublié son rendez-vous. Ce n'est pas la première fois qu'il me pose un lapin.

Assise sur le banc de bois, j'aurais voulu être virtuose. Jouer du Rachmaninov. Si j'avais travaillé plus toute petite, aujourd'hui, je pourrais jouer des pièces de rockabilly endiablées, du jazz, du blues ou toute autre partition de musique qui groove. Au lieu de cela, j'ai laissé l'instrument devenir un vulgaire bibelot ramassant la poussière et les mousses de plancher. Une énorme masse de bois servant de maison de poupées et de piste de course. Alors, je ne connais que *Let It Be*, que je joue avec des accords incertains et imprécis.

Lasse d'aligner les mêmes notes depuis une heure et d'attendre un fantôme, j'ai pris la décision de sortir. Les quatre murs de l'appartement ne me disent rien de bon.

Depuis plus d'une heure, Dominic attend dans sa voiture au coin de la rue. Il n'a pas osé donner d'heure précise, puisqu'il ne savait pas quand il aurait le courage de monter l'escalier. Par la fenêtre, il me voyait de dos, assise à mon piano, à tourner les pages et à placer mes mains pour former des accords. L'instrument se trouvait dans le salon chez sa grand-mère et il en jouait lorsqu'il était petit. Il ne s'amusait avec rien d'autre lorsqu'il allait en visite, un vrai piano, c'était suffisant pour l'occuper longtemps. Puis, il m'a vu me lever d'un pas pressé. Il ne voulait pas manquer son occasion. On serait seuls sans Maxime pour tempérer. Il s'est dirigé vers l'escalier en colimaçon et il est venu à ma rencontre.

J'ouvre. Je lui fais signe d'entrer. Dominic ressasse de vieilles frustrations depuis si longtemps. Il est temps qu'il vide son sac. Je suis prête à l'entendre. Une confrontation en règle.

— Veux-tu une bière?

— J'sais pas. (Il se dirige vers le salon, hésitant.) J'resterai pas longtemps.

— Pourquoi tu voulais me voir?

— Parce que j'suis v'nu t'dire de laisser Max tranquille.

— Maxime t'a demandé de me faire le message?

— Non, c'est moi qui a décidé ça. Tu nous lâches! T'es mort pour nous. T'as creusé ton trou et on a cloué le cercueil. Là, vis tes affaires pis oublie-nous. Simp'e de même.

— Simp'e de même ? Au contraire, c'est dur, c'que tu m'demandes là. Tu restes mon gars.

— Mes amis t'ont vu dans rue. Mes chums de gars, t'sais ceux qui peuvent pas être plus gars que ça. Y t'ont vu dans'rue pis y t'ont r'connu. Y m'ont texté *Ton père se pavane su'es trottoirs en guidoune.* Y pensaient que tu faisais la pute, y pensaient qu'tu suçais pour 10 piasses. T'sais p'pa, c'est pas winner ! T'as voulu changer de vie, ben change de ville, change de pays tant qu'à y être. J'reviendrai p'us, tu m'verras p'us !

— Quand tu seras prêt, Dominic, j'serai encore là.

— Tu s'ras jamais ma mère pis quand j'te r'garde, visiblement, t'es p'us mon père non plus.

Dominic est parti en claquant la porte. Je me suis assise à côté du fauteuil. Sous le choc. Il me hait. Après quelques minutes à méditer sur le plancher, je me suis ressaisie. Je fais la promesse de continuer. Je me relève, je ravale et j'avance. Je bombe le torse et je finis mes préparatifs. Je garde le cap. Je ne me cacherai plus. On ne m'enfermera plus.

Je connais des bars fréquentés par les trans qui pourront me changer les idées. J'ai envie de les explorer. Bars affichés au grand jour, mais où les policiers font souvent leur tournée et prennent les trans pour des putes. Les filles que j'ai connues dans mes rencontres d'aide m'ont informée des pratiques de la maison et surtout, des personnes que j'y rencontrerai. *Les trans lovers.* Ni hétérosexuels, ni gais, ils ont le béguin pour les transsexuelles. Mes amies m'ont mise en garde. *Il faut être prête pour se rendre dans ce genre de lieu. Entrer dans sa sexualité peut donner un choc.* J'y vais pour faire le test. Je vérifierai si ce que je projette comme image passe dans le monde. Si je suis désirable. Si on m'avoue que je suis jolie. J'ai besoin d'entendre ces mots. Jolie. Belle. Charmante. Sensuelle. Excitante. Ça fait longtemps que je n'ai pas été associée à ces termes. La passion avec mon ex-femme était loin derrière, et comme Doris n'a jamais été démonstrative, ni mots doux, ni mots cochons ne sortaient de ses lèvres scellées. J'ai l'intention d'en profiter. Sentir l'ambiance. Danser. Suivre le destin. Embarquer dans les plans de fous. Boire sur le bord du fleuve jusqu'à 6 heures du matin. Faire confiance. Ramener un homme à la maison. Aller déjeuner au resto rétro sur la Main, au lever du soleil. Fermer le bar et terminer la soirée à boire de l'alcool dans la réserve pendant que le proprio balance sa caisse et compte les pourboires. Fumer de la mari. Reprendre le temps perdu. Jouer un rôle qui ne me ressemble pas. Être ouverte à toutes propositions. Si un homme me trouve jolie. Et si un homme me trouve jolie?

Comment réagir? Accepter les avances? Fuir à toutes jambes? Me lancer? Prendre le temps de savourer le jeu de séduction? D'abord, je veux le trouver beau. J'imagine un grand type, cheveux longs châtains, qui fait danser les filles. Je pense à un beau brun barbu aux yeux charcoal qui vit d'excès et d'émotions fortes. Je me figure un profil plutôt rural, un bûcheron, un guide de pêche, un éleveur de glouglous sauvages. Je le vois. Un homme de passage qui ne restera pas après cette nuit. Un marin. Un pilote d'avion. Un représentant. Un vendeur sur la route. Un homme d'affaires. Un musicien. Un camionneur. Un amant ouvert à une expérience nouvelle qui n'aura pas peur de participer à ma première fois. Une première relation sexuelle où on me fera l'amour comme on fait l'amour à une femme, mais où un pénis fait encore partie de l'équation. Juste à y penser, j'ai mal au cœur. J'ai peur de bander. Ça fait trop longtemps que je n'ai pas partagé un moment intime avec quelqu'un.

Grande respiration. Je descends l'escalier, habillée sobrement pour qu'on ne me confonde pas avec un travesti qui fait le trottoir pour payer sa poudre. J'ai calculé tous les détails. Je commence à maîtriser de mieux en mieux la mode. Je ne suis plus une caricature de femme. Je reconnais qu'il y a des moments où il est opportun de m'habiller de manière classique et d'autres où je peux être flamboyante. Plus mon apparence se raffine, plus je développe ma confiance. Malgré qu'il y ait toujours des gens dans la rue pour me rappeler que mon esthétique corporelle n'a pas encore atteint le niveau de perfection, je suis satisfaite de la personne que je vois dans le reflet des vitrines des commerces. Je marche, les cheveux au vent, et je suis libre.

Arrivée, j'ouvre une lourde porte, puis je monte l'escalier menant au bar.

Des lumières tamisées. Bass drum droit au cœur. Une piste de danse au milieu de la place avec boule miroir sous laquelle quelques personnes donnent dans un pas de danse transcendant. Des gens soûls cuvent leur bière en dormant sur le bar. Dans un coin, un couple éphémère s'embrasse à pleine bouche. Le barman joue à la pieuvre. Il est partout. En plus d'exécuter des prouesses pour composer ses verres dans le but de faire lever le party, la majeure partie du shift du barman est consacrée à son rôle de psychologue. Une fois habitué à l'endroit, la musique résonne moins fort et les gens semblent sympathiques. J'apprivoise l'ambiance doucement. Lorsque j'ai enfin réussi à atteindre le bar et lever le doigt pour commander mon verre, le barman écoutait un jeune homme en début de transition se confier sur son mari. Il lui a volé tout ce qu'ils ont bâti ensemble depuis qu'il lui a annoncé qu'il subirait une phalloplastie.

— Le jour avant, il m'disait encore je t'aime à tout' les heures. Ça veut rien dire, l'amour...

— Mais cher, j'sais ben qu'y a mal réagi, mais pensais-tu réellement qu'y allait sauter au plafond ? Il a rencontré une jeune femme sexy avec qui il faisait l'amour et puis, pop ! sa blonde lui annonce qu'elle se fera fabriquer un pénis avec la peau de son avant-bras, qu'elle l'aime et qu'elle veut continuer à vivre avec lui en homme. Ça surprend, non? Pis toi, chère, qu'est-cé qu'tu vas boire?

Je me suis assise entre le jeune homme pleurant son histoire et une femme grouillant sur sa chaise nerveusement.

— Pour commencer, un cognac. Un double.

— Dure journée?

Le bar est à moitié vide. N'importe quel optimiste, trop positif pour la ligue, préciserait que c'est une question de point de vue et que le bar est plutôt à moitié plein. Je ne suis pas sortie à cette heure tardive pour me ramasser dans un trou à rats avec personne dedans. À parler à des chaises vides au lieu de voir du monde, à me donner le tournis et à me perdre dans une masse de gens tous cordés les uns sur les autres.

Je cherche le contact. L'humain et sa chaleur.

De la chair.

Du peau à peau de qualité.

De la sueur.

Se lamentant de la tournure de sa vie, le jeune homme en plein coming out s'est tourné vers moi et m'a lancé *Pourquoi tu veux t'la faire couper?*

— Pardon?!

— Y a rien d'drôle d'être une femme, ma pauv'toi!

Choisissant d'humecter mes lèvres de cognac au lieu de répondre à cette question, je tournoie sur mon banc pour occuper le temps. Je regarde le jeune homme essuyer ses yeux et tomber de sommeil dans la corbeille d'arachides en écailles. Sans même lui adresser la parole, je m'imagine dans quel bordel il se trouve. Nos destins de trans sont rarement simples. Je me rappelle mes débuts et me réjouis d'en être sortie indemne. Je suis toujours vivante, ce qui n'est pas le cas de certaines connaissances qui ont décidé de tirer la plug. Je me sens solidaire. En plus de devoir gérer tous les bouleversements et composer avec tous les deuils d'un changement de sexe, le jeune homme vit une peine d'amour. Douleur où rien ne va plus. J'aurais voulu le prendre contre mon sein et lui dire de vider sa peine. Lui promettre que je serais là à toute heure du jour ou de la nuit pour l'écouter s'il ne pouvait plus tenir son fardeau et pensait à mourir. Sauf que j'en ai marre des histoires lourdes, et ce soir, je fête. Avec la quantité d'alcool qu'il a ingurgitée, il ne se souviendra pas de moi demain matin. J'ai pris un sous-verre et j'ai griffonné mon numéro de téléphone. *Si tu as besoin de parler, je m'appelle Jeanne.*

Les peines d'amour ne s'oublient jamais. Elles guérissent. Reviennent. Repartent. Elles nous courent après. Elles ne virevoltent jamais trop loin. Les peines d'amour restent. Elles existent jusqu'à l'infini, jusqu'à la mort. On n'oublie jamais l'amour. Son odeur. La douceur de sa peau. Son rythme au lit. Le goût de ses lèvres. Les paroles de ses pupilles. Le souffle dans le cou qui suit l'orgasme. Ses actions incontrôlables. Son ivresse et ses bouffées de chaleur. L'hélium du cœur. Tout ça frappe à notre coque et se ranime lorsqu'on perd l'amour. Tout ça revient comme un élastique au visage quand on revit en rêverie chaque instant de l'amour.

Le jeune homme n'y croit plus. L'amour a fui sa vie. Le jour où il en avait besoin plus que jamais, l'amour s'est tiré. Il ne reviendra jamais plus.

De l'autre côté de mon tabouret, une femme d'un certain âge commence à prendre beaucoup de place. Sacré phénomène, on la nomme Furie. Guidoune du quartier, elle se tient près des complexes universitaires pour proposer de folles aventures sexuelles aux étudiants en quête de détente. Elle aime bien s'amuser près du port et fraterniser avec les marins de toutes nationalités. Elle aurait voulu embarquer sur l'un de ces grands cargos pour prendre la route vers un pays lointain.

Refaire sa vie ailleurs. Travesti, elle vit en femme la nuit et en homme de jour. Homme d'affaires connu, il travaille comme tout un chacun dans un lieu renommé. Enfermé dans son bureau à jongler avec de gros chiffres, il n'embête personne. Rien de plus banal. Facile de connaître sa vie. Elle parle sans écouter. Elle respire à peine entre deux phrases. On peut faire un topo de son existence de sa naissance à aujourd'hui en trois minutes. En soirée, Furie perd la tête et se connecte à un autre pan de son identité. Celui qui ne refuse rien, qui ne pose aucune limite et qui plonge tête première dans toute histoire aux rebondissements garantis. Habits de femme enfilés, Furie fait surface et casse la baraque. Elle ne comprend pas pourquoi une personne comme moi est prête à tout perdre pour son changement de sexe quand on peut vivre le meilleur des deux mondes. Selon sa conception, pas besoin de choisir un sexe, il suffit plutôt de se rapprocher des deux et de se brancher autant sur sa partie masculine que féminine. Furie ne laisse pas de place au silence. Elle parle. Elle comble tous les blancs et n'a pas de filtre. Elle pose des questions intimes directement, sans tact. Je suis surprise devant tant d'aisance. C'est l'une des premières fois qu'une personne me questionne si directement. Cet intérêt inspire la confidence et le dévoilement. J'ai envie de jouer le jeu. Je réponds aux questions de la vieille femme honnêtement, sans cachoteries, comme si elle était journaliste. Bien que Furie soit incapable de s'asseoir et que son hyperactivité en étourdit plus d'un, j'ai l'impression d'être écoutée réellement. Furie n'a rien de discret, rien de délicat et ne connaît surtout pas l'expression « respecter le jardin secret ». Elle entre dans l'intimité des gens avec la subtilité d'un bulldozer et la vigueur d'une maman lion chassant une antilope malade pour nourrir ses petits. Elle va droit au but et ne niaise pas avec les mots.

— T'avais l'air de quoi avant ? T'as une photo sur toi ? Fais pas l'imbécile. Tu passes bien, mais c'est pas encore le top. Ta famille comprend ta décision ?

— Ça fluctue, mais mes décisions les regardent pas.

— Ah ! Parce que tu penses qu'il y a eu aucun impact sur leur vie ?

— J'suis pas morte.

— L'homme d'avant est mort. Ils te soutiennent ? Ils sont là ce soir ? Et les autres soirs ?

— Ils sont très occupés... La vie continue.

Du tac au tac, aussi vite qu'elle est apparue, Furie a disparu. Sans laisser de trace ni de façon de la rejoindre, elle s'est volatilisée, laissant sur son passage un doute.

Un barman affairé entre les appels de soif et son remplissage de comptoir. Des mineurs essayant de se payer de la boisson avec des fausses cartes. Une femme trop soûle pour enfiler sa pièce de deux dollars dans le jukebox et programmer ses demandes spéciales. Un homme se frottant sur toutes les femmes dans l'espoir d'en trouver une qui flancherait. Dans tous les coins où je pose mon regard, une scène déprimante se déroule. Je me demande si j'ai bien fait de venir ici.

Furie a mis le doigt sur le bobo. Je suis toujours aussi convaincue d'être une femme. Mes réflexions ne touchent pas cette certitude. Furie a compris que je suis incroyablement seule. Sans soutien moral. Ma mère, mon frère, mes sœurs, mes garçons, mes amis proches, leur présence est discutable. Je fréquente des personnes que j'ai connues en tant que Jeanne. De l'époque de Jean, je n'ai pas rescapé beaucoup d'amitiés. Certaines relations futiles que j'ai vues une ou deux fois et qui se sont poussées après avoir pu observer l'animal de foire de plus près. J'ai tant été absorbée par mes démarches de transition que j'ai oublié de prendre le pouls des gens que j'aime. J'ai écrit une lettre à mes garçons sans revenir sur leurs impressions. Ma mère est vieille, ma décision la dépasse. Elle continue de m'appeler une fois aux deux semaines, mais elle parle à Jean. Systématiquement, elle s'adresse à son fils et est incapable de demander à son cerveau de faire le contraire. Si mon père reprenait contact avec nous maintenant, il prendrait les jambes à son cou, m'affirme Amélia. Autour d'une bière dans un pub, après des mois sans s'être vus, mon frère m'a demandé si j'étais lesbienne. Quand je lui ai avoué que je suis hétérosexuelle et que je cherche la compagnie d'un homme, il m'a annoncé que je n'étais plus la bienvenue chez lui. Mes sœurs me perçoivent comme un cas à régler. Lorsqu'elles se voient pour siroter leur mauvais café filtre une fois par semaine, elles analysent ma situation. Elles ne comprennent pas où le problème a pu commencer et comment gérer tout ça. *On l'a peut-être trop influencé quand il était petit ? On était ses modèles, Jean nous suivait partout comme une queue de veau. Pas surprenant qu'il soit viré trans.*

Elles n'essaient pas de me comprendre. Elles se donnent de l'importance. Elles papotent pour papoter. Elles mémèrent sans s'écouter. Elles médisent sur un membre de leur propre famille sans empathie, sans ouverture. Elles n'ont pas l'intention d'entretenir cette relation à tout prix. Hypocritement, elles m'invitent dans les rassemblements familiaux en espérant que je ne m'y présente pas. Je m'y rends et trouve généreux de la part de mes sœurs d'avoir pensé à moi pour partager leur repas de Noël, de Pâques, du Jour de l'an. Mes sœurs me reçoivent convenablement et préparent bien leurs enfants avant mon arrivée. Elles spécifient que leur oncle est *spécial* depuis un certain temps, mais que ça va se tasser. Qu'il faut le soutenir, car dans quelques mois, il reprendra son apparence normale. C'est un passage nuageux. Elles n'aident en rien ma cause. Elles nuisent. *Il a horriblement souffert de ne pas avoir de père. Plus que nous.* J'ai perdu des copains de longue date. Ils ont peur que notre amitié se métamorphose en malentendus sexuels. Ils n'entrevoient plus aller en fin de semaine de pêche avec moi, se rendre dans un pub pour écouter les finales de la Coupe Stanley, le Super Bowl ou juste pour boire des pichets. Ils se sentent trahis. Comme si leur chum de gars avait manigancé dans leur dos et leur avait menti. Ils ne savent plus comment se positionner. Ils ont préféré se taire et faire comme si la vie nous avait séparés. Le destin a le dos large.

Ma solitude me saute au visage. Le bilan est lourd et a laissé sur son passage bien des victimes. Le pas n'est pas simple. Je feuillette mon carnet d'adresses et raye des noms. Je n'ai pas la force d'appeler tout le monde. Pour certains, je devrais leur annoncer que je ne suis plus Jean, et pour d'autres, leur dire où j'en suis dans mes démarches, répondre à leurs questions, toujours les mêmes, avant de leur demander honnêtement s'ils désirent demeurer dans mon univers. L'exercice serait humiliant. Je préfère tomber sur eux par hasard dans la rue et les écouter se justifier de leur absence dans cette période de vie où j'aurais grandement besoin de leur amitié. Le vide est aussi grand que celui du jeune homme trans en peine d'amour. Le temps a passé et rien ne me rattache au monde.

Je n'ai plus personne.

Que mon fils Maxime, qui a un fardeau bien pesant à porter pour un seul homme.

Pourtant, je n'ai jamais été aussi populaire, le centre d'attraction pour une centaine de regards voyeurs et interrogateurs, mais tout cela est bien superficiel. Je n'ai personne. On me regarde, on me trouve étrange ou courageuse, on me scrute à la loupe, mais je suis seule. On analyse mon passé, mon présent, mon futur, mais je n'ai personne. Pas d'oreilles pour. Pas d'épaules pour. Pas de bras pour. Pas d'humains pour.

Au travail. À la maison. Dans la rue.
Juste du vent. Juste du *front*.
Juste un carnet d'adresses couvert de crayon feutre noir.

SCÉNARIO CATASTROPHE

Deux frères qui se sont chamaillés. Deux frères qui ont joué à la guerre. Deux frères qui ont aligné des voitures sur le bord du divan pour faire du trafic. Deux frères qui ont pris leur bain ensemble. Deux frères qui ont joué aux garagistes, aux pompiers, aux bandits, aux cowboys. Deux frères qui ont parlé de filles. Deux frères qui ont parié sur celui qui embrassera la belle Olivia. Deux frères qui se sont endormis en camping en buvant de la bière en cachette. Deux frères complices. Unis. Jumeaux, presque.

Un frère qui croyait penser à la même chose au même moment que son cadet.

Un frère qui se retrouve avec une troisième sœur.

Un frère qui refuse de comprendre.

Une sœur en peine d'amour familiale perdant son meilleur ami, le parrain de son fils.

Un frère qui refuse de comprendre.

Une sœur qui fait un deuil de plus.

Un frère qui enterre son frère et tourne la page.

Une mère qui rappelle à son enfant qu'il est en train de tout perdre.

Chemin du retour. Je ramène un homme. Je titube par trop d'alcool, j'aurai mal au ciboulot demain matin. Trop de fort. Je chantais du Soldat Louis avec le barman. *Encore un rhum et puis un rhum.* J'ai rempli ma mission. Un homme dormira dans mon lit. J'ai assez niaisé.

Marc. Il est costaud. Tatoué de partout, il ne passe pas inaperçu. Marc n'est ni laid ni beau. Il est joli à regarder, mais pas assez pour devenir le tombeur de ces dames. Il est marié, mais mène une double vie aisément, puisque sa femme n'habite pas la ville et l'attend sagement à la maison. Trois enfants. Un chien. Un poulailler rempli. Un grand terrain à entretenir. Représentant pour une grosse compagnie, Marc roule sa bosse à travers toute la province et possède un pied-à-terre en ville. Il est impossible pour Marc de vivre réellement ses pulsions au quotidien. Qu'est-ce qu'on penserait de lui dans sa petite grande ville de région ? Marc désire les femmes n'ayant pas encore subi de chirurgie. Il n'a que ça en tête. Il cherche l'entre-deux. Des seins au bord de poindre. Un corps mi-femme, mi-homme. Un pénis toujours là. Dans la métropole, il fréquente les bars où se tiennent les trans et il drague en toute liberté. Une fois qu'il l'a séduite, il demande à sa conquête si elle possède toujours son pénis. Dans le cas où la femme est opérée, il ne s'attarde pas et passe à une autre.

Dans l'espoir de trouver celle qui comblera ses fantasmes pour la soirée. Il ne peut s'expliquer pourquoi il aime faire l'amour à ces femmes. Il trouve le tableau complet. Il trouve l'être unique. Cela lui apporte tout le plaisir dont il a besoin pour jouir jusqu'à la dernière goutte.

Ces femmes sont esthétiques.

Avec sa femme, le sexe est gentil. Lorsqu'ils se sont rencontrés, ils baisaient partout, dans toutes les positions, à n'importe quelle occasion. Plusieurs similitudes les rapprochaient, sexuellement parlant. Ils aimaient les gadgets. Ils pratiquaient la sodomie l'un comme l'autre, ce qui avait surpris et excité sa femme. Ils aimaient qu'on les surprenne à faire l'amour. Dans un parc. Sur une plage. Dans une toilette de centre d'achat. Lorsque le premier enfant est né, plus rien. Marc ne voyait plus sa femme comme un terrain de jeu où il pouvait prendre son pied. Il la regardait et l'admirait. Elle lui avait offert le plus beau cadeau de la vie et cela l'intronisait au temple de la renommée des mamans. Quant à la sexualité, son amoureuse n'en possédait plus la flamme. La grossesse l'avait calmée et l'allaitement encore plus. Son corps appartenait à quelqu'un d'autre. Ses seins transformés en sacs à lait douloureux sans bon sens ne pouvaient plus être pétris comme avant. Elle avait besoin de douceur. L'accouchement naturel avait rendu la pénétration plus sensible. Tellement qu'elle avait désormais l'impression de perdre sa virginité à chaque acte sexuel. La douleur était si intense qu'elle le repoussait. Marc, n'étant déjà plus porté par le même désir pour sa femme, s'éloignait. Au bout de quelques mois, lorsque le sexe a enfin repris, la deuxième grossesse s'est déclarée. Le deuxième enfant est arrivé. Un autre cycle d'abstinence. Puis la troisième grossesse. Les années ont passé et les ont métamorphosés en parents. Ils sont toujours amoureux. Ils savent communiquer. Ils cohabitent à merveille. Ils s'occupent de leurs enfants au moindre besoin, au moindre inconfort. Meilleurs amis du monde. Leurs enfants voient en leurs parents un modèle de bonheur complet. Ils sont complices, rieurs, heureux, sauf qu'ils ne font quasiment plus l'amour. Ils ont oublié le mode d'emploi de l'autre. Une fois aux six mois. Sa femme le sait. Elle en est consciente. Ses écarts. Ses tricheries. Elle ne lui en tient pas rigueur, car elle ne peut satisfaire ses envies. Si elle rencontrait ses conquêtes, elle les remercierait de tenir le rôle qu'elle déserte. Elle n'a plus de désir. Bien qu'elle ne refuserait jamais une aventure extraconjugale si elle en avait la chance. Elle a déjà l'image précise de son amant en tête. La femme de Marc ne pourrait jamais se douter que son mari la trompe avec des transsexuelles. Ce n'est jamais le premier scénario qu'on se fait. Le savoir, elle n'en serait pas si choquée. Marc a toujours été à la recherche d'expériences sexuelles aux sensations ultimes. Pour jouir, il lui faut la totale. Le savoir, elle voudrait voir. Le savoir, elle le suivrait.

Marc marche à côté de moi et me frôle les hanches. Il me passe la main dans les cheveux et me trouve jolie. Il regarde mes traits et se demande s'il aurait pu reconnaître ceux d'un homme s'il m'avait croisée dans une foule. Il n'est pas certain. J'ai rondi, courbé, mon visage s'est raffiné. J'ai pris du poids avec les hormones et cela me fait le plus grand bien. Fesses devenues rebondies, Marc se délecte de me voir me dandiner. Il est fier de parader à mon bras. J'ai chaud.

Nous montons l'escalier en colimaçon quand je me mets à douter de notre plan. Il y a si longtemps que je n'ai pas fait l'amour et la dernière fois, j'étais de l'autre côté du décor. Je me déhanchais en homme sûr de moi, tout en contrôle. Caporal en chef. Doris n'a jamais pris le lead au lit. Je ressens la fébrilité de la première fois. Douce excitation accompagnée d'un mal de cœur. Je n'ai aucune idée de la manière de m'offrir à un homme. Je sais que ce n'est pas un baptême pour

Marc et je ne veux pas le décevoir. Je crains sa perception. J'ai peur qu'il s'ennuie par trop de maladresse. Un bras coincé là. Un coup de coude dans la face en retirant mon chandail. Une lumière éteinte en vitesse. Des baisers pas très passionnés. Des jambes qui restent croisées pour éviter le sexe. J'ai l'expérience d'une collégienne.

Une fois passé le cadre de la porte, Marc a fait ni une ni deux. Il m'a saisie par la nuque et a porté mon visage vers le sien pour m'embrasser. Il explose. Des frissons parcourent mon corps des épaules jusqu'à la croupe. Mon bassin se courbe par trop d'excitation et de légers spasmes me font sursauter. Ne connaissant pas le chemin pour se rendre à la chambre à coucher, Marc a stoppé son élan sur le futon du salon. Il me caresse partout et me traite comme une princesse. Il se synchronise à moi. Je fonds.

Tout allait pour le mieux jusqu'à ce que je me retrouve en sous-vêtements. Je ne suis pas satisfaite à cent pour cent de mes seins, et mon pénis est toujours là. Je porte des petites culottes qui me permettent de dissimuler mon organe solidement attaché. Je préfère endurer cette souffrance que de sentir mon pénis se mouvoir dans mes pantalons. Couchée près de Marc, je peux accepter qu'il voie mes seins et les touche bien qu'ils manquent de volume et de fermeté. En ce qui concerne mon pénis, il est hors de question qu'il fasse partie de la fête. Je n'ai pas envie de le sentir se raidir et prendre de l'expansion. Je ne souhaite pas que Marc le masturbe, l'agite et le stimule. Juste à penser qu'il pourrait le mettre dans sa bouche me fait horreur. Je refuse les avances masculines. Mon pénis n'existe pas.

Puis Marc a sauté. La main dans ma culotte, il a cherché l'engin. Il l'a pris fermement dans sa main, l'a libéré et s'est mis à le branler. D'un coup sec, je me suis arrêtée. C'est banni. Je ne veux pas penser à mon pénis, ni en parler et encore moins l'utiliser pour l'amour. Souvent, des curieux me posent des questions intimes à propos de mon opération. Ils me demandent si mon pénis est toujours là. Je ne réponds jamais. Personne n'a à savoir. Calée dans la craque du futon pourri, je jongle avec l'idée de foutre Marc dehors à grands coups de pied au cul. Marc est motivé par l'objet sexuel et non par l'être vivant. Je regarde Marc masturber ce pénis mou appartenant à quelqu'un d'autre et j'ai mal au cœur. L'excitation ne vient pas. Il s'acharne à m'amener au septième ciel par mon pénis sans même me demander ce qui m'excite. Marc branle et branle comme dans un cauchemar qui ne finit pas. Crispée, je suis passée d'un état de zen total à la pure angoisse.

— Fais-moi l'amour comme tu l'ferais à une femme!

— Sans vagin, la pénétration, c'est difficile.

— Ça m'gèle. Si tu désires juste mon pénis, t'as qu'à partir.

Marc, vexé, s'est assis sur le bout du divan et m'a regardée me rhabiller.

— Qu'est-cé qu'tu pensais qu'y allait arriver? Que je t'prenne, j'te pénètre doucement, j'te mange le clitoris? C'est impossible, tu sais? J'te ferai jouir à n'en plus finir si tu me donnes le droit d'te toucher au complet. Au pire, j'peux t'payer!

— Sors.

Découragée, je pleure. Il y a de quoi déprimer. J'ai tant travaillé sur mon corps. Passer pour une pute, à mon âge. Je pleure tous les points d'interrogation dans les yeux des passants. Je pleure tous les chuchotements. Toutes les perceptions. Tous les sourcils froncés. Tous les yeux plissés. Tous les nez retroussés. Tous les bavassages. Tous les rires et les mots dits trop forts. Tous les gens qui changent de trottoir. Tous ceux qui font comme s'ils ne me connaissent pas. Je pleure ma famille absente, mes fils perdus. Je pleure Marc m'ayant prise pour une n'importe quoi. Je pleure tous ceux qui me chassent de leur vie. Merde. La fatigue est trop grande. Je n'ai pas encore versé une larme depuis le début de ma transition.

Je vis en femme, pour moi. C'est évident qui je suis : une femme. Je ne saisis pas pourquoi, de l'extérieur, ce n'est pas plus simple à comprendre. C'est loin d'être le début d'une idée ou un concept abstrait. Au contraire, ma transsexualité est tangible, flagrante, scientifiquement prouvée. Si je pouvais être comme tout le monde, le choix serait facile. J'aurais vécu sans complications. Sans soulever de questionnements identitaires. Je veux finir de naître.

Les gens mélangent tout.

Transsexuelle. Transgenre. Travesti. Drag queen. Prostituée. Autant de gens, autant d'histoires. L'identité du genre, tout comme l'orientation sexuelle, ce n'est pas tout blanc ou tout noir. C'est une série de nuances de gris dans laquelle on ajoute des couleurs. Il n'existe pas de généralité. Mon histoire n'est pas celle des autres. Il peut y avoir des familiarités, mais on ne trouve pas de similarités en tous points. Personne ne passe à travers les mêmes étapes, les mêmes embûches. Il y a de quoi se perdre. Entre transsexuelles et transgenres, dans la communauté même, il y a querelle. Opérée ou non opérée, telle est la question. Le sujet est complexe, politique. Il y a des revendications distinctes. Certaines trans se décrivent comme transgenre, d'autres comme transsexuelles, tandis qu'une autre faction refuse les étiquettes. Certaines ne désirent pas subir d'opération et considèrent cette pratique barbare. D'autres ne veulent pas garder de marques de leur ancienne identité et demandent qu'on les appelle uniquement *femmes*. C'est ma philosophie. Si on ressent l'appel de l'opération ou non, c'est de l'ordre du personnel. Il ne faut pas juger, ça se passe en dedans, tout ça. J'ai décidé. Je passerai par la vaginoplastie, mais ça prendra du temps. J'espère une meilleure acceptation avant de plonger. Je suis patiente. Mon nom est sur la liste du chirurgien.

Oui, il y a de quoi se perdre. L'orientation sexuelle n'est pas reliée au genre et amène aussi son lot de confusion. Les trans ne sont pas automatiquement hétéro. Certaines gardent leur attirance pour les femmes, ce qui confond leurs proches. *Il n'avait qu'à rester avec sa conjointe, s'il voulait continuer à coucher avec des femmes.* Et pour celles qui font le pas vers les hommes, elles se font juger comme des homosexuels refoulés. Les gens parlent. Toujours. Le besoin d'explications est grand chez l'être humain. Il faut une logique. Des cases.

L'épisode Marc m'a secouée. Ça m'a touché au cœur des perceptions des autres. Leur regard sur moi. N'ai-je pas été assez claire ? Si un inconnu, avec qui j'ai cru être limpide, n'a pas pigé que je ne suis ni travestie ni prostituée, ça signifie qu'il y a d'autres personnes qui font erreur sur mon compte.

En me rendant au bar, j'avais envie d'entrer en relation avec des personnes habituées de fréquenter des trans et qui n'auraient pas à s'adapter. Des rapports naturels et sans sursauts. Oui, j'ai besoin de tendresse et de chaleur, mais pas à tout prix. Je ne cours pas après le sexe gras et sale. La pornographie des films ne me stimule pas. J'ai envie de faire l'amour. Tout ce qu'il y a de plus ordinaire. Sans fantasmes extravagants. De légères caresses, des baisers volés et hop, l'homme repart le matin à pas de loup. J'ai rencontré le seul mec du bar qui cherchait des sensations fortes, des expériences hors du commun. Aucun Marc ne me reprendra dans ses filets.

Je me suis emmitouflée dans mes couvertures de laine et me suis endormie au bout de mes larmes.

SCÉNARIO CATASTROPHE

À la bibliothèque, un adolescent explore toutes les rangées à la recherche des bons bouquins. Avant de se croire fou, comme le pense sa famille, il a décidé de s'informer à la source.

Encyclopédies. Dictionnaires. Ouvrages de psychologie. Il cherche le mot décrivant ce qu'il vit. Sa mère l'envoie chez des spécialistes depuis qu'il est petit. Il sent qu'il consulte pour elle et non pour lui. Sa mère n'accepte pas qu'il soit une fille.

Avant de commettre l'irréparable, l'adolescent veut savoir. S'il n'existe rien sur le sujet, il enterrera cette petite voix qui lui répète qu'il n'est pas un garçon et deviendra le fils à papa tant souhaité. S'il trouve des articles à l'appui, il prendra les choses en main.

Coûte que coûte.

Au risque de tout faire péter.

Un père : *Tu vas nous faire mourir, moi pis ta mère.*

NOUS AUTRES

Je cherche des restes de toi
Dans la chambre froide
Et dans le piano droit
Je cherche l'écho d'une voix qui disait : « Aime-moi »
Je cherche des restes de toi

Philippe B

PORTRAIT

Signaux d'urgence.

Lettre d'adieux. Dessins de tristesse aux personnages d'anges. Dons de jouets préférés. Nouvelle légèreté dans le pas. Sourire d'une fin décidée.

Appel à la réunion de famille.

Une mère, exaspérée de voir son enfant mourir à petit feu, présente sa fille au cercle familial. Un père en colère. Une grand-mère plus qu'heureuse. Un oncle soulagé. Un frère content qu'enfin ce soit dit. Une deuxième mamie qui refuse qu'une telle décision se prenne si tôt. Un père qui met la faute sur sa femme, sur sa propre mère.

— Raisonne-toi! C'est toi le papa, pas l'enfant.

Puis, dans tout ce brouillard, est arrivée Gabrielle. Jeune trentaine, les pieds à peine installés au bureau, elle s'est amourachée de moi. Il y a une sorte de tempête dans ses cheveux frisés en broussaille, mais pas dans sa tête. On ne peut pas la juger par son chignon. Groundée et décidée, il n'y a pas un pouce carré de son être qui ne soit pas enraciné. Elle a l'énergie d'un jeune étalon en pleine adolescence. Fougueuse, elle prend des risques calculés et pour ceux qui ne le sont pas, elle se soûle de cette chute libre l'amenant toujours ailleurs dans sa vie. Belle. Impétueuse. Ingénieuse. Elle n'a rien à cacher. Elle s'exprime devant tous et se permet de remettre à sa place quiconque n'est pas de son temps. Elle est née sans filtre. Elle froisse les âmes douillettes et se met à dos tous les hypocrites qui ne s'occupent que de colporter des méchancetés. Elle a du pif. Elle sent les vrais gens des faux. Son instinct ne la trahit jamais.

Intègre.

Gabrielle n'a pas peur des mots.

Ceux qu'il faut dire au bon moment. Ceux qui sont dits dans la face. Ceux qu'on tait. Ceux qui blesseraient si. Ceux qui, à la lumière d'une chandelle, font comprendre bien des comportements. Ceux dont tous se sauvent. Ceux qui prennent du temps à sortir. Ceux qui ne cherchent pas le consensus.

Ceux qui créent des débats, mais qui font avancer. Ces mots qui font pleurer, crier, se tordre de douleur. Ceux qu'on sait, mais qu'on évite. Ceux dont on ne veut pas qu'ils soient dits, car ils mettraient fin à une époque. Ces mots qui soulagent une fois verbalisés. Ceux qui doivent être digérés. Ceux qui nous sautent en pleine face. Ceux qui brisent des rêves. Ceux qui clouent au plancher. Ceux qui fessent. Ces mots qui sortent des cadres de porte. Ceux qui frôlent la vérité toute crue. Ceux collés au réel.

Avec Gabrielle, il n'y a guère de zones floues. Limpide. On sait à quoi s'en tenir.

Lorsque je l'ai rencontrée pour la première fois, devant le photocopieur bogué, je l'ai tout de suite aimée. Nous étions mortes de rire à voir fumer l'engin bourré de feuilles partout.

— Meilleur que toutes les thérapies du monde, ça !

— On devrait péter un photocopieur par semaine, ça détendrait l'atmosphère ! Gabrielle, mon nom.

— Je m'appelle Jeanne, mais tu dois déjà me connaître.

— Non, pourquoi j'te connaîtrais ?

Bien sûr que Gabrielle a entendu les langues sales cracher leur venin. Elles mémèrent partout et à qui veut l'entendre les derniers potins sur moi. La longueur de ma jupe du matin. La couleur de mon fard à paupières. Les mimiques féminines que j'ai ratées. La majorité des employés s'est habituée à Jeanne et ne voit plus l'homme d'avant, mais certaines femmes s'acharnent à jouer le rôle de mémoire. À sa première journée de boulot, la bande de commères a présenté à Gabrielle chacun des employés en ajoutant la touche de colportages non fondés. Les femmes ayant déterminé leur itinéraire du plus croustillant au plus commun, elles ont commencé par mon bureau. Gabrielle, n'appréciant pas ce genre de pratique, a demandé à la direction de changer de guide. Ne jugeant jamais une personne au premier regard, elle préfère suivre son flair, qui la mène toujours plus loin. Au contact de ces femmes, Gabrielle a ressenti un haut-le-cœur. Ainsi, elle a compris qu'elle ne mettrait jamais d'efforts à entretenir des relations avec elles. De prime abord, elle ne leur faisait pas confiance. Oui, Gabrielle est une femme directe ne craignant pas de dévoiler les quatre vérités à une personne, mais avec son côté utopiste et éternellement optimiste, elle ne cesse de rêver à un monde meilleur. Un monde où tous déambuleraient partout, libres et égaux en droits. Un monde où la violence ne serait plus utilisée comme moyen de communiquer, de garder le pouvoir, de contrôler, d'humilier, d'entretenir la peur ou de rabaisser. Un monde où les gens s'intéresseraient à l'autre avec une attitude ouverte et désintéressée. Un monde où les frontières pour se rendre à l'autre n'existeraient plus et où les différences seraient choses courantes. Un monde où plus personne ne mourrait seul, dans la misère et malheureux. Un monde généreux. Un monde juste. Un monde vivant qui évolue avec son temps. Gabrielle est comme ça, sans malice. Un peu hippie. Sa grande énergie lui sert à défendre la veuve et l'orphelin. Toujours au combat. L'épée à la main. Naïvement, peut-être, elle croit que tous espèrent ce monde. Gabrielle ne saisit pas les motivations des gens à pencher vers le mal. Son cerveau ne réfléchit pas comme ça. Faire le mal. Elle est incapable de s'imaginer qu'une personne puisse se lever le matin avec des plans machiavéliques. Comment dort-on lorsqu'on sait qu'on tuera demain, qu'on frappera, qu'on volera, qu'on détruira la vie de quelqu'un, qu'on médira, qu'on violera, qu'on s'enrichira sur le dos des pauvres, qu'on exploitera ? Sentant que chaque geste posé et que chaque parole prononcée par ces femmes du bureau sont faits pour nuire aux autres, Gabrielle ne porte pas ces collègues dans son cœur et, naturellement, elle s'est rangée de mon côté pour livrer bataille.

Il y a là choc de mentalités.

Pas un sujet ne peut outrer Gabrielle. Elle n'est pas très impressionnable. Elle a toutes sortes d'amis, des plus straight aux plus dévergondés, des vieux, des jeunes, des intellectuels, des hommes de bras, des politiciens, des escortes, des artistes, des serveuses de dinette, des itinérants, des barmaids, des ivrognes, des professeurs, des chefs d'entreprise, des plongeurs, des danseuses nues. Si le courant passe, il y a amitié. Lorsque la relation est établie, c'est pour la vie.

Comme elle n'est pas parfaite, sans vice, sans faille, elle ne juge pas les choix des gens, les revirements de situation. Rien ne la surprend, tout se peut.

Après quelques semaines de fréquentation, par honnêteté, je me suis sentie obligée de lui annoncer que je suis en transition. Comme si j'avais peur de la trahir, je l'ai mise au parfum. Je ne voulais pas qu'elle l'apprenne par quelqu'un d'autre et que nous cessions de nous voir sans raison. Continuant à discuter du sujet précédent, Gabrielle ne réagit pas. Elle me raconte des anecdotes de son voyage en Bolivie où elle a travaillé six mois à La Paz. Là où elle a rencontré un jeune bolivien sexy avec qui elle croyait faire sa vie et y rester, mais les blues du pays l'avaient ramenée ici. La distance éloigne. L'amour n'a pas tenu. Surprise de l'entendre continuer son histoire, je répète mon aveu.

— J'avais compris la première fois.

— Tu ne dis rien?

— La personne que j'ai devant moi, c'est Jeanne. Une brillante et jolie femme.

Je suis ébahie. Habituellement, on me fait passer une batterie de tests pour prouver que je suis saine d'esprit. De plus en plus, je passe inaperçue, mon unique but. Me fondre dans la foule. Ne pas être repérée. Être invisible. Dans mes groupes de discussion, quelques trans s'insurgent de ma prise de position. Elles, elles se battent pour les droits des trans et pour les faire reconnaître à la face du monde. J'ai un rêve simple. Je veux vivre mon quotidien de femme ordinaire et me construire une vie normale, entourée de personnes qui n'éplucheront pas mon passé et me prendront telle que je suis. Ne pas tourner les pages de l'album de photos.

Maintenant, je fuis les interminables discussions sur le pourquoi du comment il est possible de naître transsexuelle. Je ne supporte plus de me faire demander quel était mon *vrai* prénom, de quoi j'avais l'air avant. Comme si je n'étais qu'un freak. Je n'ai pas l'intention de porter le statut de trans toute ma vie. Je vois à long terme. Une fois que mes rencontres avec les psychologues et les sexologues seront finies. Une fois que le chirurgien aura fait son travail en révisant quelques traits ici et là. Une fois que mon sexe sera fonctionnel et que je serai remise sur pied. Je ne parlerai plus d'avant et je ne ressasserai plus les vieilles histoires. Je n'accepterai pas les invitations à donner des conférences dans les écoles, des entrevues. Je ne lutterai pas pour la cause. Je ne marcherai pas lors des événements de la fierté gaie, lesbienne, bisexuelle et trans. Je ne m'afficherai pas dans la rue. Je ne porterai pas de vêtements trop voyants ou extravagants. Je veux dépasser mon genre transitoire et passer à un autre stade. Enlever l'extra à l'ordinaire. L'étape du tout-à-fait-banale-cette-femme-je-n'ai-jamais-rencontré-une-personne-aussi-emmerdante-de-ma-vie.

Ennuyeuse.

Sans rebondissements.

Plate. Plate. Plate.

Plate.

Je n'écrirai pas un roman sur moi.

Je vise la paix. La paix. Fini de vivre de la culpabilité imposée par une mère hystérique. Fini de crouler sous la pression d'une ex en quête de vengeance. Fini d'avoir honte à cause d'un plus vieux qui ne veut plus présenter sa mère numéro deux. Fini de supporter les rires derrière moi au bureau. Fini de passer pour une folle. Fini d'apercevoir des amis qui changent de trottoir comme s'ils ne me reconnaissaient pas. Fini d'entendre *Tu charges combien?* quand je circule le soir.

Cultiver mon jardin urbain. Écouter les oiseaux. De la musique classique. Poursuivre le piano. Organiser des soupers bien arrosés. Voir mes fils. Ce bonheur me contentera et je pourrai devenir plus contemplative.

Gabrielle a entrevu la tristesse dans le coin de mes yeux. Toujours un peu mouillés. Jamais secs. Plus les obstacles me séparent de mon but, plus je me fragilise et retiens mes larmes. Gabrielle a envie de m'aider. Elle veut être là, le temps que ma famille revienne. Manigançant pour que Gabrielle fasse ma connaissance, le destin a réussi à nous placer l'une en face de l'autre. Un matin que nous préparons notre café dans la salle de pause, Gabrielle me demande de la dépanner et de l'héberger pour quelques mois. Le temps qu'elle se retrouve un appartement et qu'elle s'achète de nouveaux meubles. Son copain l'a laissée pour une violoncelliste aux mœurs légères, elle n'a plus rien et se retrouve sur la paille. La séparation des biens. Elle ne garde rien. Rien qui lui rappelle cet homme, donc tout. Un cinq et demi plus que meublé et maintenant, elle se retrouve nue comme un ver dans la rue.

J'accepte, j'ai une chambre. Mes garçons, la vingtaine bien entamée, ne viennent pratiquement plus. Remplir la maison de nouveaux sons. Faire à manger pour deux. Partager des fous rires. Déposer ma tête sur l'épaule d'une amie quand rien ne va. Attendre pour entrer dans la chambre de bain monopolisée. Avoir de petites attentions pour quelqu'un. Débattre sur des sujets de l'actualité. Ne rien dire, parfois. Prendre une bière, deux ou trois en apéro et finir par oublier de souper.

Se motiver un dimanche matin à partir à l'aventure, cueillir des pommes à une heure de route. Sortir à une soirée de la poésie et boire, beaucoup. Noter les beaux hommes. Remplir le cendrier de cigarettes allumées l'une sur l'autre, juste un soir, et le regretter. Se chicaner la télécommande de télé. Se boucher les oreilles pour ne pas entendre les cris d'amour de la conquête du moment. Visiter nos vieux fantômes, se confier à l'autre. Cuisiner un énorme chaudron de sauce à spaghetti épaisse, boulettes de viande, extra légumes et inviter trente personnes pour souper. Savourer l'état d'être deux. N'être plus seule.

Oui. Je dis oui. Gabrielle peut emménager quand elle veut. M'envahir. Le plus tôt sera le mieux. Tout le temps dont elle a besoin. La couleur reviendra dans cette maison et la vie semblera moins sombre. Alléluia !

Gabrielle s'est fait aider de son chum de gars et de son pick-up Mazda turquoise. On a tous un ami pick-up dont on prend soin, au cas où. Malgré la petitesse de la camionnette, le bagage de Gabrielle tient dans la moitié de la boîte. La camionnette a des allures de caravane manouche. Tous les meubles, boîtes et accessoires ont été déposés au hasard sans penser aux bris ou au danger de foutre le camp. Sans attaches, du point A au point B, ça bat au vent. Regarder par la vitre arrière pour nous assurer de ne rien perdre. Un coffre de voyage bleu, des briques et des planches pour construire sa bibliothèque, des livres, des livres, des livres et encore des livres. Lorsqu'elle plie bagage, ça lui fait toujours plaisir de constater que la partie la plus longue à paqueter de son ménage est ses recueils de poésie, ses romans, son théâtre. Elle en dévore, à la journée longue, à grandes bouchées. Deux paires de souliers, pas vraiment d'outils de cuisine, deux sacs de poubelle de vêtements, une courtepointe tricotée par sa maman, une lampe en céramique produite par une femme dans le fin fond d'un rang de son village d'enfance, sa vie ne s'attache pas à de nombreux objets. Depuis plusieurs années, elle traîne avec elle une lourde valise brune. Une valise ancienne qui servait au postier, à l'époque. Cette mallette, elle ne l'abandonnera jamais. On ne la lui enlèvera pas. Mieux vaut mourir. Remplie à craquer, des feuilles toutes froissées en sortent. Des partitions. De la musique. Des accords. Des gammes. Des mélodies. Du classique. Du populaire. De tout. Je sais que je ferai une heureuse lorsque Gabrielle mettra les pieds dans l'appartement.

— Un piano ! Mais, mais, mais, tu m'avais pas dit que t'avais un piano !

— Il sonne faux. Il y a même des notes sourdes. Il étouffe.

Un bon vent souffle sur ma vie. Quelque chose de frais oxygène mon cerveau. Gabrielle a une saveur de menthe, de mojito pimenté. Son déménagement amène un nouvel air. Comme le jour où on ouvre les fenêtres de la maison pour la première fois après un long hiver. Même son ami de gars n'a pas bronché en me voyant. Pas de haussements de sourcils, pas de questionnements dans son regard, pas de trace de doute. Lorsque Gabrielle a fait les présentations, il a serré ma main en m'embrassant sur les joues. Il n'a pas hésité. Lorsque Gabrielle a eu le dos tourné, il m'a remercié de prendre soin de son amie dans une période de vie plutôt difficile.

— Même si elle fait sa forte, elle a mal.

Gabrielle caresse le piano, elle n'en croit pas ses yeux. Elle rouvrira enfin sa malle de partitions qu'elle accumule depuis ses débuts sur le banc jusqu'à aujourd'hui. *Für Elise* de Beethoven. *La Poule* de Jean-Philippe Rameau ou *Les Sauvages*. Johann Sebastian Bach et les *Variations Goldberg*. Chopin et sa valse en ré bémol majeur. Des pièces de Noël qu'elle a apprises à la petite école pour le spectacle de fin d'année. L'une plus précisément pour son amie Sophie qui avait écrit une pièce de théâtre, *Le secret de mère Noël*. Son amie lui avait demandé de composer des morceaux pour ses scénettes. Sa première création, toute belle, toute naïve, avec des ratures et des doigts d'encre noire partout, car, oui, elle l'avait écrite à l'encre. Elle avait imité ses idoles, les grands compositeurs qu'elle voyait dans les films. Dans sa valise, il y avait aussi des partitions qu'elle n'avait jamais jouées puisqu'elle n'avait plus d'instrument. Elle fantasmait à l'idée de les pratiquer et pratiquer et pratiquer encore jusqu'à plus de souffle, jusqu'à corne sur les bouts de doigts et mal aux articulations. *Le café Robinson* de Marie-Jo Thério. *Le violoncelle* de Daniel Lavoie. Pierre Lapointe et son *Amour solaire*. *Tu m'aimes-tu, Nataq, L'étoile du Nord, Va-t'en pas, Le cœur est un oiseau* de Richard Desjardins. Richard Desjardins. Tout Richard. Au complet. Juste Richard et son piano. Sa poésie. Rien d'autre. Que lui et le public qui pleure. Trente années de papiers et de livres de musique à dépoussiérer. Elle jouit. À quatre ans, elle jouait déjà. À six ans, ses parents l'accompagnaient dans des compétitions d'amateurs. À onze ans, elle gagnait le *Concours de musique du Canada*. Gabrielle cartonnait. Puis, lorsqu'elle a eu quinze ans, ses parents ont eu des soucis d'argent. Pour ne pas sombrer dans la faillite, ils ont dû vendre la maison ainsi que plusieurs meubles, dont le piano. Gabrielle a cessé de jouer et s'est rabattue sur ses études. La perte était immense, mais elle se raisonnait. Ses parents avaient perdu bien plus. Admirant ce mastodonte poussiéreux qui occupe tout l'espace de la cuisine, une partie de Gabrielle en dormance reprend vie. La musique envahira à nouveau ses doigts. La peine d'amour sera moins amère.

Il y a quelques bonnes raisons de fêter.

Le piano aura une âme enfin. Gabrielle tombe à point.

J'ai mis une bouteille de champagne au frais. Il ne reste qu'à le sabler et se le siffler.

Des bulles plein la tête, Gabrielle et son ami chantent pendant que je prépare le souper. Je n'ai jamais chanté. Jean, l'homme de la maison, ne poussait pas la note. Je détestais entendre sortir du fond de ma gorge un ton grave. J'adore la musique, mais je préfère me taire. Je manque d'aigus. Mais jamais la maison ne reste silencieuse. Elle résonne toujours de classique, de jazz, de blues ou de vieux rock. Sauf que je me suis enlevé le droit de chanter. Cette voix qui n'est pas la mienne ne servira pas à me réjouir et festoyer. Lors de fêtes d'anniversaire, je n'unis pas ma voix à celles des autres pour entonner le fameux *Mon cher Marcel, c'est à ton tour de te laisser parler d'amour* sur l'air de Vigneault. Je feins. Je fais du lip sync. Grève totale de cordes vocales. Mes enfants et ma femme avaient beau me forcer, rien ne sortait.

Le piano remet en place les idées de Gabrielle. Plus de cœur brisé. L'appétit revient. Le cerveau réfléchit mieux. Comme une puce, elle sautille sur le banc. Le sourire étampé dans la face à briller tel un soleil de juillet, Gabrielle respire la jeunesse débordante d'énergie. Je l'admire entamer tout le vieux répertoire français et j'ai espoir en l'avenir. À les regarder pouffer de rire à chaque fausse note ou chanson trop quétaine, je ne peux pas résister. Il y a longtemps que je n'avais pas ri à pleines dents, de bon cœur. Je m'esclaffe. Je hurle. Je me libère.

— Allez Jeanne! Tu la connais celle-là, j'en suis certaine. C'est *L'hymne à l'amour* de Piaf. On la chante à la Gerry Boulet. Allez! Allez!

— Je vous écoute. Continuez, vous êtes beaux à voir!

— Laisse-toi aller, Jeanne, on est en famille! Chante!

Mon complexe est plus profond. Gabrielle reprend le piano et se remet à lire les paroles. *Si un jour, la vie t'arrache à moi. Que tu meurs, que tu sois loin de moi.* Elle chante comme jamais. Telle une complainte, elle sort sa peine d'amour en appuyant bien sur les mots. *Peu m'importe si tu m'aimes, car moi je mourrai aussi.* La chanson prend tout un autre sens pour moi. Plus lourd. Je pense à mes enfants, à ma famille, à tous ceux qui m'ont laissée derrière et qui ont refait leur vie sans m'inclure, comme si j'étais morte. Il y a de quoi pleurer.

La fête se mélange à la tristesse, la joie s'entremêle aux larmes et les rires deviennent nerveux.

Mes fils m'habitent toujours.

Sonnerie de téléphone.

— Non ! (Silence) C'est pas vrai ! (Silence) Chez elle ? (Silence) Vous étiez là ? Une chance. (Silence) Elle est où ? J'arrive.

Je me suis effondrée au sol. Chute de pression. Trop de stress. Pas assez de sommeil. À manger comme un oiseau, on perd des forces. À faire attention à tout, on en vient à ne plus pouvoir tout contrôler. Encaisser les chocs. La vie nous rattrape et souvent, c'est la santé qui a le dernier mot. Le corps a flanché.

— C'est ma mère.

Dominic et Maxime étaient en visite chez leur grand-mère. Trop longtemps qu'elle n'avait reçu de leurs nouvelles. Elle avait exigé que les garçons viennent l'entretenir et faire des menus travaux sur la maison. *Vous attendez que je sois morte avant de passer faire votre tour?* Après quelques heures, Amélia a soulevé le sujet sensible, Jean. Elle ne croyait pas déclencher une telle dispute entre les deux frères. Ils en sont venus aux poings. Le cœur de la grand-mère a fait des ratés. Rien n'allait plus. Il avait atteint sa limite. Pendant que ses petits-fils s'en mettaient plein la gueule et se bourraient d'insultes, elle a poussé un grand cri. Tout a foutu le camp. Dominic a eu tout juste le temps d'attraper sa grand-mère, défaillante, les jambes molles, avant qu'elle ne se fracasse le crâne sur le coin du poêle à bois.

Puis tout s'est mis à aller très vite autour.

9-1-1. Attendre les ambulanciers dans le fin fond du trou du cul du monde. *Voyons, c'est ben long!* Immobilisation sur la civière. Informations sur l'hôpital où on l'amène. Course de Formule 1 en ambulance. Arrivée au centre hospitalier. Appels aux proches. Transfert dans une chambre. Branchements sur des machines et des solutés. Une grand-mère encombrée de fils. Visite d'on ne sait quel spécialiste. Silhouette de Jeanne sur une chaise droite de jour comme de nuit. Figures connues, vagues de membres de la famille inquiets qui la veillent, qui s'informent auprès des médecins. Silhouette de Jeanne qui use le plancher à faire les cent pas. Une visite aux cinq minutes. Soins intensifs obligent. Fils qui dorment tout croche sur des chaises inconfortables en tenant les mains d'Amélia. *Elle a fait ça en grand, la p'tite dame.* Première visite à l'hôpital à vie, à part ses accouchements, elle se paye la totale.

Là, parler à ma mère. Être certaine qu'elle nous entend, qu'elle nous sent.

La chipie. Une attaque juste quand ma vie commence à être plus légère.

Ne pas la laisser partir seule.

Embrouillée entre le sommeil et la réalité, je souris. Amélia, au réveil, pousse un léger râlement. Les petits-fils courent chercher le médecin. Il écarte les yeux d'Amélia et regarde sa pupille à l'aide d'une lampe de poche. Il est heureux de l'état de sa patiente. Il déclare qu'elle reprend du mieux.

Trois soupirs de soulagement simultanés.

L'épopée, bien qu'assez courte, a paru interminable pour Dominic et Maxime. Le temps a fait un pas de géant et les deux garçons ont eu l'occasion, pendant ces longues heures de veille, d'imaginer leur grand-mère morte. Vieillissante, fragilisée, avec moins d'endurance, perdant toujours de plus en plus de facilité pour l'exécution de ses tâches quotidiennes. Qui s'occupera d'Amélia, maintenant ? Quatre-vingt-dix ans bien sonnés, jusqu'à présent, la grand-mère avait toujours eu la santé. Elle s'inventait des maladies la fin de semaine depuis qu'elle avait quarante ans pour avoir du temps libre. Elle voulait que les enfants prennent le relais des tâches ménagères et qu'ils s'occupent d'elle pour la fin de semaine. Ainsi, elle nous donnait de l'argent pour qu'on coure acheter les médicaments nécessaires à sa maladie imaginaire. Souvent du gros gin pour concocter des petites ponces. Les années ont filé, j'ai vieilli et ma vie a pris un nouvel air de croisière. Je n'ai pas l'intention que ça cesse. Je sais bien que je suis la seule des quatre enfants qui prendra soin de ma mère si elle nécessite des soins particuliers. Les autres sont trop pris par leurs comptes à payer et trop lâches pour donner de leur temps. Elle ne veut plus me voir en peinture depuis dix ans.

Je regarde ma mère sur son lit d'hôpital, sonnée par les médicaments, et je m'imagine les conversations que nous aurions si elle se réveillait. C'est clair qu'elle reprendrait du poil de la bête rapidement et qu'elle aurait assez d'énergie pour chercher la chicane.

— Une chance que j'ai d'mandé la visite de mes p'tits-fils. Pour moé j'l'ai senti. En même temps, j'serais mieux morte. Ça serait mieux ça qu'finir mes jours toute seule sans personne dans mon rang avec mes maringouins.

— Dis pas ça, Amélia.

— Même si vous m'avez trouvé ben mauvaise mère. Vous saurez qu'j'en ai galéré une maudite shot pour m'occuper d'vous autres. Ah oui ! Ça, j'ai ramé ! Après tout' c'qui m'est arrivé, l'départ de vot'pére, tout' faire tu'seule, j'pensais qu'ma famille allait m'aider. Même pas. Rien. Ma mère en avait juste pour toi, Jean. Elle s'occupait juste de toi. Moi, j'mangeais mes bas.

— Commence pas ça. Repose-toi.

— Où c'qui sont é's'autres ? Y ont pas été avertis qu'j'tais en train d'crever ?

Une mère. Bonne ou mauvaise. Imparfaite ou irréprochable. Une mère reste une mère de la naissance du premier jusqu'à sa propre mort. Et même mauvaise, une mère pense à ses petits et peut avoir envie de se reprendre, se faire pardonner avant le dernier souffle. Je m'armerai de patience, mais j'aurai sa bénédiction avant qu'elle rende l'âme. Amélia est ma mère.

Je regarde mes garçons de l'autre côté du lit. Ils s'inquiètent. Ils se mordent les doigts. Ils prient sans démonstration. Ils supplient que leur bougonne de grand-mère ne parte pas maintenant. Ils sont beaux. Je m'ennuie sans bon sens. Il y a si longtemps que je ne les ai pas serrés dans mes bras. Encore hier, ils étaient nouveaux nés et ne pouvaient s'endormir que blottis à écouter mon cœur. Ils ne peuvent nier tout le dévouement que j'ai eu pour eux plus de vingt ans. Je ne songeais qu'à leur bien-être, rien de plus. À en oublier de manger, de boire et de dormir. En faisant abstraction de mon changement de sexe, il y a lien parental. Je suis là. Ça ne peut se rejeter du revers de la main aussi facilement. Mes fils ne sont pas aussi sans cœur. Maxime, dès le début, était convaincu que j'allais mieux m'épanouir en tant que Jeanne, mais, malgré tout, il s'est éloigné peu à peu. Faute aux conflits. Faute aux plombs pétés par Doris. Faute à ses nouvelles activités de jeune homme universitaire. Faute au temps. Dominic a la chienne. À voir crever sa grand-mère, il prie le ciel que ses parents ne les quittent pas trop rapidement. Il se rend compte qu'il a manqué de compréhension, de courage. Près de moi se tient Gabrielle, qui m'accompagne pour me soutenir dans l'épreuve et ça le gifle. Une pure étrangère se dévoue à rendre ma vie meilleure et plus légère et lui, tel un gamin, il pourrit toute tentative de rapprochement. Il a même manigancé pour que Maxime finisse par m'éviter. Dominic est happé de plein fouet. Une vérité dure, une vérité sale. Il a été égoïste. Gabrielle le ramène dans la réalité. Il a été ingrat. Il a fait bien pire que de mordre la main qui l'a nourri. Il a renié le cœur qui l'a bercé, consolé, encouragé, mis en confiance, aidé à passer à autre chose, puis aimé malgré tout. Je plonge dans le regard de Dominic, il y a une nouvelle lumière. Il a compris. Il ne reste qu'à espérer une fin heureuse. *Prends ton temps, Amélia. Chôme un brin, pas besoin de te presser. Mes fils reviennent.* Les liens se ravivent. Amélia peut bien les garder réunis encore quelques minutes. Quelques heures. Le temps qu'ils réalisent. Le temps qu'ils me voient pour vrai. Le temps d'apprivoiser la bête.

Arrêt sur image. Air lourd. On respire à peine. Il y a des larmes. On sent la mort. Il y a de la joie. Des retrouvailles possibles.

Arrêt sur image.

Une grand-mère étendue là. Une mère, debout, qui mise gros à attendre le réveil. Deux petits-fils, dépassés, laissent passer la vague.

— V'nez, on va souper à la cafétéria.

SCÉNARIO CATASTROPHE

Un adolescent. Seins gonflés. Fesses rebondies. Maquillage. *Tica ploc tica ploc* au plancher lorsqu'il marche. Il entre dans la cantine. Une femme, filet sur la tête, sentant l'huile à patates frites à tout jamais incrustée dans sa peau, lui demande sa commande.

— Qu'est-cé qu'tu vas prendre, ma belle fille ?

— Un cheese all dressed oignons cuits, une poutine hot chicken fromage en grains avec un Red Champagne.

— Quand ça va t'être prêt, j't'appelle au micro. C'est à quel nom ?

— Jean.

Les villageois présents dans la place se retournent. Ils jacassent. *C'est Jean. Le petit dernier d'Amélia.*

Un vieux : *Veux-tu ben m'dire qu'est-cé qui s'passe chez c't'enfant-là ?*

Le curé : *C'est ça quand les parents vont pas à'messe.*

Un écolier : *Jean, c't'une tapette !*

Une grand-maman : *Viens, Jean, on va aller manger dehors.*

Un père qui arrive au restaurant rien que sur une pinotte et qui dit à une grand-mère : *Si tu veux r'voir ton p'tit-fils, fais-moi p'us jamais ça.*

— Ouf! Ça faisait longtemps qu'on ne s'était pas payé un bon resto!

Rires complices.

La cafétéria de l'hôpital est bondée. Des infirmières, la broue dans le toupette. Des médecins en plein exposé devant leurs résidents hypnotisés. Des nouveaux papas aux cheveux gras venant de prendre conscience que c'est leur premier repas depuis deux jours. Les parents d'un jeune bébé malade se relayant pour la journée, boule dans l'estomac, la salade ne passe pas. Des fervents des plats en sauce du traiteur aimant dîner spécialement à l'hôpital, juste pour leur bouette et leur blanc-mange. Des familles veillant un proche, quelques-uns rient, quelques-uns pleurent, il y a de l'émotion. Des préposés ramassant les plateaux des gens qui les laissent traîner, même sur l'heure du lunch, déformation professionnelle. Une mère et deux fils. Depuis quelques années, on a assez des doigts d'une main pour compter les fois où nous nous sommes retrouvés ensemble tous les trois. Ils mangent et commentent la bouffe d'hôpital. Sujet rassembleur pour briser la glace.

— Il me semble que t'as juste du brun dans ton assiette?

— Pis toi? Je sais pas comment tu fais pour manger du pouding au riz.

Je souris. J'ai l'impression de replonger dans le passé. Un souper de famille. Encore mieux, les petits déjeuners. Je me levais tous les matins pour démarrer la journée de mes garçons pendant que Doris dormait. Ils mangeaient toujours face à face avec, entre eux, une boîte de céréales. Maxime cachait de son bord le beurre qui levait le cœur de Dominic. Tandis que le plus vieux gardait le petit crémeux d'arachide qui sentait trop fort pour le bébé de la famille. Si l'un deux soulevait la boîte, on entendait systématiquement deux gamins hurler des *eurk t'es dégueulasse*. Lorsqu'ils étaient las de lire le même côté de leur paravent culinaire, ils comptaient *un deux trois go!*, fermaient leurs yeux et tournaient rapidement la boîte. Comme ça, le matin avait été équitable, les deux frères avaient eu accès aux mots cachés de Tony le tigre, aux serpents et échelles de Cric, Crac et Croc ou au cherche et trouve de Sam le toucan. Je voudrais que mon mauvais plat de bœuf Stroganoff soit sans fin. Je siroterais longtemps mon thé accompagné d'un merveilleux gâteau aux carottes à crémage au sucre. Il n'y a pas de tension. Pas de reproches. Pas de honte. Nous partageons la même table. Dominic n'a pas envie de s'asseoir ailleurs, il n'a pas non plus analysé nos voisins de table pour vérifier s'ils m'ont démasquée. Il semble en paix. Il a vieilli, peut-être.

J'ai rarement entendu Dominic confier ses craintes, mais parfois, devant la peur de perdre un être cher, un miracle s'opère. Et si Amélia restait comme ça longtemps? Branchée de partout sans pouvoir respirer seule, nourrie par soluté. Nous devrons décider. La tenir sous respirateur artificiel ou s'acharner? La placer dans un établissement de soins de longue durée rempli sur trois étages de malades? Tous finiraient par oublier la vieille. Pour un malheur, un bonheur. Amélia deviendra aussi lourde et imposante que son piano. Une masse inanimée pourtant vivante. *Il y a de quoi réfléchir*, confirme le docteur. Si elle ne reprend pas conscience bientôt, il faudra agir. Le dilemme est lourd. Amélia va devoir s'aider. Prendre le bon bord ou pas.

Je me remémore mon engueulade avec Dominic il y a de cela quelques années. Il m'a lancé les pires insultes qu'on puisse proférer à sa mère. Il m'a demandé de changer de trottoir si nous nous rencontrions dans la rue. Ce que j'ai fait. Il m'a obligée de jurer que je ne lui ferais plus honte. Ce que j'ai fait. Il m'a ordonné de faire semblant de ne pas le connaître. Ce que j'ai fait. Il a été atrocement dur. Dominic a souhaité que je meure, souvent. Le scénario le plus simple pour tous. Cela n'aurait rien arrangé, mais il se serait senti mieux. Il regarde Maxime bavarder avec moi et semble constater qu'il ne pourrait peut-être jamais arriver à cette sorte d'intimité, mais qu'il peut au moins rendre la relation plus agréable. Dominic a souvenir d'un père bourru, fondu à son sofa, immobile et ne plaçant un mot que pour grogner, critiquer ou encourager son équipe de hockey. Un père qui fume des clopes dans l'auto les fenêtres fermées. Un père qui demande à sa femme de lui apporter ses pantoufles, sa bière, son sac de chips, son cendrier neuf ou tout autre objet dont l'accès nécessiterait de lui un déplacement.

Déconstruire le moule.

Son père, ce n'est pas moi. Jean n'est pas là.

Accoutré d'une robe rose crabe des neiges.

Avec un vernis à ongles rouge pomme de sucre.

Du bleu à paupières air marin de l'île.

Dans cette cafétéria verte crème de menthe pâle.

Son père, il n'est pas là, mais il y a moi, Jeanne. Je vaux la peine d'être connue. La peine et la joie.

Le ravitaillement terminé, nous regagnons la chambre d'Amélia.

Elle vous attendait, nous lance le docteur devant la porte entrebâillée. La vieille n'a plus la force de lutter. Celle qui n'a jamais manqué d'énergie n'en peut plus. La guerrière se meurt. Elle rend les armes et s'agenouille. Elle a eu une vie de combat. Elle ira se battre ailleurs, je n'en doute pas une minute. Une vie où elle a dû faire sa place, imposer le respect, avancer, défoncer les murs, montrer sa force, même si les faiblesses hurlent derrière. Mère monoparentale de quatre enfants, elle a trimé dur pour mettre le pain, la viande, les vitamines sur la table. Elle n'a pas toujours montré tout l'amour qu'elle ressentait pour nous, mais elle était là. Au fond. Là. Toujours. Elle continuait pour nous. Elle en bavait pour que ce soit simple pour nous. C'est pour cette raison qu'elle refusait ma transsexualité. Elle l'a toujours su. Elle le voyait bien. Son petit Jean. La seule bedaine qu'elle a un peu caressée avant son arrivée. Son petit Jean. Tout fragile. Toujours malade. Je demandais les bras de maman pour dormir et mon biberon de lait jusqu'à sept ans. Couvé, jusqu'au jour où ma grande sœur a délibérément cassé la bouteille de verre sur le coin de la table. Fini le biberon. Je me souviens de tout ça. Amélia a aimé ses enfants. Malgré sa froideur, malgré sa dureté, elle nous a aimés. Elle ne le disait pas. Elle le démontrait. Par ses repas chauds. Par ses longues heures à tricoter des courtepointes pour passer l'hiver au chaud. Par nos cahiers scolaires toujours vérifiés, par la tape sur l'épaule pour que les leçons soient moins pénibles. Par les bas de Noël accrochés sur l'escalier malgré le budget qui ne le permettait pas. Par l'œil dans la fenêtre à nous surveiller dehors. Par la gâterie du vendredi. Amélia nous aimait et j'en pleure. Pour cela, je n'ai jamais laissé tomber ma mère. Je l'ai brassée dans ses valeurs. Nous avons partagé de longs silences, mais nous n'avons jamais cessé de nous entraider. Pour passer le meilleur, pour passer le pire, s'aider et aller plus loin.

Amélia meurt. Elle vit ses dernières minutes. Son souffle s'intensifie. Il s'accélère, puis bloque. L'air passe serré et teinte la peau d'un bleu glacé. Elle concentre ses forces. Elle veut dire. Parler une dernière fois. Le silence habite la pièce. Pas question d'émettre un mot et risquer de couper l'élan d'Amélia. Les garçons sont figés.

— Trouve-le.

— De qui tu parles ?

— Ton père. Trouve-le. Y était pas comme tu penses.

— Tu sais où il est ? Où ?

— Comprends-moi. J'étais pas capable.

— De quoi tu parles ?

— Le piano était à lui.

Silence éternel.

La fin d'une mère. Le début d'un père. Les chapitres se croisent. Amélia et l'art du punch. Dévastée par la mort de ma mère, je goûte à une saveur étrange pour la première fois. La mort. Un corps froid, inerte, tirant sur le transparent. Des lèvres aux contours mauves qui, il y a à peine trois minutes, me révélaient un secret gros comme la lune. Toute petite, j'ai prié le petit Jésus pour que ma mère m'avoue la cachette de mon père, mais Amélia se plaisait à nous rappeler que nous avions été abandonnés, non désirés. *Maudit irresponsable su'a brosse*, Amélia choisissait bien les termes pour décrire notre père. *Y vous voulait pas.* Pour Amélia, pas question de créer de faux espoirs. *Y r'viendra pas.* Vaut mieux avoir la réalité en pleine face tout de suite. *Si ton père était encore là, y t'sacrerait une bonne fessée.* Elle inventait son caractère, ses traits sévères, ses mots, ses gestes. *Vous étiez des embarras pour lui.*

Là, les paroles résonnent autrement. *Trouve-le.* Surprise. Amélia savait où il habitait. Elle est partie avec le mystère. Mon père était présent dans tous mes récits de petite fille. Tellement que je croyais le connaître. Mon imaginaire dépassait la réalité. Chaque jour, à jouer dehors dans la cour avec mes baguettes magiques, je songeais à comment mon père m'aurait accueillie au monde. Comment il aurait réagi si ceci, si cela. Est-ce qu'on se serait amusés ensemble ?

Riait-il ? J'ai peur de m'embarquer dans ces démarches de recherche. Pas envie de retrouver un vieil homme bourru, n'ayant pas d'intérêt à revoir ses enfants et surtout, fermé à son plus jeune devenu une femme. Il y a des limites au rejet. La tristesse serait trop grande, trop douloureuse. Et puis par où commencer à chercher ?

Je tiens la main de ma mère. Le piano. Elle m'a fait livrer le piano de mon père. Amélia n'a jamais parlé de sa passion pour la musique. Elle n'avait toujours évoqué que des souvenirs négatifs à son propos. Aux yeux d'Amélia, il était un moins que rien qui passait son temps dans le cabanon. Le piano se trouvait dans cette remise. Mon père était musicien.

Un père qui existe. Pour vrai. Avec un visage, dix doigts, deux bras, deux jambes. Un père. Quelque part. Mais où ?

Au salon funéraire. Le corps.

La tombe entrouverte. Les souvenirs au présent. La mort donne de nouvelles perspectives à mes fils.

Ils ne laisseront pas mourir seules leurs mères.

Après m'avoir côtoyé, obligé, à l'hôpital, Dominic a réfléchi.

Avant, dès qu'il était poussé par un élan de compassion pour moi, il se butait sur les détails superficiels et se fermait comme une huître. Quand venait le temps de m'accompagner, Dominic repensait à Jean, son père homme-pure-laine-sans-aucun-doute-de-rien-du-tout et la colère se ravivait. Qui serait l'homme de la situation désormais? Le patriarche? Le chef de famille? Il ne pouvait pas remplacer son père. Il avait besoin d'un entraînement, d'un stage intensif. On ne devient pas le père d'une famille du jour au lendemain de manière improvisée.

Dominic a des deuils à faire. Il est temps.

— Ah pis! J'sais pas c'que j'viens faire icitte! Grand-m'man s'réveillera pas pis p'pa non plus! Comment tu fais, Maxime?

— Y a pas d'recette écrite. Jeanne est pas un personnage de roman, on peut pas tourner la page pour l'amener au passage qui fait not' affaire.

Les frères se parlent entre hommes. Je suis fière de ce que j'entends, mes fils sont devenus des hommes matures. Pour une fois, intelligemment, sans en venir aux poings, sans traiter l'autre comme un crétin. Dominic est ouvert à comprendre.

— Tout l'monde la regarde. Même son frère pis ses sœurs fakent...

— Y ont juste à s'acheter une vie, le monde, si la leur est trop plate. On n'est pas une téléréalité, criss. Si Jeanne leur plaît pas, y ont juste à changer de canal, le monde.

Maxime rougit au fur et à mesure de la conversation. Le sujet lui tient à cœur. Il n'y a pas eu un moment où il n'a pas pensé à me raccorder avec Dominic. Il dit que j'en ai assez bavé à cause *du monde* et que *le monde* peut me tourner le dos s'il ne sait pas quoi faire de moi, mais mes fils doivent rester. *Le monde* n'a rien à voir dans notre famille. Il peut aller fourrer son nez ailleurs *l'ostie de monde*.

— Un m'ment d'né, j'ai été horrible avec lui et tu sais ce qu'y m'a dit?

— *Elle!* Ce qu'*elle* t'a dit. Si t'acceptes pas ce qu'elle est, respecte-la.

— J'lui ai parlé comme d'la marde. J'paniquais d'le... d'la voir attriquée comme une pas d'allure. J'voulais p'us qu'a sorte. Avant que j'parte, elle m'a lancé comme ça, toute calme: « Quand tu seras prêt Dominic, j'serai encore là! T'inquiète pas. »

Visiblement ému, Dominic essuie le coin de ses yeux avec la manche de sa chemise. En racontant l'histoire, il constate le cruel de ses mots. Il s'était rendu spécialement chez moi, lui qui ne me visitait jamais, et il m'a insultée sous mon propre toit. Là où je me réfugiais pour connaître enfin la paix. Là où je m'étais construite un nid douillet, bien ouaté, sans yeux qui mirent le moindre mouvement, sans nez pour questionner tous les changements, sans curieux pour fouiller dans mon intimité. Là où je suis libre d'agir ou pas. J'ai écouté mon fils me descendre, je lui ai offert de s'asseoir et je ne l'ai pas mis à la porte. Comment aurais-je pu ? C'est mon garçon. Il est venu mettre de l'huile sur le feu. Il m'a blessée et il était tout pardonné.

Dominic regarde Doris se pavaner dans le salon et m'ignorer comme si j'étais transparente.

— Jeanne, c'est peut-être la seule mère qu'on a eue, après tout.

— Doris, on la soûlait plus qu'on la comblait.

— Pourquoi j'suis pas capab' de voir ça simple ? Pourquoi j'en r'viens juste pas ?

Maxime gesticule à son frère de prendre ça molo. S'il commençait par se faire une idée sur la question calmement, c'était déjà un pas vers la bonne direction. Il pouvait prendre le temps qu'il fallait. Une bouchée à la fois. Tant qu'il ne me reniait plus pour de bon, il pouvait laisser mijoter la sauce. Il n'y a pas le feu. Dominic n'a qu'à respirer par le nez. C'est ce que je lui disais tout le temps lorsqu'il était petit et qu'il stressait : *Commence par souffler par le nez ça ira mieux.* Pas la peine de mettre de pression. Je n'ai pas envie de forcer la main de personne pour qu'on m'accepte.

N'empêche que mes fils, j'espère toujours. Je prie le bon Dieu. Je n'y crois pas, mais je le supplie. L'implore. À genoux. Les bras au ciel. Les mains jointes. Les yeux fermés. Je le conjure de me laisser mes fils. Qu'ils comprennent mon geste. Qu'ils soient game d'être avec moi. Les deux. Un jour peut-être.

L'humanité en entier peut me cracher au visage, me tirer des roches, m'arracher mon linge, me traîner dans la boue, me faire porter une croix et me clouer dessus au grand soleil, m'écarteler, me faire chanter, me faire subir le supplice de la goutte, me pendre par les pieds, me scalper, me tenir la tête sous l'eau, me donner comme cible à un lanceur de couteaux, m'enterrer vivante, me jeter aux lions, il n'y a pas une torture qui serait aussi puissante sur moi que d'être séparée de mes enfants.

Je veux sentir mes fils avec moi à nouveau.

Sans hésitation.

Sans demi-mesure.

Qu'ils me choisissent avec ma métamorphose et mes sautes d'humeur.

Car malgré mes parures, j'ai le même amour pour eux qu'avant. Le véritable.

Ce n'est pas le makeup qui fait la personne. C'est l'âme.

Dominic remarque un malaise visible chez les visiteurs. Les gens cherchent Jean, le deuxième fils d'Amélia. Ils trouvent Jeanne, une troisième fille. Dominic attaque du regard toute personne osant dire un commentaire déplacé ou poser des yeux douteux sur moi. Je l'ai vu. Dans son coin, il me défend. Il est prêt à sauter sur n'importe qui. En plus de la mort de sa grand-mère à gérer, Dominic partage, pour une seconde fois depuis notre repas à la cafétéria de l'hôpital, un lieu public bondé de monde avec sa mère numéro deux. Il fait de grands progrès, mais il doit encore s'ajuster.

Après l'acceptation, il y aura l'opération.

Comme mes fils résistent, j'ai retardé, puis retardé encore et toujours ma vaginoplastie. Je refuse de les brusquer. Je rêve d'une douce opération où mes fils seront présents. Avant, pour me booster, me donner du courage. Pendant, à surveiller si je me réveille pour vrai. J'ai la chienne. Après, durant la convalescence où je marcherai difficilement. Pas de vide lourd et souffrant. De silence qui appuie que je m'occupe seulement de moi, que je fais les pas sans personne, que j'avance en laissant tout derrière. Un vide qui me renvoie à la racine.

Je suis seule. Affreusement seule et je pense à la mort. Parfois. Pas tout le temps. Si mes fils étaient là avant, pendant et après, ils me divertiraient et m'entretiendraient de mille et un sujets. Ils transporteraient mes pensées ailleurs. Devant un lac. Des sapins. Un feu de foyer. Un festival. Une bonne bouffe. Juste être là, avec leur mère, et jaser.

Dans la réalité, je suis loin du conte de fées. Dominic a honte. Il ne sait plus comment m'appeler. Papa n'est plus de circonstance. Maman, il ne l'envisage pas et il a assez d'une mère. Jeanne, il se trompe une fois sur deux en mélangeant les *il* et les *elle*, avec mon prénom parfois au féminin, parfois au masculin et souvent avec le second *n* très étiré suivi du *e* ajouté de manière forcée. Maladroit et inconfortable, il tente de faire son gros possible. Il croit encore que je le sortirai de ce cauchemar et que je le texterai *C'est une joke, viens-tu écouter le hockey ?* Tourner le décor de bord. Il ne sait pas comment. Me voir au féminin et enterrer tous ses vieux souvenirs. Être papa, il voudrait être comme le sien, moi, celui qu'il a eu, mais où est l'exemple ? Présent. Toujours à encourager, soutenir les passions de ses enfants. Ouvert. Bougon et discret, mais à l'écoute. Lorsqu'il se remémore son enfance, Dominic sent qu'il a été berné et que j'ai joué la comédie. Juste à penser que je me ferai charcuter, il a mal au cœur. Une journée, je lui manque et la minute d'ensuite, il préférerait me trouver morte. Il est en dents de scie. Il est dur.

Cet univers lui est trop étranger.

Maxime a accueilli la nouvelle avec plus de maturité. Ni surpris, ni en colère, ni enthousiaste. On ne peut pas dire qu'il est zen avec l'idée que je subisse une métamorphose extrême, mais il n'a pas pété les plombs comme son frère. De manière posée, il a pris un temps d'arrêt pour peser le pour et le contre et il a conclu qu'il me faisait confiance. Si j'ai le courage de déployer tant d'efforts pour être mieux dans ma peau et que je n'ai pas peur de tout perdre, c'est que je suis convaincue de ce que je fais. Maxime m'a donné sa bénédiction. Pour lui, j'aurai le même cœur. Ça suffit. Je ne serais pas loin. Après l'opération, ce sera Jeanne tout le temps. Les gens pourraient me découvrir. La vraie. Dès le départ, Maxime m'avait prévenu *J'vais être maladroit des fois pis j'vais t'poser toutes les questions qui m'passent par la tête. Il faudra pas que tu te fâches.* Maxime est né curieux. Au premier jour de sa naissance, on l'a remarqué. Il veillait plus long-temps que son aîné Dominic, luttant contre la sieste pour ne rien manquer. Une fois actif, il regardait les gens avec le nez retroussé et des sourcils suspicieux. Il les interrogeait du regard. Grandissant, sa réputation le suivait. Il avait eu une longue période de pourquoi. Tous les enfants, un jour ou l'autre, demandent pourquoi ceci, pourquoi cela, mais pour Maxime, c'était exagéré. Il nous épuisait : à peine sorti du lit, il posait des tas de questions. Tous les gestes méritaient d'être questionnés. Il cherchait un sens à tout. Pourquoi je dois me réveiller ? Pourquoi je dois sortir du lit ? Pourquoi je dois rabattre mes couvertures ? Pourquoi je ne peux pas garder mon pyjama ? Pourquoi je dois mettre des pantalons et un t-shirt et pourquoi je ne peux pas me balader nu-pieds ? Chaque minute de sa vie comportait son lot de questions existentielles. On disait de lui qu'il devien-drait plus tard journaliste international, détective privé, psychologue. Des métiers où il faut du pif. À l'école, les pro-fesseurs saluaient ce genre de petit garçon qui veut tout apprendre et tout connaître. Bien que ses amis de classe le traitaient de grand-nez-senteux ou de chouchou-du-prof, Maxime ne se lassait pas de lever sa main pour en découvrir davantage sur tous les sujets : religion, sciences naturelles, musique, grammaire, chimie, arts plastiques. Il était per-suadé, déjà à cet âge, qu'à multiplier les apprentissages, on pouvait mieux comprendre le monde. Il ne fallait pas comparer nos enfants, car Dominic était tout le contraire. Il ne s'intéressait à rien et peinait à mettre les efforts pour obtenir la note de passage. La curiosité légendaire de Maxime l'avait toujours aidé à accepter des situations inconfortables ou à s'adapter au changement. Il donnait le temps au temps et digérait les revirements de situation, petite bouchée par petite bouchée. Pas de stress. Pas de pression. Il laissait mûrir l'information avant de réagir trop brusquement. Ce trait de caractère lui valait une réputation de naïf, une sorte de *Roger Bontemps* pour qui il n'y avait rien de grave. C'est pourquoi Doris surveillait chacune de ses allées et venues, chacune de ses décisions. Lorsqu'elle a constaté que Maxime réagissait bien à mon annonce, Doris a vérifié si je ne l'avais pas forcé. Elle avait peur de perdre sa place. Alors elle faisait tout pour qu'il m'haïsse. Qu'il me délaisse. Qu'il me laisse crever toute seule avec mes problèmes. Langue sale, il n'y a rien que Doris n'a pas dit devant les enfants pour qu'ils penchent de son côté. Pour Dominic, l'aliénation parentale a fonctionné à merveille. Maxime, quant à lui, a gardé une distance avec ses opinions trop émotives. Il se rendait compte que la vision de sa mère était biaisée par la colère et la honte. Rien de bien reluisant. Sur une note plus positive, son côté bonasse lui valait souvent d'être le rassembleur, le raisonnable, la personne la plus mature de la famille.

Maxime emmagasine depuis sa naissance une sagesse de petit vieux.

Les enfants naissent sans barrières, sans préjugés, ils vont vers les autres spontanément. Ce sont les adultes qui leur enseignent à fuir la différence, à en rire, à s'en méfier ou à blesser autrui.

Entre Dominic et moi, Maxime a toujours été le messager qui tentait de garder un réseau de communication actif.

Entre moi et Doris, il évitait le champignon nucléaire. Il était doux. Compréhensif. Il s'intéressait aux gens. Il écoutait les confidences de ses mères.

Puis il a fini par s'effacer.

Dominic, de son côté, voit rouge. Doris fait encore ses simagrées pour attirer l'attention sur son désarroi. Depuis son arrivée au salon funéraire, elle n'a pas récité une prière pour Amélia, elle n'a pas fait le tour des proches parents pour offrir ses plus sincères condoléances, elle n'a pas regardé la vidéo de photos en hommage à la défunte, elle n'a pas demandé de nouvelles de ses propres garçons. Non. Doris est venue continuer sa campagne de salissage. Elle jette toujours son venin. Elle médit sur moi dans le but que je me fasse rejeter une fois pour toutes de ma famille. Elle espère enclencher la chicane. Comprenant son stratagème, Dominic saisit sa mère par le bras et la dirige vers le lunch.

— Tu vois pas que le lieu n'est pas approprié, m'man ?

— Je ne vois pas de quoi tu parles.

— Tu fais du Jeannebashing, elle est dans sa famille, merde ! Décroche ou va-t'en.

Ayant vu Dominic partir précipitamment avec sa mère, je suis allée les rejoindre.

— Dominic, c'est bon. Perds pas ton temps, ça vaut pas la peine.

Je ne vis pas le scénario idéal avec mon ex. J'ai assez ragé contre elle. Je l'ai appelée de tous les noms. La faucheuse. La sournoise. L'hypocrite. La câlisse. On a touché le fond du baril de notre relation plusieurs fois. Plus bas que ça, nous nous serions entretuées. J'ai longtemps rêvé garder de bons liens avec Doris pour les enfants, mais maintenant, je n'espère plus rien. Je ne mets plus d'efforts sur ce que je ne contrôle pas.

— Non, mais tu l'as entendue parler d'toi toute la soirée pis s'plaindre ?

— Oui, mais aujourd'hui, on est là en mémoire de ta grand-mère.

— Elle te manque de respect. Montre-moi qu'tu veux t'battre pis j'vas m'battre avec toi.

— Tout ce qui m'importe, c'est toi et ton frère. Vous êtes là pour moi, astheure. Viens, on retourne auprès d'Amélia.

Passant la porte, j'ai vu que Gabrielle a assisté à la scène. Elle a compris que Dominic a choisi de ne pas me laisser tomber dans un moment aussi critique. Elle s'est approchée de lui :

— Tu vas lui avoir fait du bien. On va prendre un verre après la fermeture d'la tombe ?

Prise de conscience. *Jeanne a toujours été ma mère.* Une larme coule d'un coin de l'œil de Dominic.

Sonnerie de téléphone.

Une secrétaire me salue et m'informe de ma date d'opération. Je passerai sur la table de chirurgie dans trois mois. Amélia et mes fils m'ont donné leur approbation. J'ai le go. Apothéose, j'ai ma date. Sur une longue liste d'attente depuis plusieurs mois, chaque jour, j'espérais que mon numéro soit tiré. Voilà. Ça y est. Ne me reste qu'à me préparer. En réalité, ce n'est pas l'opération qui sera la plus difficile, mais la convalescence. Chirurgie de près de trois heures, sous épidurale avec légère anesthésie pour dormir ; certaines femmes se réveillent et parlent avec l'équipe chirurgicale durant l'opération. Impression de consommation de cannabis. Mon sentiment de soulagement l'emporte sur la peur. J'informerai ma famille, plus question de repousser, je serai bientôt complètement femme.

Vingt et un mars. Premier jour du printemps.

Inversion du sexe. Retour à la vérité.

AVANCE RAPIDE

Opération. À prévoir. Huit semaines de convalescence. Un an d'inconfort. Pansements. Onguents. Moule pénible. Cathéter. Glace. Bains de siège. Deux fois par jour. Première journée. Morphine. Antidouleurs. Obligation de se lever. Premier lever, un calvaire. Premiers pas, souffrance, chute de pression. Malgré le mal physique, première journée, les chants résonnent, les rires, la joie, le bonheur. Visites et petites douceurs. Dilatations et maintien de la profondeur. Trois fois par jour. Quatre fois. Suivi après trois mois, un autre dans un an. Trois mois sans relations sexuelles.

Il y aura sensations. Clitoris, dès le premier jour, partie du gland encore sensible. Lèvres, après quelques jours, le temps qu'elles prennent leur place. Le vagin, un apprentissage. Ça se fait.

Aucun regret. La paix en soi.

Résultat parfait. Prendre le temps de me façonner.

Il faut souffrir pour être belle.

Phrase maintes fois entendue pour m'encourager à per-
sévérer. Je me demande pourquoi on sert cette maxime aux
femmes. À toutes les saveurs, à toutes les sauces. J'en ai assez
bavé. Aujourd'hui, je sable le champagne. Respirer librement.
Savourer la victoire. Ne plus penser à cette métamorphose,
mais vivre, en toute simplicité. Être Jeanne. Pourquoi se remettre à souffrir pour atteindre un niveau de beauté adéquat
pour l'œil humain ? À cette nouvelle pression, je me permets
le refus et je lutte à être vraie.

Phrase niaiseuse. Il faut souffrir pour être belle. Épilation
totale. Chirurgie plastique. Porter le corset. La jupe coupe-
souffle. Grimper sur des talons aiguilles. Faire disparaître ses
sourcils et s'en tatouer des faux. Se priver de manger pour
maigrir. Courir pour voir fondre sa graisse. Se friser, se lisser,
se gaufrer, mettre des rouleaux, teindre ses mèches blanches,
se couvrir de spraynet, de gel, de mousse, de pâte et recommencer chaque matin. Essayer de nouveaux régimes : boire
des jus, que des biscuits soda, moins de patates-pain-pâtes,
manger des pousses, juste du vivant, moins de viande, bouette
de légumineuses, juste du mauve. Arracher un à un à la pince
les poils rebelles de moustache. Peindre ses doigts de pieds
pour les fourrer dans des bottes d'hiver à talons hauts sans

crampons. Connaître tous les trucs des pires magazines pour rester tendance, fashion, jeune et échalote. Souffrir pour être belle. Phrase creuse, poids lourd.

Je regarde une dame avec sa ligne de crayon à lèvres définie exagérément pour créer l'illusion optique de babines pulpeuses, son rouge trop rouge, son fond de teint épais et visible, ses cheveux noirs à mèches décolorées, sa jupe de cuir à raz le bonheur, ses bottes montant jusqu'aux cuisses, sa chemise décolletée et sa casquette à la Renaud lorsqu'il avait vingt ans et je trouve qu'elle ressemble plus à une petite poupée ayant peur de vieillir qu'à une femme assumée et fière. Elle est un portrait de femme de revue, sauf qu'elle n'a rien des enfants qui y posent. Cette dame parle de souffrance pour atteindre un standard de beauté. Standard imposé par une industrie qui veut vendre. Vendre du rêve. Faire la piasse. Le fantasme adolescent d'être la plus belle de l'école. Yeux bleus. Cheveux blonds. Peau lisse. Longs cils. Lèvres bombées, douces. Seins de taille parfaite pour les mains. Déesse callipyge. Sensuelle. Sur le dos de femmes qui veulent plaire. Plaire à qui? Plaire pour quoi? Pour assouvir leur soif d'ambition et de pouvoir? Pour être aimées des autres? Elles se croient obligées de revêtir des habits parfaits, les mêmes que leurs compétitrices qui visent les mêmes postes, les mêmes promotions. Pour se prouver qu'elles font toujours partie de la game de séduction. Elles veulent que les visages se détournent sur leur passage. Elles ne veulent pas nécessairement qu'on les admire pour leurs opinions, leur argumentaire, leur verve ou leurs convictions, elles se dandinent pour qu'on siffle, qu'on dise menoum menoum, qu'on bave, qu'on fasse la roue, qu'on bande, ni plus, ni moins. Ne pas devenir invisible. Pour fuir l'inévitable. La vieillesse. Celle qui nous plisse. Celle qui fait descendre nos traits, qui fait tomber nos seins, nos fesses, toujours plus vers le bas. Celle qui creuse nos rides, celles du rire et de la joie, mais aussi celles de l'ennui, de la colère, du mépris. Des rides qui prouvent notre vécu, qui trahissent notre âge réel. Des rides qu'on pense à masquer avec de la potée, à faire relever par la chirurgie, à piquer avec du Botox ou tout autre produit toxique pouvant améliorer la conclusion du temps. Par peur d'être dépassées, de ne plus être dans le coup, de perdre l'amour des gens, leur respect, par peur d'être jugées, les femmes font des pieds et des mains pour garder leur beauté et leur poids santé.

Ce n'est pas cette facette de la femme qui m'intéresse. Je fuis les conversations de maquillage, de régime minceur, d'articles bidon des trente meilleurs trucs pour garder sa jeunesse éternelle ou pour avoir le vagin musclé et serré comme au premier jour. Je n'intègre pas les rangs de cette maladie mentale collective. Je savoure le privilège d'avoir enfin les deux pieds dans ma vie. D'avoir fait le choix. L'opération est faite. Point final. Croix sur le calendrier. Nouvel anniversaire à souligner de moi à moi. Seule à seule. Intimement. Intérieurement. Sans invitations. Sans gâteau. Sans bougies. Chaque année.

L'opération est faite. Non sans douleur. Non sans retouches et ajustements. Avec une longue convalescence. Avec des exercices d'adaptation. Avant d'obtenir un rendez-vous pour procéder à la vaginoplastie, j'ai parcouru un long chemin, accompagnée de psychologues, de sexologues et d'une tonne de spécialistes pour appuyer la véracité de ma transsexualité. Lorsqu'on arrive à la chirurgie de changement de sexe, on jubile. Maintenant, je laisse le passé derrière et j'avance. Je ne parle plus de Jean.

L'opération est faite. Premier anniversaire aujourd'hui.

La maison d'Amélia vide depuis près d'un an, j'ai fait le saut. Corps remis à neuf, je me concentre à la réalisation de mes projets. Le plaisir frappe à ma porte.

Ma mère hante toutes mes pensées. Elle est partout. Sa voix. Cette sensation de présence. Comme si elle avait omis de me livrer un message avant de partir. Jusqu'au testament, Amélia a gardé des surprises. Elle m'a laissé la maison familiale. Avec tout ce qu'il y a dedans et surtout, tout ce qu'il y a dehors. Le grand air à respirer. Le silence. Le Cran-aux-Corneilles. Le fjord à admirer. Les lacs. Les rivières à pagayer. Les poissons à pêcher, à cuisiner. Les sentiers de marche l'été, de motoneige l'hiver. La ferme. Les champs à cultiver et ses futurs légumes à admirer pousser. Le ciel bleu libre d'horizon. Les couchers de soleil rouge écarlate. Les bruits des feuilles au vent. Les variétés d'oiseaux à chercher dans les livres. Les enfants à voir courir vers l'école, cinquante pas plus, classes menacées de fermeture. Les paysages de cabanes à pêche sur glace et ses hockeyeurs. Les chevreuils sur le terrain à manger les pommes tombées des arbres. La nature endormie aux premières neiges d'octobre et s'éveillant tardivement en mai. Va savoir pourquoi. Amélia m'a légué tout cela. La beauté pure et le quotidien de village. Deux idées se confrontant parfois férocement.

Je connais encore une grande partie des habitants du village. Plusieurs n'ont jamais quitté l'endroit. L'autre partie étant ma famille, le compte est bon, personne ne m'est étranger. Des airs de vieilles chansons. Les choses sont restées là où je les ai laissées il y a presque trente ans. Les alcooliques ont toujours le coude aussi lousse. Le fou attire l'attention et accumule les légendes. Le maire siège pour un cinquième mandat. Le petit dépanneur est tenu par la même famille, le père ayant légué l'entreprise à son cadet. Le curé a pris un coup de vieux, mais malgré l'ajout de rides, le reste est figé, ses sermons, son trémolo lors de l'alléluïa, ses intonations à *qu'il est grand le mystère de la foi. Cela est juste est bon. Vraiment il est juste et bon de te rendre gloire*, ses regards méfiants lancés sur les citoyens qui refusent la confesse, ses cris de joie à la conclusion de la messe de Pâques, *Le Christ est ressuscité! Alléluïa!* Le ramasseux de cochonneries ayant habité dans le même rang que nous a rendu l'âme depuis quelques années. Sans famille, sa roulotte et la vieille grange qui lui appartenait sont toujours remplies de ses choses. Les enfants s'y rendent pour fouiller. Légende ancestrale. Il aurait caché des millions dans le foin de sa grange et les craques de sa roulotte. À ce jour, des enfants s'émerveillent d'avoir trouvé cinq piasses et pédalent encore jusqu'au lieu pour fouiller. La voisine d'en face, Simone, qui a quitté le village à la suite de son divorce, a racheté à sa retraite la maison familiale de sa fille, qui l'avait rachetée de son père. Maison unique. Maison à fortes paroles. Maison à émotions. Maison au cœur du village. Personne ne voulait qu'elle passe à des mains étrangères. Depuis quelques années, elle est de retour. Femme de cœur et de lutte, elle est déjà impliquée partout. Elle réfléchit à son village. Elle voit grand pour lui. Elle l'imagine incontournable. La retraitée, pas capable d'arrêter de travailler, s'apprête à ouvrir un café social à même sa cuisine; de simples rideaux sépareront l'espace café de son intimité. Elle n'aime pas le concept de bulle. Pour Simone, on s'en sort ensemble. Déjà, elle est venue me visiter pour me souhaiter la bienvenue, m'informer sur l'actualité de la place, me motiver à m'engager et m'offrir un dessert aux fraises. Elle deviendra une complice, ça se sent. Une amie qu'on appelle le matin pour un café quand on voit que le rideau s'est tiré, qui n'épuise jamais ses sujets de conversation et qui repart vers 5 heures moins quart pour aller préparer son souper. Il y a les enfants qui flânent jusqu'à l'école tous les matins. Des visages connus. Des ressemblances avec des mamans ou des papas avec qui j'ai déambulé moi-même jusqu'à l'école. Les personnages pleuvent au village. Je me dis que j'en ferai un livre un jour, à vendre au café de Simone.

Gabrielle m'a suivie, Dominic aussi. Nous habiterons ensemble. Gabrielle, Dominic et moi, quel beau trio. Ils braveront soir et matin les trente kilomètres les menant vers la ville la plus proche pour travailler. Pas peur. Ils choisissent la tranquillité et les grands espaces. Plus question de retourner habiter en ville, ils en ont soupé. Dominic n'a pas d'attaches qui l'attendent à la ville. Pas d'amoureuse, pas d'enfant, juste Doris. Il en a épais sur le cœur. Le procès où il a témoigné pour sa mère numéro un. Les insultes dites et redites. La gifle qu'il m'a administrée lorsqu'il avait été incapable de se tempérer. Cœur dans la flotte, en déconfiture, il angoisse juste à se remémorer tout le mal qu'il m'a fait subir.

Maxime est là pour nous aider avec le déménagement, mais la métropole a encore tant à lui offrir. Il est à l'âge où tout est passion, pas question de prendre racines avant d'avoir découvert le monde, avant d'avoir vécu. Il se dit que sa mission est accomplie. Il a renoué les liens entre son frère et moi. Il veut maintenant se pencher sur Doris. Lui faire avaler la pilule avant qu'un cancer ne lui pogne les artères par trop d'angoisse. Elle doit s'alléger, refaire sa vie, rencontrer un homme qui la traitera comme une reine. Sérénité bloquée par sa solitude mal assumée. Malgré son indépendance, Doris a besoin de l'autre pour exister. Un homme la soulagera et la libérera de sa vilaine manie de me nuire.

— Jenny, les déménageurs demandent où on place ton piano?

— Au beau milieu de la place, pas ailleurs!

J'emménage. Il y a quelque chose d'excitant à tout recommencer à l'endroit où tout a démarré. Une renaissance. La chance de faire autrement. De disposer les souvenirs dans de nouvelles cases de l'histoire.

La maison changera de gueule. Il y aura de vives couleurs. Les pièces vireront de bord. Des murs tomberont. Celui de la chambre à coucher au rez-de-chaussée pour que la cuisine respire, pour y installer une très grande et très lourde table en bois massif avec des bancs de cabane à sucre pour recevoir. À Noël. À Pâques. Aux anniversaires. À la semaine de relâche. À la fête du Travail. Aux Patriotes. Recevoir du monde. Remplir la maison. Que ça sonne à la porte. Que ça rie. Que ça parle fort. Que ça remplisse les lits, les salisse. Que ça mange. Que ça chante. Il y aura de grands travaux, mais je garderai le cachet. Tout le bois sera redécouvert, libéré des panneaux de gypse. Les vieux planchers seront effeuillés et retrouvés sous toutes ses couches de tapis et prélart à motifs multiples. Plus de lourds rideaux aux fenêtres, j'ouvre tout. Qu'on puisse voir ce qui se passe dans cette maison trop longtemps secrète. Les gens passeront devant. Les gens regarderont. Les gens papoteront. Et pourquoi pas? Rien à cacher.

Les boîtes toutes empilées dans la cuisine d'été. Les meubles dans leur pièce sans occuper encore leur place officielle. Ne reste plus qu'à trier. Plonger dans les souvenirs de famille et démêler tout ça. Amélia m'a tout laissé. Tout. Les pièces sont combles. Les garde-robes débordent. Le garage et la vieille ferme accumulent des antiquités inutilisables, mais pouvant être vendues pour l'histoire. J'ai proposé à mes sœurs et mon frère de dépoussiérer une première fois, de mettre de côté ce qui se garde, puis de se réunir pour séparer ou jeter le reste. Gros fun.

Maxime soupe et couche à la maison ce soir. Comme ça, il pourra aider Dominic et Gabrielle à abattre quelques tâches pour m'installer confortablement plus longtemps. Apéro. Petites bières frettes. Labatt 50, la moins pire du dépanneur. Chips. Saucissons. Pain. Pâté de canard. Après une longue journée de travail très physique, la bière descend bien. La pizzéria à plus de quarante kilomètres du village ne livrant pas, Gabrielle et moi avons pris les fourneaux pour en confectionner home made. Pas question de manger autre chose. C'est la tradition.

En attendant, les deux frères jouent du piano à quatre mains. Les notes sonnent encore caverneuses et quelques-unes étouffent. Impatient, Dominic écrase fort les pédales pour qu'il se passe quelque chose. Il frappe sur le côté du piano, donne de légers coups de pied. Fragilisée, une planche se détache de l'instrument, laissant découvrir un objet à l'intérieur. Une vieille boîte de métal, toute cabossée. Les garçons m'appellent pour que je saisisse l'objet. Étrange. Quelque chose d'enfoui dans le piano. Doucement, je soulève le couvercle. Un sac de billes. Un élastique à sauter. De petites poupées et leurs habits. Des barrettes. Des photos de bébés. Des photos d'un petit garçon bougon. Une alliance. Une lettre d'Amélia. Dans l'enveloppe, une carte routière des États-Unis, une adresse en Louisiane et quelques mots écrits de la main d'Amélia : *Quelques mois après son départ, votre père* m'a envoyé ça. Son itinéraire de tournée. Il jouait fort bien du piano. *Fais-en ce que tu veux.*

Sous l'adresse, mon père avait rédigé : *J'y serai. J'attends les enfants. Je t'embrasse.*

Dans le fond de la boîte, une lettre, longue lettre, écrite pour Amélia. Une lettre d'amour. Une lettre remplie d'émotions. Dans le temps des romantiques, on aurait pu remarquer une larme qui aurait delayé l'encre noire sur le papier. Une lettre en réponse à plusieurs questions d'enfance.

Chère Amélia,

Tu le sais, ton village m'étouffait. Ta famille, leurs avis sur tout, leurs petits commentaires. Tu le sais, j'avais d'autres ambitions. Je vous imaginais à mes côtés. Mon piano ne vous excluait pas de ma vie. La tournée aurait fait du bien aux enfants. Horizons ouverts devant eux. École sur la route. Aventure au grand air et découverte du monde. Sortir des frontières closes de Sainte-Reine. Tout pour leur offrir une chance unique. Je te voulais à mes côtés, Amélia, mais tu n'as fait qu'écouter ta grosse tête. Encore. Ta grosse tête et ton orgueil de « je peux m'organiser seule ». Ta mère t'avait conseillé de me suivre. Si tu voyais les paysages, si tu rencontrais les gens, tout te plairait. Je pense à toi sans cesse. Les enfants me manquent à me rendre fou, mais rester aurait été pire. Je m'emprisonnais. Je respirais mal. Quand j'ai reçu cette proposition de jouer du piano pour gagner ma vie, j'ai sauté dessus. Je n'en pouvais plus de l'usine et du travail de la ferme. Je m'empoisonnais.

Venez me rejoindre. Je t'ai inscrit l'adresse sur mon itinéraire.

Je vous aime. Gilbert XX

L'invitation est claire. J'aurais toutes les cartes en main pour le retrouver. Gilbert. Je ne me souviens plus à quand remonte la dernière fois où j'ai entendu le prénom de mon père. Il était banni à la maison. Les mots de mon père étaient doux, posés. Il a proposé à sa femme de nous amener, elle et les enfants. Ce n'était pas un abandon, au contraire, c'est Amélia qui a retenu l'élan. Par peur, sans doute, l'inconnu nous enferme dans nos vieux patterns. Elle a perdu l'amour pour rester dans ses vieilles pantoufles, dans un village conservateur avec sa famille, rangée, cloîtrée entre les quatre murs de sa maison, ne sortant des limites de son terrain que pour l'essentiel ou les urgences. *Y était pas comme tu penses.* Ma mère a-t-elle prononcé ces paroles pour redonner ses lettres de noblesse à son époux ou voulait-elle se faire pardonner avant la fin tous les mensonges inventés sur lui ? Au cas où elle le rencontrerait en haut, il fallait qu'elle soit clean. Elle a sa place à gagner au ciel. Saint Pierre ne pourra pas la blâmer d'avoir caché la vérité jusque dans sa tombe. Après tout, on ne savait jamais sur quel pied danser avec Amélia. Lui faire confiance ou se méfier jusqu'au bout ? Est-ce que je me jetterai dans la gueule du loup ? Gilbert a peut-être mal viré à la suite de la séparation. Me chassera-t-il dès que j'aurai franchi les limites de sa propriété ? Qui est mon musicien de père en réalité ? Lorsqu'il est parti, il a laissé un poupon dans les bras de sa femme.

J'en sais si peu sur mon père. Amélia stoppait tous les récits. Elle ne voulait pas gérer ça. J'avais un an lors de son départ, aucune caresse, aucun baiser tendre ne revient à ma mémoire. Jamais de jeux. Pas de contes, pas de berceuses. L'absence d'un père qui marche en forêt et nous apprend les noms des champignons, des arbres, des fruits comestibles, des animaux sauvages. Je ne connais pas les passions de Gilbert, mis à part le piano. Tout m'est inconnu. La couleur de ses yeux et de ses cheveux m'est étrangère. Son parfum dégage-t-il des effluves de lime, de café, de fruits tropicaux ou de musc? Les traits de son visage, fins ou bruts? Poilu, imberbe, chauve, longue crinière? Joue-t-il toujours de la musique ou a-t-il tiré sa révérence de la scène?

Après avoir vécu le sprint de la maladie, de la mort, de l'enterrement et de l'exécution du testament de ma mère, j'ai mis la révélation d'Amélia de côté. Le temps s'écoule. Mon père vieillit, lui aussi. Si j'attends trop, je prends le risque d'arriver là-bas le jour de ses funérailles. J'ai assez porté de noir pour cette année. Avec la boîte, il n'y a plus de doute. Mon père existe et, à lire et à relire sa lettre, il n'a rien d'un monstre. Amélia nous a monté un énorme bateau pour que nous ne lui posions plus de questions, pour que nous lui fichions la paix. *Votre père vous a abandonné. Point final.* Je suis sur le cul. Les jambes sciées, je suis tombée assise sur le canapé du salon et je ne fais que regarder la lettre, la carte routière et l'adresse. La lettre, la carte routière et l'adresse. La lettre, la carte routière et l'adresse. La lettre, la carte routière et l'adresse. La lettre, la carte routière et l'adresse. La lettre, la carte routière et l'adresse. Mes fils, remarquant mon état brumeux, ont décidé de respecter mon silence en me laissant le temps d'assimiler les nouvelles informations. Puisqu'il avait besoin d'un nouveau bras droit pour le souper, Maxime a proposé à Gabrielle de terminer l'assemblage des pizzas et de les mettre au four. Les deux frères sirotaient leur bière en compagnie de ma jeune amie en parlant de tout et de rien. Surtout, éviter de soulever une discussion sur le contenu de la boîte. *Moi, j'irais sans hésiter. Moi, je le laisserais sécher, il n'avait qu'à pas partir. Moi, je serais curieux. Moi, je resterais ici, imagine s'il est mort. Moi... moi... moi... moi...* J'en ai assez à encaisser, si l'avis de tous m'intéressait, je le demanderais. Je saurai prendre une décision éclairée après quelques nuits de sommeil. Les garçons connaissent cet état méditatif. Ils raseront les murs et me laisseront jongler seule. Ils souperont et se trouveront des plans pour finir la soirée.

Tandis que Maxime monte à l'étage pour commencer à placer des meubles et à épousseter quelques pièces, Dominic invite Gabrielle à prendre une bière au bar local. *La terrasse Belle Humeur.* Ancien club de danseuses nues et plaque tournante de cocaïne, *La Terrasse Belle Humeur* est devenue un bar country où les habitants du village et des environs viennent jouer au billard, danser en ligne, écouter la propriétaire chanter en karaoké les chansons des maîtres du country. Saloon local. Chaque soirée commence par le succès souvenir chanté par Renée, *L'écho de mon village*. L'ambiance lève. Moment à ne pas manquer. Des gens des villes et villages environnants se déplacent pour prendre un pot à la terrasse juste pour le show. Pour rire. Pour se soûler pas cher. Pour chanter sur du Willie. Pour les plats d'arachides à volonté. Pour le trio shooters. Mais avant tout, pour Renée. Elle a de la prestance. Elle remplit l'espace vide au cœur des gens.

La taverne se trouve sur la route près de l'entrée du village. Dans la grande courbe des accidents d'hiver. C'est loin et proche, ils prennent la voiture malgré les quelques coupes de vin bues pendant le repas. Un char de police par mois passe par là. Petit bar qui ne paye pas de mine, mais où la grosse 50 est à cinq piasses. Faux foyer. Tableaux au mur, photographie de Claude Blanchard et Guilda. Une vieille horloge O'Keefe arrêtée à 10 heures moins quart. Jukebox où une grande variété de chansons populaires n'attend qu'à jouer. Il faut venir en début de soirée. Lieu parfait pour se détendre. Presque vide ou juste assez plein. Dans un coin, un groupe d'amis rit fort. Des étranges, on ne les connaît pas. La soirée est encore jeune. Ils sont déjà soûls. Ils ont commencé à boire et à fumer dans leur chambre de motel en face puis sont venus terminer la fête après la game de hockey. Deux filles de leur bande prennent des photos sous l'enseigne néon de *La terrasse Belle Humeur*. Un gars vient les rejoindre, il saute dans les bras de la plus jeune et l'embrasse comme jamais. À entendre leurs intonations chantantes et leurs *a* étirés, on comprend rapidement qu'ils viennent du Lac. Les deux en plein flirt se réchauffent juste par le regard. Il y a rapprochement. Il y a mots doux aux creux des oreilles. Il y a invitation à continuer plus tard, seuls sur le toit du motel. Des french kiss au grand air. Ça sent bon. Il y a amour naissant.

Gabrielle et Dominic regardent la scène en silence et se trouvent privilégiés d'être témoins de cette étincelle enflammant le foin sec. Ils connaissent la fin du plan séquence. Ils savent où cela les mènera. Ils imaginent les développements. Ils les regardent. Ils se regardent. Ils connaissent les premières sensations de papillons dans l'estomac. Il y a une tension. Un petit quelque chose. Il y a une tension. Sexuelle ou amoureuse, difficile à définir pour l'instant.

— Deux grosses 50!

Dominic a soif. Sa bouche est sèche. Gabrielle le suit. Pas question de regarder passer la fanfare sans prendre part à la fête. Elle saute dedans à pieds joints et se mêle à l'ambiance. Gabrielle et Dominic admirent la fougue des jeunes tourtereaux et savent pertinemment qu'ils finiront la soirée ensemble. L'odeur plane. Le vent s'est levé. Les cheveux frisent. Un goût marin au parfum de shooters de Schtroumpfs.

Dominic, ayant compris l'évidence, a cessé de boire. Pour savourer l'amour, il désire avoir toute sa tête. On ne revit jamais deux fois le premier émoi avec quelqu'un. On n'a qu'une chance. La magie ne pardonne pas. Si on ne la crée pas dès le départ, dix ans plus tard, lorsque l'amour passe à travers une tempête, il s'accroche comment ?

2 heures du matin, la place est pleine à craquer. Plus rien à faire là. Dominic et Gabrielle en ont assez de traîner au bar. D'un même souffle, ils se sont levés pour régler leur note et prendre la porte. Sur le trottoir, ils se demandent quoi faire. Prendre la voiture ou marcher jusqu'à la maison, jusqu'à l'inévitable. Un plumard partagé. Une demi-heure les sépare de leur confort. Espérant une réponse du ciel, surpris, ils entendent des rires provenant de nulle part et de partout à la fois. À l'étage du haut, au-dessus de leurs têtes, se trouvent les deux amants admirés plus tôt dans la soirée. Sur le toit de l'immeuble, les jambes pendant dans le vide, ils fument un pétard et se racontent leurs vies. Bras dessus, bras dessous pour se réchauffer, les amants ont commencé leurs préliminaires. La jeune fille pousse de petits cris aigus. La nuit les enivre.

Entreprenante, Gabrielle a fait ni une ni deux et a proposé à Dominic une fin de soirée chaude. Petit feu, sleeping bags et rhum and coke feront l'affaire jusqu'au lever du soleil. Pas la peine d'imaginer de refuser cette invitation, Gabrielle est sa femme. Clair de même. Il la désire. Chacune de ses courbes. Il veut baiser ses yeux, son front, ses joues, ses lèvres, son cou, sa nuque, son dos, ses seins, son ventre, ses doigts, son sexe, ses cuisses, ses genoux. Il se voit la croquer, la lécher, la humer, l'embrasser. Il l'imagine féline, sans pudeur.

Elle est magnifique. Il admire son visage et sait qu'il ne se lassera jamais de la contempler.

C'est un départ.

7 heures et demie du matin.

J'ai cuisiné du bacon, des œufs, des saucisses, des petites patates, des toasts et des bines Clark. *Gros déjeuner pour grosse nuit*, ai-je lancé en les voyant entrer. J'ai entendu la fiesta des nouveaux amoureux dans la nuit. À les voir descendre la bouteille de rhum autour du feu, je savais qu'il faudrait démarrer leur journée avec beaucoup de gras s'ils voulaient être aidants pour le reste de l'aménagement. Je me marre de voir Dominic et Gabrielle se manger des yeux. Je lance des clins d'œil à ma nouvelle bru et me moque des brins d'herbe retrouvés dans ses couettes de cheveux. On palpe encore l'ambiance et on sent l'alcool sortant de leurs pores de peau. Il y a un joyeux désordre. Une espèce de bonheur. Une lunette grossissante où la femme devient reine et où l'homme devient tout-puissant.

Je suis sortie des ténèbres. Ma décision est prise. Le timing est bon. Il y a eu du mouvement. Ça a brassé dans ma tête. Pour le mieux. Une telle nouvelle ne peut pas laisser de glace. Mon père vit quand je le croyais mort. J'ai besoin de réponses. J'ai le droit de connaître le second visage de mon histoire. Je n'informerai mes sœurs et mon frère qu'à mon retour. Pas envie que ça devienne une escapade de gang. C'est trop. J'ai envie d'un pèlerinage sur les traces de mon père en solo. Si je ne pars pas à sa rencontre maintenant, je risque de stagner

ici. Il doit se faire vieux. La maladie s'est peut-être déjà empa-
rée de lui. Il se ronge d'ennui depuis longtemps.

La distance ne sera que chose du passé dans quelque
temps. J'arriverai à mon père nue, sans protection mentale,
fragile, les bras tendus et prêts à enlacer ou à me défendre.
Je n'ai pas de boule de cristal, je ne sais pas comment Gilbert
m'accueillera. Je n'ai pas envie de faire le voyage pour me
frapper à un appartement vide ou à une maison désaffectée,
mais ça se pourrait. Après toutes ces années, je ne peux avoir
la garantie de retrouver un père soulagé devant la venue, enfin,
de l'une de ses enfants. Ce ne sera peut-être pas si simple.

Malgré mes appréhensions, je rassemblerai mes forces,
j'attendrai mon nouveau passeport et puis, en avant la musique, direction sud. La Louisiane. J'ai du sang cajun partout
dans le corps.

Je parle à mes fils d'un ton déterminé. Je partirai. Dominic
et Gabrielle garderont la maison. *Vous prendrez vos aises. Je vous
laisserai la plus grande chambre.* Je partirai et je ne me mettrai
pas de limite de temps. Pas de date de retour. *Ce sera vite fait ou
un long voyage. J'sais pas.*

Je me sauverai l'âme en paix, il y a des veilleurs pour le
domaine d'Amélia.

Amélia inventait, mettait en scène. Mais elle nous proté-
geait. Je ne lui en veux plus, car en plus de m'avoir donné la
vie, elle me l'a sauvée.

Il y a un happy end.

Quarante ans plus tard.

Une finale sortie d'une boîte découverte dans un piano.

Une quête à mener. Des retrouvailles, peut-être.

Merci, vieille malcommode.

REMERCIEMENTS

Derrière un roman, il y a des gens précieux. Des vivants, des morts. Des loin, des collés. Du bien bon monde qui nous épaule. Ce roman ne m'appartient pas uniquement. Il est à toi, Vickie, mon amie, ma guide, ma psychologue du personnage, ma pluggée à la bonne source, ma recherchiste de la cohérence. Merci à toutes les femmes à qui j'ai pensé pendant l'écriture de *Jeanne* : Daphnée, Marie-Pascale, Christiane et Isabelle. Le travail fut laborieux par respect pour vous toutes.

Robert, Robert, Robert, merci de m'avoir attachée à mon clavier. Tu m'avais donné un an, j'en ai pris deux, mais il est là. Il est écrit.

Merci aux enfants qui ont arrêté leur vol trop tôt et qui m'ont inspiré cette histoire. Des enfants trans qu'on voudrait aider, voir grandir jusqu'à devenir de merveilleux êtres entiers et vrais. Leur vie prend fin à dix ans, douze ans, seize ans. Cette histoire est leur voix.

Merci à mes bedaines de mammouth et maintenant filles qui m'ont plongée dans de longues réflexions sur l'identité, le genre, la maternité, la vie, l'amour.

Jeanne a été achevé d'imprimer
en caractères Gentium Basic pour le texte
et DIN Cond pour les titres, en février 2017,
sur les presses de Marquis Imprimeur
pour À l'étage.